의사국가고시 | 레지던트시험 | 전문의시험 | 준비를 위한

HANDBOOK

POWER

Surgery

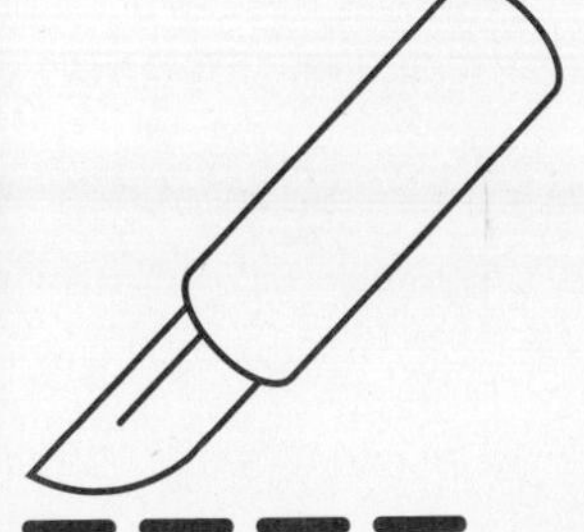

POWER MANUAL SERIES

외과 총론

파워외과 핸드북 (총론) 4th ed.

첫째판 1쇄 발행 | 2004년 7월 25일
둘째판 1쇄 발행 | 2006년 8월 30일
셋째판 1쇄 발행 | 2009년 5월 30일
넷째판 1쇄 인쇄 | 2017년 2월 10일
넷째판 1쇄 발행 | 2017년 2월 24일

지 은 이 김세준
발 행 인 장주연
편집디자인 조원배
일 러 스 트 유학영
표지디자인 이상희
발 행 처 군자출판사
등록 제 4-139호(1991. 6. 24)
본사 (10881) 경기도 파주시 회동길 338(서패동 474-1)
전화 (031) 943-1888 팩스 (031) 955-9545
홈페이지 | www.koonja.co.kr

ISBN 979-11-5955-153-6
979-11-5955-152-9(세트)

3권 세트 35,000원

HANDBOOK

POWER

Surgery

외과 총론

머리말

preface

이번「파워 외과」개정판 출간을 통해 파워시리즈의 공백을 채울 수 있게 되어 영광입니다.
이 책의 목표는 의과대학(원) 학생 및 전공의의 외과 학습 효율을 높이는 데 있으며,
이 책의 특징은 다음과 같습니다.

- Sabiston 20판을 중심으로 최근 외과학의 경향을 반영하였습니다.
- 표, 그림 등 시각적인 편집을 강화하여 학습의 지루함을 덜고 이해를 돕도록 하였습니다.
- 최근 국가고시 기출 (2012년도~2017년도) 및 임상적인 중요도를 표시하였습니다.
- 단순 암기보다는 이해를 통한 학습을 위해 해설을 보강하였습니다.

이 책은 각종 학생시험 뿐 아니라 외과 전문의 자격시험을 대비하는데 도움이 되도록, 외과의 주요 전 영역을 다루었습니다. 따라서 국가고시를 준비하는 의과대학(원)생이 이 책을 보실 때에는 중요도 위주로 학습하는 것을 권장합니다.

이번 개정판은 오랜 공백 이후 출간된 만큼, 텍스트의 구성을 좀 더 체계적이고 보기 쉽게 편집하였습니다. 또한 최신 경향에 맞추어, 새롭게 바뀐 사비스톤 20판 교과서 및 진단/치료 가이드라인 등을 포괄적으로 반영하도록 노력하였습니다. 따라서 국가고시 대비 뿐 아니라 외과학 전반의 통합적인 이해를 위해서도 유용한 참고도서가 될 것이라고 생각합니다.

늘 소중한 가르침과 모범을 보여주신 가톨릭대학교 의과대학 외과학교실의 교수님들께 이 자리를 빌어 감사의 말씀 드리며, 특별히 본 책의 원저자이시자, 저희가 이번 개정판을 함께 집필할 수 있도록 배려해주신 김세준 교수님께 무한한 감사를 드립니다. 또한 바쁜 와중에도 소중한 시간을 할애하여 집필에 참여해준 학우들에게 고마움과 격려, 그리고 자랑스럽다는 말을 남기고 싶습니다.

이번「파워 외과」개정판이 출간되기 까지 많은 도움을 주신 군자출판사 장주연 사장님, 편집을 맡아 큰 수고를 해 주신 옥요셉 편집자님, 그리고 일러스트를 담당해주신 김경렬님께도 역시 큰 감사를 드립니다.

2017년 1월

가톨릭대학교 의과대학 외과학교실 김 세 준 교수

가톨릭대학교 의과대학 · 의학전문대학원 학생회 및 58회 졸업생 집필진

목차

contents

Surgery 총론

Surgery 각론

★★★★★

Power **01**

수액, 전해질 및 쇼크

Fluid, Electrolytes and Shock

Body Water & Electrolyte Composition

■ Total Body Water ★

1. 수분의 분포

① 젊은 남자 체중의 약 ★ "60%" : 여성에게서는 체중의 50%

② TBW (Total body water)

ICW (Intracellular water, 2/3)	ECW (Extracellular water, 1/3)
• 체중의 40%	• 체중의 20% a. interstitial fluid : 체중의 15% b. plasma : 체중의 "5%"

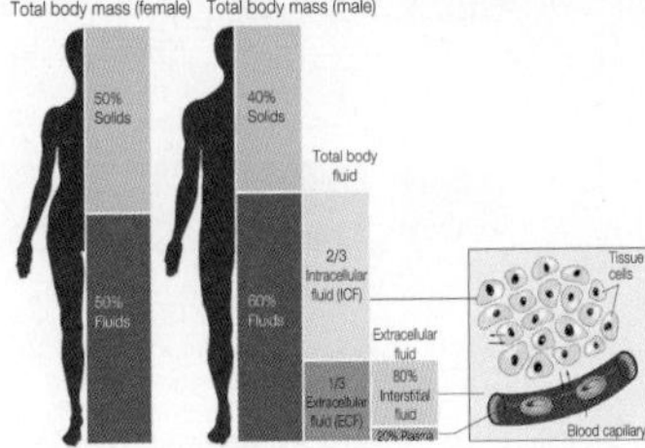

(a) Distribution of body solids and fluids in an average lean, adult female and male

(b) Exchange of water among body fluid compartments

예시1) 70kg 성인 남성

- TBW (총 체액) = 70kg x 0.6 = 42,000ml,
- ICW (세포 내 수분) = 42,000ml x 2/3 = 28,000ml,
- ECW (세포 외 수분) = 42,000mlL x 1/3 = 14,000ml
  → Interstitial fluid (간질액) = 10,500ml,
  Plasma (혈장) = 3,500ml

예시2) 60kg 성인 여성

- TBW (총 체액) = 60kg x 0.5 = 30,000ml,
- ICW (세포 내 수분) = 30,000ml x 2/3 = 20,000ml,
- ECW (세포 외 수분) = 30,000ml x 1/3 = 10,000ml
  → Interstitial fluid (간질액) = 7,500ml,
  Plasma (혈장) = 2,500ml

추가노트

☞ 나이가 들면 감소하여 60세 이상에선 54%까지 감소

☞ 소아일수록 체중에 대한 체액비율이 높아 75-80% 정도 된다.

Functional body compartments

% of Total Body Weight	Volume of TBW	Male (70 kg)	Female (60 kg)
Plasma 5%	Extracelluiar Volume	14,000 mL	10,000 mL
	Plasma	3,500 mL	2,500 mL
Interstitial Fluid 15%	Interstitial	10,500 mL	7,500 mL
Intracellular Volume 40%	Intracellular volume	28,000 mL	20,000 mL
		42,000 mL	30,000 mL

2. 수분의 균형

(표) 정상 성인에서의 일일 수분 균형

Source	Water intake, mL/day Obligatory	Elective
• 물 섭취	400	1000
• 음식물에서의 수분 함량	850	
• 산화 (oxidation)과정 후의 수분 생성	350	
• Total	1600	1000

Source	Water output, mL/day Obligatory	Elective
• 소변	500	1000
• 피부	500	
• 호흡기(respiratory tract)	400	
• 대변	200	
• Total	1600	1000

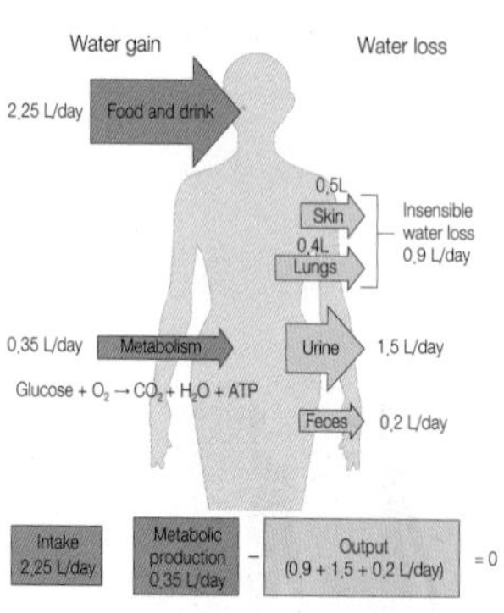

추가노트

i) Water intake

– 음식물은 많은 수분을 함유하고 있다. 예컨대 **고기의 70%가 수분**이며, **야채의 경우 거의 100%가 수분**에 해당한다.
– 또한 탄수화물, 지방 및 단백질의 산화로 일정량의 물을 생성하게 된다.

ii) Water output

– Insensible loss : 수분은 피부 및 젖은 호흡기 표면을 통해서 손실되는데 이를 가리킨다.
  전체량은 **피부** 500ml + **호흡기** 400ml = 900ml/day에 **해당**한다.
– 소변량은 하루에 최소 500ml이상 되어야 하며 이 이하의 소변이 배출될 때, Oliguria라고 한다.
  기타 **대변**을 통해 200ml의 수분이 배출된다.
– 외과 환자에서 수분 손실의 대표적인 경우는 위장관을 통한 소실이다. (침, 위액, 십이지장액, 담즙, 췌장액 등)

■ 전해질의 구성

(표) DISTRIBUTION OF SOLUTES

EXTRACELLULAR		INTRACELLULAR	
NA^+	142	Na^+	10
K^+	4	K^+	140
Cl^-	110	Cl^-	3
HCO_3^-	24	HCO_3^-	10
$Inorganic^-$	12	$Organic^-$	137
Glucose	3	Glucose	2.5
OSM	300 ⟷	300	
Urea	⟷	Urea	
(ETOH)	⟷	(ETOH)	

Units: mmole/kg of water, except organic-
* Units: mEq/kg of water

주요 **세포 밖** 전해질 ★ : Na^+, Cl^-, HCO_3^-

주요 **세포 내** 전해질 ★ : K^+, organic Phosphates (PO_4^{2-})

■ Volume 및 Osmolality의 조절

1. Effective circulating volume의 조절

① Sensor : **carotid sinus, aortic arch** 및 신장에 있는 **afferent glomerular arterioles**에 "baroreceptor"가 있어서 volume 상태를 인지한다.

② Effector : **Catecholamine** (sympathetic activation: epinephrine, norepinephrine), **RAA** (Renin-Angiotensin-Aldosterone) 및 **ANP** (Atrial nitriuretic peptide)를 통해 신장에서 Na^+배출 조절

추가노트

※ 금식하는 환자에게 있어서 I/O(input/ output)을 계산할 때 **"input이 output에 비해 500ml이상"**이 되어야 한다는 근거는 우리가 계산할 수 있는 I/O 외에 intake 350ml, output에서 900ml가 추가되어 I/O가 equal이라고 하더라도 −550ml의 값을 지니기 때문이다.

☞ **우리 몸에는 effective circulating volume을 정확히 감지하는 receptor가 없다**(volume receptor는 없다). 단지 그 압력(stretch)만을 감지한다. 하지만 보통 **"effective volume과 압력은 정비례"** 하므로 여기에 맞추어 volume이 조절된다.

☞ **ANP(atrial natriuretic peptide)** : 심방의 근육세포에서 **높은 혈압에 반응**하여 분비되며 심장의 collecting tubule에 작용하여 Na^+의 흡수를 방해, **natriuresis를 유발**하여 결국은 **혈압을 낮춘다**.

(그림) Effective circulating volume 감소 시의 반응 ★

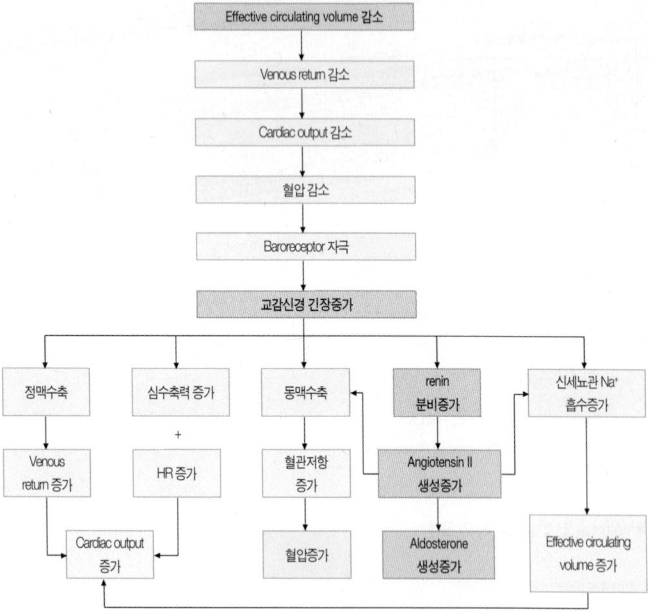

Effective circulating volume 감소
→ Venous return 감소
→ Cardiac output 감소
→ 혈압 감소
→ Baroreceptor 자극
→ 교감신경 긴장증가

- 정맥수축 → Venous return 증가 → Cardiac output 증가
- 심수축력 증가 + HR 증가 → Cardiac output 증가
- 동맥수축 → 혈관저항 증가 → 혈압증가
- renin 분비증가 → Angiotensin II 생성증가 → Aldosterone 생성증가
  - Angiotensin II 생성증가 → 동맥수축
  - Angiotensin II 생성증가 → 신세뇨관 Na^+ 흡수증가
- 신세뇨관 Na^+ 흡수증가 → Effective circulating volume 증가 → Cardiac output 증가

(그림) **sodium 섭취를 늘렸을 때(혈관내 용적이 증가 시)** ANP, renin**의 변화**

즉, renin과 ANP는 반비례 관계에 있다(혈관 내 용적증가 시 renin은 감소하지만 ANP는 증가한다).

ANP는 혈관 내 용적이 증가시(심방확장 시) 심방의 심근세포에서 분비되어 → GFR증가, 소변에서의 Na재흡수 감소 등을 통해 → 혈관 내 용적을 감소시킨다. **즉, Renin은 혈압을 높이는 역할, ANP는 혈압을 낮추는 역할을 한다**고 볼 수 있다.

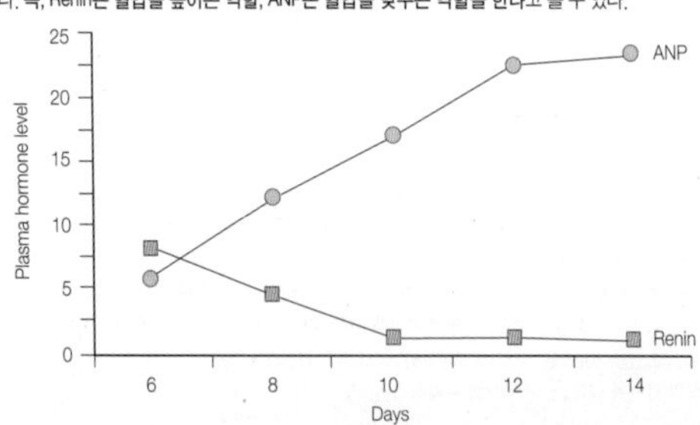

2. Osmolarity의 조절

① Sensor : 시상하부(hypothalamus)에 있는 "osmoreceptor" 에 반응함.

② Effector : 삼투압이 높으면 뇌하수체(pituitary gland)에서 ADH (Antidiuretic hormone)를 분비하여 신장의 collecting tubule에서 **수분 재흡수를 촉진시키고, 갈증을 유발**한다.

cf) ADH(Antidiuretic hormone, 항이뇨 호르몬) : 뇌하수체 후엽에서 분비하는 펩티드 호르몬으로, AVP(Arginine Vasopression, 바소프레신)라고도 부른다.

Osmoregulation과 Volume regulation의 차이를 아래 표로 정리해보자

(표) Osmoregulation과 Volume regulation의 차이

	Osmoregulation	Volume depletion
감지하는 것	**• 혈장 삼투압**	**• 유효순환량 (Effective circulating volume)**
Sensor	• 시상하부(hypothalamus)에 있는 osmoreceptors	• 경동맥, 신장, 심장의 baroreceptor (Carotid sinus, Afferent artriole, Atrium)
Effector	• ADH (antidiuretic hormone) • 갈증	• RAA system (Renin–Angiotensin–Aldosterone) • ANP (Atrial natriuretic peptide) • ADH (antidiuretic hormone)
영향을 받는 것	• **소변**을 통한 **수분배출** • **갈증유발**을 통한 **수분섭취**	• **소변**을 통한 **Na+ 배출**

추가노트

☞ **정상 혈장삼투압**은 275-290mOsm/k로서 1-2%의 차이에도 osmoreceptor는 민감하게 반응한다

☞ 탈수(dehydration)와 체액 소실(volume depletion) 각각의 경우에 생리적 반응 차이를 살펴보자.

탈수(dehydration) 의 경우는, 더운 날에 운동을 했을 때 발생한다. 땀의 경우 순수한 물이 배출되어 증발하는 것이므로, 이로 인한 **수분손실이 Na+손실보다 클 것이다.** 이로 인해 혈액내 Na^+농도가 상승하면 삼투압에 의해 세포 내 수분이 혈관 내로 이동하여 삼투압이 떨어질 것이고 이에 반응하여 ADH가 분비될 것이다.

체액 소실(Volume depletion) 은 세포외액의 감소를 가리키는 것으로, 위장염으로 심한 설사를 한 환자의 경우는 탈수보다 체액 용적의 감소가 두드러지며 이는 **수분과 Na+을 동시에 소실**한 경우이다. 이 경우 **삼투압으로 인해 ADH가 분비되**고, **volume depletion에 반응하여 RAA이 작용**하여 소변에서의 Na^+ 배출을 줄인다.

• ADH (Antidiuretic hormone, 항이뇨호르몬)의 분비를 일으키는 인자

> ① 혈액 내 **고삼투압**
> ② **저혈압** 혹은 Volume depletion
> 혈관내 용적이나 평균혈압이 >10% 감소시 → baroreceptor에 의한 기전으로 ADH가 분비됨
> ③ **통증 & 감정적 스트레스**

(이상을 정리해보자) ★

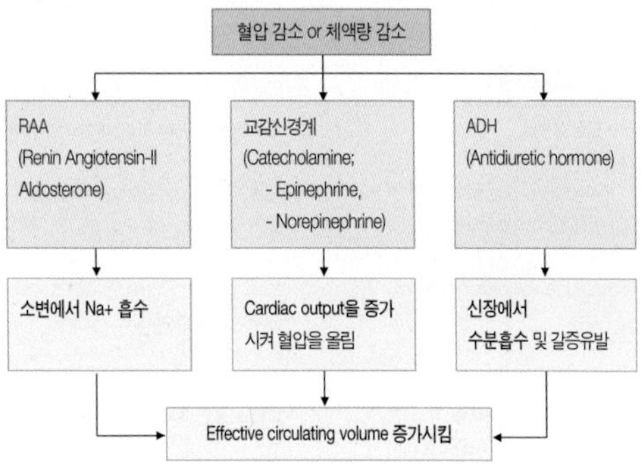

추가노트

☞ Volume depletion과 **혈관수축**

Angiotensin II, Norepinephrine **및** Antidiuretic hormone 모두 **강력한 혈관수축**인자이다. 광범위하게 혈관을 수축함으로써 내부 용적을 감소시키고, 이는 혈관 내 압력을 높이는 작용을 한다. 즉, 소변에서의 나트륨 및 수분 재흡수로 실제적인 혈액량을 증가시키기도 하지만, 혈관을 수축함으로써 **전체적인 용적자체를 줄여** baroreceptor가 인지하는 압력을 높이게 되는 것이다. 여기에서 발생할 수 있는 중요한 부작용으로, 신장으로 가는 혈관을 수축시켜 **급성 신부전** (Acute kidney injury, AKI) 및 prerenal azotemia를 유발할 수 있다.

☞ 3rd space loss

또한 우리 몸이 감지할 수 있는 용적은 혈관 내 용적에 한정된다. 이러한 혈관내 용적 **외**의 신체부분에 수액이 저류되는 것을 "3rd space loss" 라고 한다. 이 경우 혈관 내 용적은 감소되는 경우가 많아, 실제적으론 3rd space로의 수액저류로 인해 체중이 증가됨에도 불구하고 **우리 몸은 volume depletion에 반응하는 3종류의 호르몬이 활성화**된다. 따라서 아래의 경우는 ADH분비로 인한 **저나트륨혈증**이 흔하게 발생한다.

ex)
- 간경화로 인해 복수가 차는 경우
- 신증후군에서 하지에 부종이 있을 때
- 장마비 시에는 마비된 장으로 수액이 저류된다.
- 췌장염 시 췌장주위로 3rd space가 형성된다.
- 복막염

※ 혈장 삼투압(P_{osm} : plasma osmolarity)는 아래와 같이 산출될 수 있다.

$$P_{osm} = 2xNa + \frac{Glucose\ (mg/dl)}{18} + \frac{BUN\ (mg/dl)}{2.8}$$

여기에서, BUN(Blood Urea Nitrogen)은 ineffective osmole이고, 정상적인 상황에서 glucose는 5mosmol/kg 정도로 적은 수치이므로, 이 공식은 아래와 같이 바꿀 수 있다

$$P_{osm} = 2 \times Na$$

즉, Na+는 주된 세포외 osmole에 해당한다(정상 Posm = 290~310mOsm/L).

전해질 이상

■ 나트륨

- 정상범위 : 138-145mEq/L

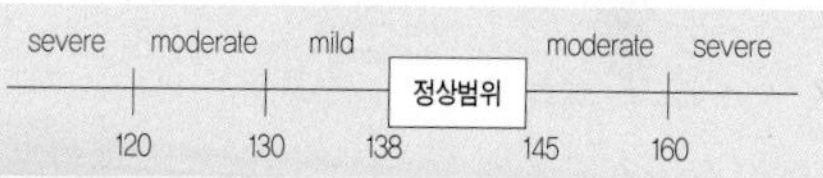

1. 저나트륨혈증 : Na+ < 135 mEq/L

- <120mEq/L 시 심각한 저나트륨 혈증으로 생명의 위협을 초래한다.

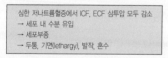

> 심한 저나트륨혈증에서 ICF, ECF 삼투압 모두 감소
> → 세포 내 수분 유입
> → 세포부종
> → 두통, 기면(lethargy), 발작, 혼수

① 저나트륨 혈증 (Hyponatremia)의 분류

a. 원인에 따라

- **고장성 (hypertonic)** : 고혈당에 의해 일시적으로 세포 내 수분이 세포 외로 이동
  고장성 글루코스, 만니톨, 글리세린 수액 주입
- **등장성 (isotonic)** : 고지혈증이나 고단백혈증에 의해 혈장 부피 증가/나트륨 감소
- **저장성 (hypotonic) (m/c)** : Volume depletion 시 **ADH 호르몬에 의해 수분이 과량 흡수**

b. 환자의 Volume 상태에 따라

- **과혈량성 (Hypervolemic)** : 심부전, 간경변, 신증후군 등으로 **혈액 저류 및 부종 (3rd space loss)**
- **정상혈량성 (Euvovlemic) : 항이뇨호르몬 부적절 분비 증후군 (SIADH)**
- **저혈량성 (Hypovolemic)** (m/c) : 나트륨 함유가 많은 **수분 소실**(위장관/피부/폐)시, 불충분한 저장성 수액으로 보충

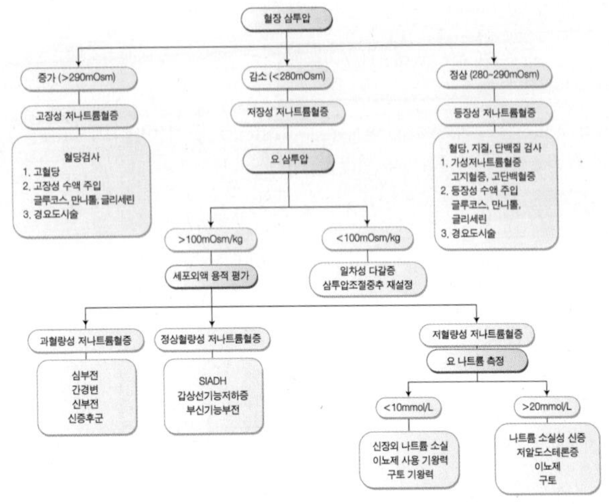

② **급성** 저나트륨혈증 **원인**

a. **ECF가 부족한 환자**에게 저장성 수액(ex.5DW)으로 보충할 경우★

b. 비교적 키가 작고 생리중인 여성에게서 수술 후 갑작스런 저나트륨혈증이 발생할 수 있다.

c. **이뇨제**(loop diuretics, ex. furosemide) 및 manitol 사용 후

d. 고혈당으로 인한 osmotic diuresis시

e. 복수, 부종, 흉수같이 3rd space loss가 있어 혈관 내 용적이 감소되어 있는 경우

f. **뇌손상**이나 뇌질환이 있는 경우

g. 장관영양 시 **Na+함량이 낮은 영양제**를 장기간 복용했을 때 저나트륨혈증으로 인한 의식저하가 발생가능

h. 수분 중독 (Acute water intoxication) : 신부전이 있는 상태에서 수분 과다섭취, 저장성 수액 과다 주입

추가노트

☞ ② e-Hypervolemic hyponatremia : 이 경우 어느정도(mild~moderate)의 저나트륨혈증은 교정하지 않아도 된다.

☞ ② f-과도한 ANP(natriuretic peptide)의 분비로 인해 소변을 통해 Na^+ 배출이 증가되어 저나트륨혈증이 발생한다. 치료는 충분한 Na^+ 보충이다. 뇌손상 환자에서의 저나트륨혈증은 뇌세포부종으로 인해 더욱더 위험할 수 있으므로 필요하면 3% hypertonic solution까지 이용하여 교정해야 한다.

☞ ③ Syndrome of inappropriate release of antidiuretic hormone(SIADH, 항이뇨 호르몬 부적절 분비 증후군)
이름과 같이 ADH가 비정상적으로 과도하게 분비되어서 발생하는 질환이다.
저혈장삼투압, 저나트륨혈증, 소변량 감소 및 농축뇨, 요나트륨 증가(> 20mEq/h), 정상혈량을 특징으로 한다

③ **만성** 저나트륨혈증의 **원인**

a. **부적절한 항이뇨호르몬 증후군 (SIADH)**

• **진단**

정상용적을 지닌 환자에게서(euvolemic)

P_{osm} 〈 270mmol/kg H_2O 이며 U_{osm} 〉 150mmol/kg H_2O일 때

• **원인**

i) **ADH분비 종양** : carcinoid, 혹은 **소세포폐암** (small cell lung cancer)

ii) **뇌손상, 감염** 및 **종양**

b. **신장 기능장애**

- 신장기능장애로 신장에서 Na^+를 보존하지 못하는 경우 발생한다

④ **저나트륨혈증의 치료 ★【17】**

• Na^+ 농도에 따라 수액을 선택한다

〉 120 mEq/L : Isotonic saline (0.9% NaCl)

〈 120 mEq/L이며 급격한 hypovolemic 환자에서 : 3% Hypertonic saline

※ 나트륨 부족량 계산식 : ($[Na]_{goal}$ - $[Na]_{plasma}$) × TBW(total body water)

└ 남성: 0.6 × 체중, 여성 : 0.5 × 체중

※ 급속히 교정하면 **중심 뇌교 수초용해증**(central pontine myelinolysis)★이 발생하므로 교정속도가 0.25mEq/L/hr를 넘으면 안된다(〈8mEq/L/day).

 추가노트

☞ SIADH의 치료

a. 수분제한 : water intake < 7- 10 ml/kg/day b. Demeclocycline : AVP의 신장작용을 길항한다(만성 SIADH 환자에서 유용). c. Lithium d. Na^+결핍이 동반된 경우 (uNa < 30mEq/L) → Hypertonic saline

2. 고나트륨혈증 : Na+ 〉 145 mEq/L

- 〉160m g/dl시 심각한 고나트륨혈증으로 생명의 위협을 초래한다.

심각한 고나트륨혈증에서 뇌세포 탈수 → 신경손상 발생 → 근육위약, 발작, 혼수, 사망

① 고나트륨혈증 분류

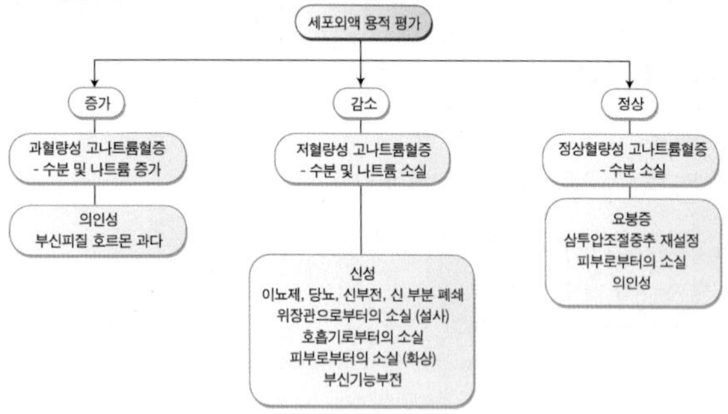

② 원인 : "수분" 손실

a. **★땀이나 호흡을 통한 수분의 소실**이 보충되지 않을 때가 가장 흔하다(더운 환경이나 열이 있을 때).

b. **급성알콜독성** (Acute alcohol intoxication)시

추가노트

☞ 급성 알코올 독성 시 ADH 분비가 억제됨 → hypo-osmolar urine을 다량 배출 → 고나트륨혈증 발생
이때 보통의 경우 심한 갈증이 유발되므로 이로 인한 과량의 수분섭취로 고나트륨혈증이 교정되고 오히려 ECW osmolality가 감소한다. 그러나 **"의식이 없는 환자"**의 경우는 고나트륨혈증이 지속될 수 있다. 이 경우 보상작용으로 세포 내 수액인 세포 외로 이동하게 되는데. 그 결과 치명적인 뇌세포 탈수가 발생할 수 있다.

c. 요붕증 (DI; Diabetes Insipidus)

- **정의** : ADH의 분비에 이상이 있거나(central DI), 신장의 tubular cells이 ADH에 반응하지 않을 경우 (nephrogenic DI) 발생하며 많은 양의 농축되지 않은 소변을 방출하게 된다.
- **진단**

  소변량이 많고(**24시간 소변량** 〉50ml/kg), 고나트륨혈증(Na^+〉150mg/dl)이 있는 환자에게서 Uosm 〈300mOsm/L 일 때
- **종류**

  i) Central DI : 내분비 질환

  → **치료** : DDAVP (Desmopressin)

  ii) Nephrogenic DI

  → **치료** : Hydrochlorothiazide, amiloride, NSAID (indometacin), 나트륨 제한

② **치료**

a. **순서**

먼저, Isotonic Saline 주입	⇨	다음으로, Free water 공급

b. **원칙**

급작스런 교정은 (뇌)세포부종을 일으키므로

Na^+는 8mEq/day이하 로 교정한다.

* 수분 부족량 계산식 : $\left(\frac{[Na]_{plasma}}{140} - 1\right) \times$ TBW(total body water)

  - 남성 : 체중 × 0.6 (탈수/노인일 경우 0.5)
  - 여성 : 체중 × 0.5 (탈수/노인일 경우 0.4)

추가노트

☞ Central DI에서는 많은 경우 뇌손상, 뇌출혈 등의 CNS질환이 동반되지만 원인을 알 수 없는 경우도 많다.

☞ Nephrogenic DI는 Sickle cell nephropathy, medullary cystic disease같은 신질환, Lithium, glyburide, demeclocycline, amphotericin B 및 심한 고칼슘혈증, 저칼륨혈증과 관련되어 발생한다.

☞ 대부분 고나트륨혈증의 원인은 **탈수**이며 심각하게 혈액량이 감소되어 있으므로 NS(normal saline; isotonic saline)을 공급하여 ECF **용적**을 **교정**한다. 그 후 전해질 없는 수분(ex 5DW)을 공급하여 신장을 통해 Na^+가 배출되어 고나트륨혈증이 교정되도록 한다.

cf) 고나트륨혈증 교정제제

일단 교과서 내용을 기본으로 기억하나, 임상에서는 다음과 같이 교정한다.

- **순수한 수분**만 손실인 경우 → "**수분**" 만 공급 (ex. dextrose water)
- **구토, 설사,이뇨제 등으로 Na+손실도 동반**되어 있는 경우 → "quarter-isotonic saline" 공급(750ml free water + 250ml NS)
- **혈압이 감소**되어 있을 때 → "Isotonic Saline" 공급한다.

■ 칼륨

- 주된 세포 내 양이온으로, 정상 혈중 칼륨치는 약 4.5mEq/L이다.

① Na^+-K^+ ATPase의 활동을 통해 세포내외의 K^+농도가 조절된다.
※ *Na^+-K^+ ATPase **활동을 증가시키는 물질 (즉, 세포외 K^+ 농도 낮춤): 인슐린**, β-adrenergic agent*

② 세포외액에서 H^+와 K^+는 reciprocal manner로 작용한다 즉, 산혈증이 발생하게 되면 혈장 칼륨 농도가 증가하게 된다. 반면, 알칼리혈증이 발생 시 혈장 칼륨 농도가 감소하게 된다.

• pH 감소 (Acidosis) 시→ 고칼륨혈증 발생	• pH 증가 (Alkalosis) 시→ 저칼륨혈증 발생

H^+와 K^+는 같이 이동한다(즉, 증감을 같이 한다고 기억하면 쉽다)

③ 전반적인 K^+의 농도조절은 Aldosterone에 의한다.
→ 즉, 고칼륨혈증으로 인해 분비된 Aldosterone이 Distal collecting tubule에서 Na^+를 재흡수하고 K^+를 배출시킨다.

④ 세포외액의 K^+농도가 너무 높거나 너무 낮은 경우 치명적인 심장 리듬장애를 일으키게 된다. 저칼륨이 발생하면 **처음엔 심전도상 depressed T파 및 U파**가 나타나다가 진행되면 빈맥, 심실세동 등으로 진행된다. 저칼륨혈증으로 인한 부정맥은 특히 Digoxin을 복용하는 환자들에게서 위험하다.

1. 저칼륨혈증 (K^+ < 3.5 mEq/L)

① 증상

- 심전도 상 전위, **T파 강하, 현저한 U파** 발생

a. < 2.5 mEq/L
→ 피로, 허약감, 장마비 및 횡문근 융해(rhabdomyolysis)등의 증상이 나타난다.

b. < 2.0 mEq/L
→ 이완마비(flaccid paralysis) 및 호흡마비

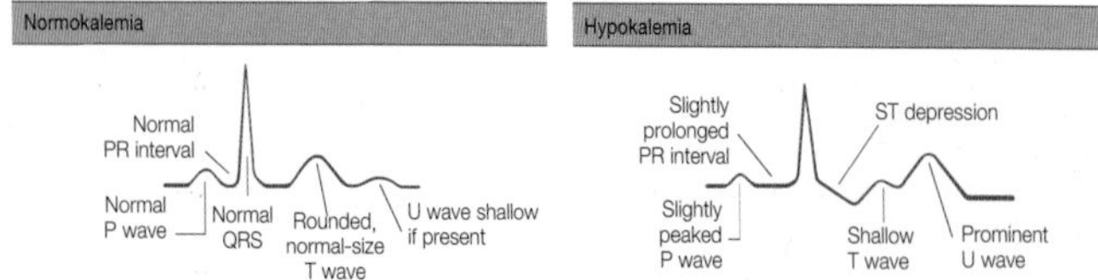

② 원인들

- 위장관 : 구토, 설사, L tube 및 장루를 통한 배출이 많은 경우
- 신장: 이뇨제(특히, furosemide 같은 loop diuretics)
- 피부 : 화상
- 인슐린 과다, 대사성 알칼리증, 심근경색 등 급성 세포내 칼륨 유입

③ 치료 : KCl 보충

a. 먼저, 적절한 신장기능을 유지하고 있는지 (**소변배출이 적절한지**) 확인해야 함
b. 경도의 저칼륨혈증 (〉3mEq/L) 은 경구 섭취로 충분 (하루 40-100mEq KCl을 1-2번에 나누어 복용)
c. 정맥주입시 10-20 mEq/hr의 속도로 교정하며. 심각한 저칼륨혈증환자에서는 심전도 monitoring하에서 40 mEq/hr의 속도까지 교정할 수 있다(0.3 mEq/kg/hr, 200 mEq/day이하의 속도로 교정한다).
d. 이뇨제로 인한 저칼륨혈증의 경우 **저칼륨혈증을 유발하지 않는 이뇨제**(triamterene, spironolactone)으로 교체
e. 항상 **마그네슘** 감소가 동반되어 있는지 확인하고 감소시 교정한다.

추가노트

☞ 핍뇨환자 및 심한 스트레스 수술, 외상 후에는 K^+를 보충하지 않는다(∵파괴된 조직에서 K^+ 유리됨).
☞ KCl은 1ample이 40mEq에 해당하므로 보통 normal saline 100ml에 절반을 혼합하여 1시간 동안 주입하면 20mEq/hr의 속도에 해당한다. 따라서 이를 하루동안 10회 주입하면 200mEq/day에 해당한다.
가급적 빠른 칼륨주입을 막기 위해 적은량의 칼륨을 반복적으로 주는 것이 안전하다.
☞ 마그네슘는 칼륨의 섭취 및 혈중농도유지의 중요한 cofactor이다.

2. 고칼륨혈증 (K^+ > 5 mEq/L)

① **증상**

- K^+ 6-7 mEq/L 일때 **대칭적**이고 **크기가 큰 T파**가 나타난다.

  대칭적으로 심전도의 변화 ★

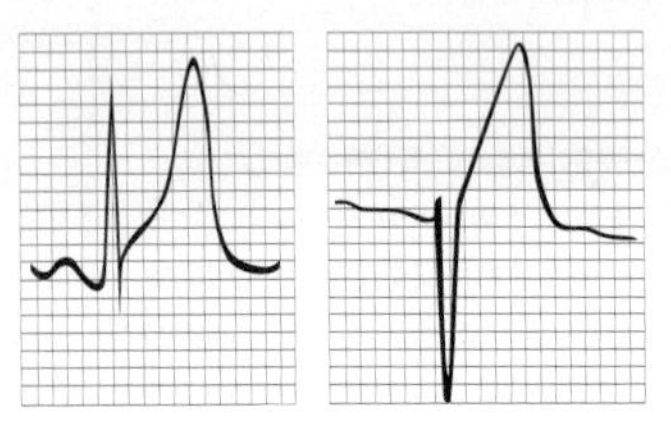

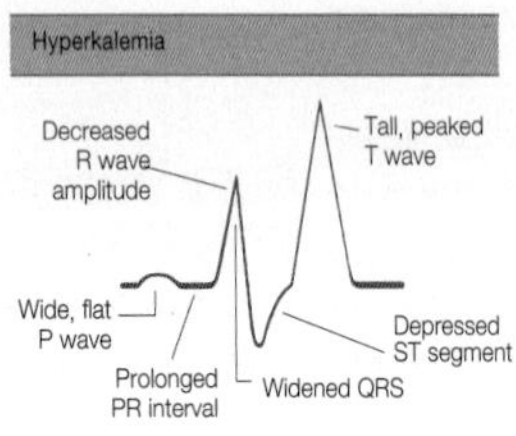

② **원인들**

a. 신부전

b. 신장 기능을 저하시키는 약제들

ex) spironolactone, triamterene, beta-blocker, cyclosporine, tacrolimus 등

c. 근위축, 화상 및 근육 외상환자에 succinylcholine을 투여했을 때

d. 부신 기능 장애 (ex. 양쪽 부신의 출혈성 경색)

e. 허혈성골격근의 **재관류 증후군** (Reperfusion of ischemic skeletal muscle)

- 허혈이 왔던 근육에 재관류가 되면서 횡문근 융해(rhabdomyolysis) 등의 증상이 나타나며 고칼륨혈증이 발생할 수 있다.

추가노트

☞ K^+는 세포내의 대표적 전해질로서 세포손상시 과량의 K^+이 세포외액으로 유리된다.

☞ K^+가 7mEq/L이상 증가하면 P파 크기가 감소되고, PR간격은 늘어나며 QRS complex간격도 늘어난다.

☞ 80%이상의 신장 기능부전시 고칼륨혈증시 분비되는 aldosterone에 반응하지 못하여 고칼륨혈증을 교정하지 못한다.

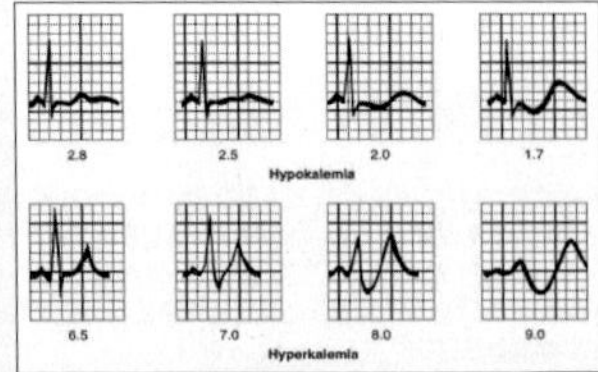

③ 치료

• **응급질환**이므로 모두 기억해야 한다

a. IV Calcium salt 주입 (Calcium gluconate 등)
b. Sodium Bicarbonate
c. 인슐린 + 포도당
d. 혈액투석 : 가장 빠르고 확실한 방법
e. K^+-binding resins (sodium polystyrene sulfonate)

- *iv Ca^{++}은 고칼륨혈증으로 인한 심장부정맥 위험을 감소시킨다(심근세포의 막전위를 안정화 시킴)*
- *Sodium bicarbonate는 K^+를 세포내로 이동시킨다. 특히, metabolic acidosis가 있는 환자에서 유용하다.*
- *인슐린+포도당 역시 K^+를 세포내로 이동시킨다.*
- *K^+-binding resins은 특히 경직(per rectum)투여시 효과적이다*

■ 칼슘 (정상수치 : 8.5~10.5mg/dL)

① Calcium 작용

• **심근의 수축**에 중요한 작용을 함
• **세포막**의 안정성, **응고반응** 및 세포분열에 필요

② 세 가지 형태

a. **단백질** (대부분 Albumin)과 결합한 Ca (40%)
b. **음이온** (bicarbonate, phosphate,acetate)과 결합한 diffusible Ca (15%)
c. freely diffusible Ca++ (Ionized Ca++): 정상범위 4.6-5.1mg/dL biologically active form(45%)

* **이온화된 칼슘농도 계산법** : Corrected [iCa^{2+}] = Total [Ca] + (0.8 ×[albumin])

추가노트

☞ 칼슘대사의 조절

1. 부갑상선 호르몬 (Parathyroid Hormone)
   ① 혈장 칼슘치 및 1,25-dihydroxyvitamin D가 낮을 때 분비된다.
   ② 신장과 골격근에 직접적인 영향을 주고, 위장관에는 Vit D hydroxylation을 통해 간접적인 영향을 미친다.
   → 골격근에서,
   • 칼슘분비를 촉진
   • osteoblasts 억제 & osteoclasts 자극
   → 신장에서,
   • calcium 흡수, phosphate 분비
   • 25-hydroxyvitamin D →1, 25-dihydroxyvitamin D (hydroxylation)
2. Vitamin D
   ① 장에서의 Ca, Phosphate 흡수를 증가시키며, 뼈에서 혈액으로 Ca, Phosphate를 이동시킨다.
3. Calcitonin
   ① 뼈에서의 칼슘흡수를 막고, 저칼슘혈증을 유발한다.
   ② 소변에서의 Ca,Phosphate의 분비를 증가시킨다.

1. 저칼슘혈증 : serum Ca 〈 8.4mg/dL, iCa2+ 〈 4.5mg/dL

① 증상

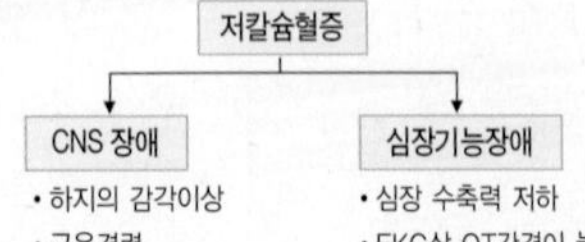

② 원인들

a. **종양용해 증후군**

- 종양으로 인한 **항암요법**시 갑작스런 종양세포의 괴사로 사이토카인 등이 분비되어 발생함

b. 쇽으로 인한 소생 후

c. 심한 **췌장염**시

d. 중환자실에서 **잦은 수혈** 후에도 나타날 수 있다.

e. 부갑상선저하증 (Hypoparathyroidism)

③ 치료

• IV 칼슘의 공급 (Ca 〈 7.0mg/dL, iCa 〈0.8mmol/L)

: 10% Ca gluconate (10ml 앰플 당 90mg), 10% $CaCl_2$ (10ml 앰플 당 272mg)
(단, 처음 100-200mg은 10-20분간 천천히 투여, 빠르게 교정 시 심장 마비 가능)

• oral 칼슘의 공급

: Calcium carbonate (1,250mg tablet 당 500mg 공급), Calcium gluconate (1,000mg 당 90mg 공급)
: 저칼슘혈증이 심하고 칼슘 흡수율이 낮을 땐, Vitamin D 추가

2. 고칼슘혈증 : Serum Ca 〉 10.5mg/dL

• 고칼슘 혈증 (mild : 10.5~12mg/dL, moderate : 12~13.5mg/dL, severe 〉 15mg/dL)

① 증상

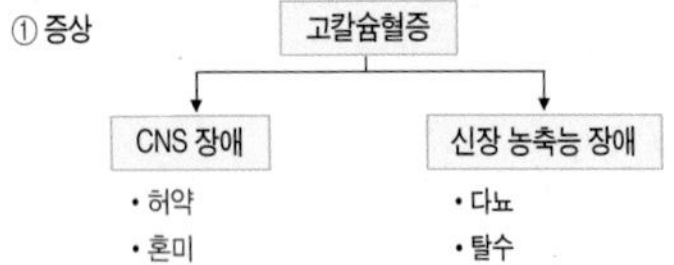

추가노트

☞ 칼슘분포에 영향을 주는 인자
① 대부분의 칼슘이 알부민에 결합하므로 **저알부민혈증** 시 전체칼슘량이 감소한다.
② **산혈증**(academi)시 iCa^{++}의 알부민 결합을 방해하므로 Ca^{++}양이 높게 측정된다.

☞ 저칼슘혈증시 환자의 과다환기(hyperventilation)으로 respiratory alkalosis가 발생하면 환자상태가 악화될 수 있다.

☞ **종양용해증후군**
① **증가**하는 것: K^+, Phosphate, Uric acid ② **감소**하는 것: Ca^{++} ③ **치료** : 응급혈액투석

☞ 췌장염시에는 iCa^{++}이 췌장주위 염증조직에 있는 지방과 결합하여 감소되는 것으로 생각된다.

③ 원인들 ★

- 부갑상선 기능 항진
- 악성 종양

④ 치료

a. 응급 상황에서 **강력한 이뇨** 시행 ★

Normal saline + Furosemide (혈중 마그네슘, 인, 칼륨 수치를 관찰하고 필요시 보충)

b. 궁극적인 치료는 **일차 질환을 교정**하는 것이다.

c. 칼슘을 낮추는 제제들 : Bisphosphonates, Calcitonin, Chelating agents (EDTA or Phosphate salt)

d. 경도의 고칼슘혈증 (<12mg/dL) 에서는 칼슘섭취제한 및 기저질환의 치료로 호전됨

■ 마그네슘

1. 저마그네슘혈증

① 원인

- **만성적인 설사**, 오랜 **이뇨제** 사용, 알코올 과다복용, 당뇨환자가 지속적인 osmotic diuresis 시

② 치료

- IV Magnesium sulfate ($MgSO_4$) 주입

2. 고마그네슘혈증

① 원인

- 마그네슘이 함유된 **제산제**의 과다복용, 만성설사 및 오랜기간 이뇨제 사용 시

② 치료

- 급성증상을 억제하기 위해선 $CaCl_2$를 투여한다.
- 지속 시에는 **투석**을 고려한다.

추가노트

☞ 칼슘공급시의 주의점

① 빠르게 주입하면 심장부정맥이 발생할 수 있으므로 천천히 주입한다(특히, digoxin 투여 환자에서).
② iCa^{++}는 낮지만 phosphate가 높은 환자에서 급속히 Ca^{++}을 주입했을 때 신체 내에 Ca^{++}침착이 발생할 수 있다.
③ 칼슘이 피부괴사를 유발할 수 있으므로 가급적 중심정맥으로 주입한다.

☞ 부갑상선기능항진증은 **부갑상선 선종**으로 인한 일차성과 **만성신부전** 결과 나타나는 이차성으로 나눌 수 있다.
☞ 치료는 일차질환 교정 (즉, 부갑상선 질환 → 부갑상선 절제술/ 종양 → 종양 절제술, 항암, 방사선 치료)
☞ Hypercalcemia를 유발하는 약 : Thiazide diuretics, vitamin A, D 과다복용
☞ Bisphosphonate는 osteoclast로 인해 뼈에서의 Ca^{++}분비를 억제한다.

☞ **저마그네슘혈증의 교정은 심부정맥의 위험을 감소시킨다.**
☞ **Mg결핍과 보통 Ca결핍이 동반★**되어 있어서 Mg결핍을 교정해야 Ca결핍도 교정될 수 있다
☞ 마그네슘은 심장이 심근육으로 유입되는 것을 막으므로 심부전을 유발할 수 있다.

Biochemistry & Physiology Of Acid-Base Balance

■ 산염기 대사의 기본

1. pH를 조절하는 3가지 기능

① Buffers의 중성화 능력 ② 신장에서의 H^+ 배출 ③ 폐에서의 CO_2 Exhalation

2. "Intracellular H^+"

① ATP가 ADP로 전환될 때 증가

② shock환자에서 ADP/ATP cycle의 장애로 intracellular H^+의 축적

③ Phosphate buffer system : 주된 세포 내 buffer

$$H^+ + HPO4_2^{2-} \leftrightarrow H_2PO_4^- + (anion)$$

3. "Extracellular H^+"

① Bicarbonate buffer system : 주된 세포 외 buffer ★★

② Kidney와 Lung이 pH 조절에 중요한 역할을 한다.

$$H^+ + NaHCO_3 \leftrightarrow Na^+ + H_2CO_3 \leftrightarrow CO_2 + H_2O + Na^+$$

⇩ Kidney에서 H^+ 버리기

⇩ Lung에서 H^+ 버리기

4. "Carbonic anhydrase" : $H_2CO_3 \leftrightarrow CO_2 + H_2O$에 관여하는 효소로 산염기균형에 중요한 역할을 한다.

■ 산염기 상태의 측정

• Henderson-Hasselbach equation

• $pH = pK + \log10 \left[\dfrac{HCO_3^-}{(0.03 \times PaCO_2)} \right]$

HCO_3^- → 신장기능과 관련됨

$(0.03 \times PaCO_2)$ → 폐기능과 관련됨

추가노트

※ 수소 이온이 신체로부터 배출되는 경로

① 이온형태로 소변으로 배출

② 가스형태인 H_2O와 CO_2로 폐를 통해 배출

■ 산염기 상태의 판독

pH가 7.35 이상 → 산증
pH가 7.45 이상 → 알칼리증
pH가 7.35-7.45시 → 정상 혹은 산염기이상의 공존

1. 먼저 pH를 보고 산염기 이상 여부를 판단한다

2. 먼저 pH와 $PaCO_2$를 통해 **대사성** 및 **호흡성** 여부를 판단한다.

3. $PaCO_2$와 HCO_3^-의 증감방향을 비교한다.

4. 아래의 공식으로 **급성** 및 **만성** 및 보상이 충분히 이뤄지고 있는지 판정한다.

질환	예상되는 보상 정도
① 대사성 산증	$PaCO_2 = 1.5 \times HCO_3^- + 8 \pm 2$
② 대사성 알칼리증	HCO_3^- 10mEq/L 증가 당 → $PaCO_2$ 6mmHg 증가함
③ 호흡성 산증	
• 급성	$PaCO_2$ 10mHg 증가 당 → HCO_3^- 1mEq/L 증가
• 만성	$PaCO_2$ 10mHg 증가 당 → HCO_3^- 4mEq/L 증가
④ 호흡성 알칼리증	
• 급성	$PaCO_2$ 10mHg 감소 당 → HCO_3^- 2mEq/L감소
• 만성	$PaCO_2$ 10mHg 감소 당→ HCO_3^- 4mEq/L 감소

5. Base deficit를 통해 HCO_3^-의 부족 혹은 과잉을 추정한다.

6. **소변의 PH**가 산증 혹은 알칼리증을 반영하는가를 알아본다.

7. **대사성산증**일 경우 AG (anion gap)을 통해 원인을 살핀다.

추가노트

☞ pH<7.2 혹은 pH>7.55 시 심각한 산염기 이상이다

☞ 산증 시 ① $PaCO_2$가 (45mmHg이상) 증가 → 호흡성 산증
② HCO_3^-가 감소 → 대사성 산증

☞ 알칼리증 시 ① $PaCO_2$가 (35mmHg이하) 감소 → 호흡성 알칼리증
② HCO_3^-가 증가 → 대사성 알칼리증

■산염기 질환

1. 대사성 산증

• AG(Anion gap)

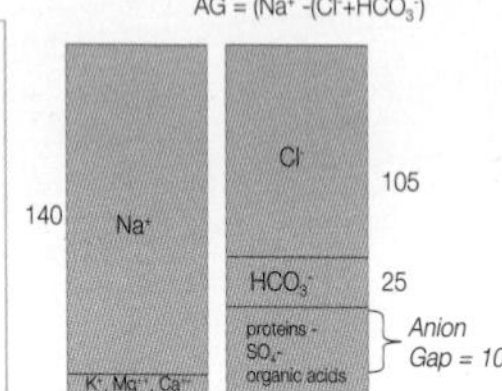

• 정의 : 우리 몸은 언제나 전기적으로 균형 상태
→ 모든 anion(음이온)의 총합은 모든 cation(양이온) 총합과 같아야 함.
→ 그러나 측정되지 않는 음이온 (단백질)이 있어 anion gap이 생김
→ Na^++ 미측정 양이온 = Cl^-+ HCO_3^-+ 미측정 음이온
• Anion Gap
= 미측정 음이온 − 미측정 양이온 = Na^+ - (Cl^- + HCO_3^-)
→ 정상 : 12 ± 4 mEq/L
→ 증가 : 유기음이온이 축적되는 대사성 산증

① **AG이 증가된 대사성 산증**

a. **외부에서 산이 유입된** 경우(toxins)
- ethylene glycol, salicylate 등

b. **내부에서 산이 생성된** 경우
- Ketoacidosis
- Lactic acidosis
- 신부전

② **AG이 정상인 대사성 산증**

- **위장관을 통해 HCO_3^-소실**이 있는 경우
  예) 설사, fistula
- RTA (renal tubular acidosis)

▸ 추가노트

대사성 산증의 공식에서 $PaCO_2$= 1.5 × HCO_3^-+ 8 ± 2
측정된 $PaCO_2$ > 계산된 $PaCO_2$→ 호흡성 산증 합병
측정된 $PaCO_2$ = 계산된 $PaCO_2$→ 순수한 대사성 산증
측정된 $PaCO_2$ < 계산된 $PaCO_2$ → 호흡성 알칼리증 합병

☞ Base deficit

① 정의: 정상 $PaCO_2$(40mmHg)시 현재 환자상태에서 HCO_3^- 값과 정상적인 HCO_3^- 값의 차이
(즉, 정상적인 PH로 회복되기 위해 보충해주어야 하는 HCO_3^- 양이라고도 할 수 있다)
② 판독
a. 정상 : −2 ~+2 mEq/L의 값을 지닌다.
b. (+)값을 지닐 때 → 대사성 알칼리증
c. (−)값을 지닐 때 → 대사성 산증
③ 응용
a. 대사성 산증의 치료에 필요한 염기의 양(HCO_3^- 으로 보충) = 체중(kg) x 0.3 x BE(−)
b. 대사성 알칼리증의 치료에 필요한 산의 양 = 체중(kg) x 0.3 x BE(+) (HCl로 보충)

2. 대사성 알칼리증 【16】

1. HCO_3^- 생성 증가하는 경우
   ① Cl^- 소실형 (소변 $Cl^- > 20mEq/L$)
   - mineralocorticoid 과다
   - 심각한 **저칼륨혈증**

   ② Cl^- 보존형 (소변 $Cl^- < 20mEq/L$)
   - 위분비물 소실(구토 및 L튜브 등을 통해)
   - 이뇨제 (loop diuretics)

   ③ 과도한 알칼리 복용
   - 수혈시의 citrate, TPN의 acetate, 제산제 등
2. HCO_3^- 분비 장애
   -신부전시

3. 호흡성 산증 – 저환기와 연관

- Narcotics등 **저환기**를 유발하는 약제
- CNS 손상
- 호흡기 장애
- **분비물**이 많거나 atelectasis, 폐렴, 폐삼출액 등으로 인한 **환기장애**
- **통증** 및 **복부팽만** 등으로 인한 **저환기** 시

4. 호흡성 알칼리증

- 호흡성 산증과 반대로 과환기(hyperventilation)를 유발하는 상황과 연관된다.

추가노트

☞ 대사성 알칼리증 시 혈액 내 높은 HCO_3^-을 완충하기 위해 세포 내로부터 수소 이온(H^+)이 분비되는데 이때 칼륨 이온(K^+)이 세포 내로 유입(교환)되기 때문에 저칼륨혈증이 흔히 나타난다.

☞ 저칼륨성 저염산성 대사성 알칼리증
(Hypokalemic Hypochloremic metabolic alkalosis ★★ 【17】【16】

①**원인** : 구토 및 많은 양의 gastric drainage시
②**기전** : 위액과 더불어 K^+ 및 Cl^-소실되면서 volume depletion 발생
③**보상기전**:
신장의 proximal tubule에서 volume을 유지하기 위해 Na^+를 흡수하려고 하지만 Cl^-가 적기 때문에 Na^+를 충분히 흡수하지 못하여 많은 양이 Na^+가 distal tubule로 이동한다.
→ distal tubule에선 aldosterone에 반응하여 Na^+를 흡수하면서 H^+나 K^+를 분비하는 작용을 하는데 동반된 알칼리혈증으로 인해 Na^+를 흡수하면서 K^+를 분비하게 된다. 하지만 위액 소실로 K^+도 부족한 상황이므로, 결국은 H^+를 소변으로 배출하게 된다.(Paradoxical aciduria). 즉, 신체는 산염기균형보다는 volume depletion을 교정하는 기전을 우선시한다.
④**치료** : Isotonic saline로 volume depletion을 교정함 (0.9% normal saline)
소변이 나오면 KCl 투여

쇼크의 기초

1. 쇼크의 정의

- 조직으로 가는 혈류의 불충분한 관류로 인해, 조직의 저산소증을 유발시키는 상태

1. 쇼크의 종류 【14】

	중심정맥압(CVP) (≒ RAP)	폐모세혈관쐐기압 (PCWP) (≒ LAP)	심박출량 (CO)	전신혈관저항	정맥산소포화도 (SvO2)	피부
저혈량성(Hypovolemic)	↓↓	↓↓	↓↓	↑	↓	차갑고 축축
심인성(Cardiogenic)	↑↑	↓↓	↓↓	↑	↓	차갑고 축축
패혈성,초기(Septic, early)	정상 or ↑	↑	↑	↓	↓	-
패혈성, 후기(Septic, late)	정상	↓	↓	↓	↓	-
신경성(Neurogenic)	↓	↓	↓	↓	↓	따뜻하고 건조

추가노트

☞ CVP (central venous pressure)
- 중심정맥도자(central venous catheter)로 측정할 수 있다.
- 정상은 5-10mmHg

☞ PCW (Pulmonay capillary wedge pressure)
- Pumonary artery catheter(폐동맥도자; Swan–Ganz catheter)로 측정가능하다.
- LAP(left atrial pressure)를 간접적으로 반영한다.
- 정상은 8-10 mmHg

☞ SvO_2 (Saturation of venous O_2, 정맥산소포화도)
- $ScvO_2$ (Saturation of central venous O_2, 중심정맥 산소포화도) : jugular vein,이나 subclavian vein에서 측정
- $SmvO_2$ (Saturation of mixed venous O_2, 혼합정맥 산소포화도) : pulmonary artery에서 측정
- 보통 $SmvO_2$가 진정한 온 몸의 정맥혈 산소포화도를 대변하지만, 측정이 용이한 $ScvO_2$를 주로 사용

3. 쇼크 환자의 감시

① 맥박산소 계측기(pulse oximetry)

② 동맥 카테터

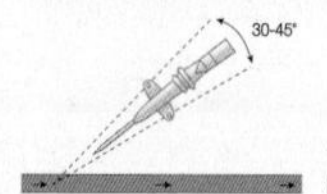

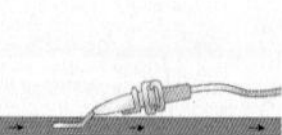
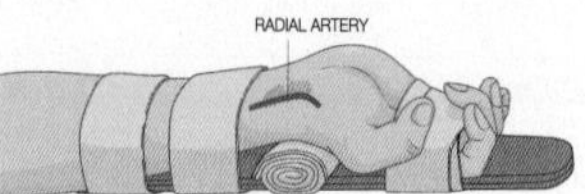

③ 중심정맥 카테터

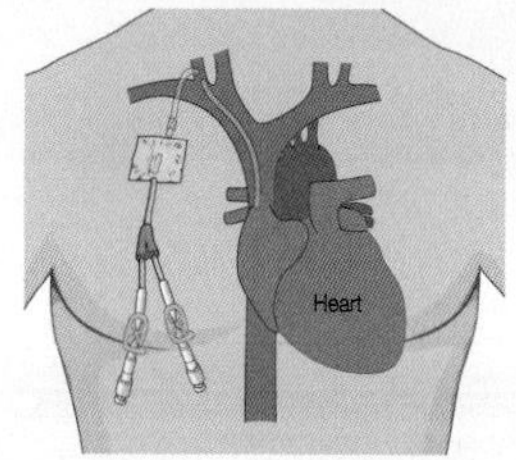

추가노트

☞ 동맥카테터의 유용성

① 연속적인 수축기, 이완기 및 평균 동맥압을 monitoring할 수 있다.

② 인공호흡기 사용 시 호흡기양압에 따른 평균동맥압의 기복은 volume depletion 혹은 인공호흡기의 TV(tidal volume)이 높음을 의미한다.

③ ABGA를 위한 잦은 혈액 채취가 용이하다.

☞ 중심정맥 카테터

① 가장 많이 사용되는 부위 :
- **대퇴정맥**(femoral vein)
- **쇄골하정맥**(subclavian vein)
- **내경정맥**(internal jugular vein)

※ 소아의 경우는 뼈사이정맥(interosseous vein)이 적합하다.

② 설치 : 그림과 같이 카테터의 tip이 SVC에 위치하도록 한다.

③ 역할
- 쇽환자에서 많은 수액을 적절하게 공급할 수 있고(8.5Fr),
- CVP(central venous pressure)를 측정하여 환자의 volume상태를 추정할 수 있다. 즉, 혈압이 낮으면서 CVP가 5mmHg이하인 경우는 volume depletion으로 생각할 수 있다.

④ **폐동맥 카테터** (Swan-Ganz catheter)

a. 폐동맥카테터의 설치

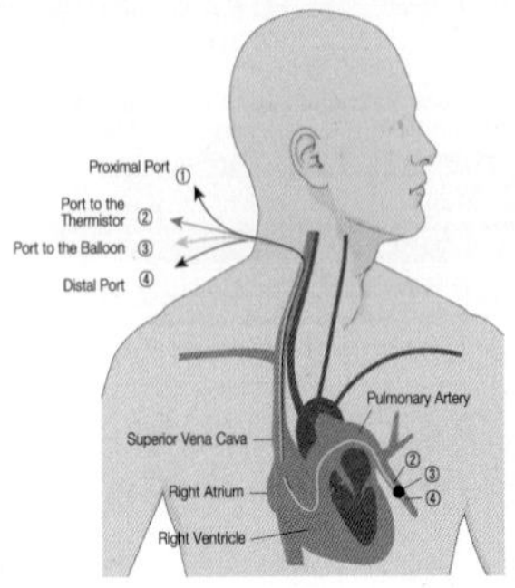

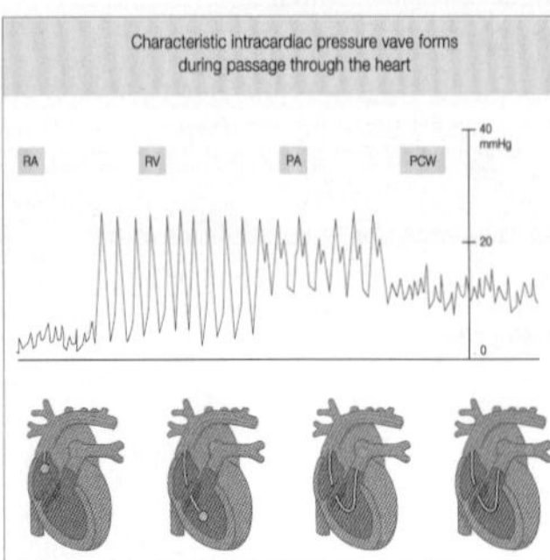

b. 폐동맥 카테터로 측정 가능한 것들

- PCWP(폐모세관 쐐기 압력)
  - LAP혹은 LV end-diastolic pressure반영
- **중심정맥압력, 평균동맥압력**
- **심박출량** (CO; cardiac output), **Stroke volume,**
- PVR (Peripheral vascular resistance)
- SvO2 : mixed venous partial pressure of O_2

추가노트

☞ **폐동맥 카테터**

Internal jugular vein 혹은 subclavian vein을 통하여 삽입한다.

→ SVC를 통해 → RA, RV을 통과하여 pulmonary artery에 tip을 위치시킨다.

☞ 이와 같이 카테터 삽입 후 카테터가 SVC에 위치했을 때 tip의 풍선을 확장시키고 transducer를 통해 카테터 tip의 압력을 측정한다. tip이 폐동맥으로 이동하게 되면 거의 0에 가까웠이던 end-diastolic pressure가 일정한 값으로 상승하게 되며 이때 카테터를 좀더 진행시키면 풍선으로 부풀려진 카테터 tip이 폐동맥을 막으면서 발생한 PCWP (pulmonary capillary wedge pressure)가 얻어진다. 이 값은 좌심실의 이완기말압(LV end-diastolic pressure) 혹은 좌심실압(LAP; left atrial pressure)을 간접적으로 반영한다고 할 수 있다. **정상은 8-10 mmHg**임.

① **좌심부전의 지표**로 이용될 수 있다.

→ **PCWP가 20mmHg이상**이면 심부전으로 인한 폐부종의 위험이 높다.

② **volume depletion**을 **정확히 추정**할 수 있다.

→ 보통 PCWP 15-18mmHg를 목표로 수액을 투여한다.

(표) 폐동맥카테터에서 얻어진 심박출량(CO)값을 통해 계산되어지는 것들

Variable	Formula
• Cardiac index	$\frac{\text{Cardiac output(L/min)}}{\text{Body surface area (m}^2\text{)}}$
• Total peripheral resistance	$\frac{\text{(MAP–CVP)×80}}{\text{Cardiac output (L/min)}}$
• Pulmonary vascular resistance	$\frac{\text{(PA–PAOP)×80}}{\text{Cardiac output (L/min)}}$
• Stroke Volume	$\frac{\text{Cardiac output (L/min)×1000}}{\text{Heart rate(beats/min)}}$

4. 쇼크 환자의 치료

• 치료 목표 : 심장 수축력 및 유효순환량을 유지하여, 조직으로의 산소운반 및 산소소모 사이의 균형을 유지하는 것

(1) Preload : 수액(Hydration)으로 교정 ⇒ CVP (Central venous pressure)로 확인
(2) Afterload : 혈관수축제(vasopressor)로 교정 ⇒ MAP (Mean atrial pressure)로 확인
(3) Contractility : 강심제(inotropes)인 dopamine, dobutamine 사용
(4) Hb : 수혈(Transfusion)으로 교정

① **수액 및 수혈**

• 모든 종료의 쇼크에서 일차적인 치료방법 ⇒ 수액 요법으로 혈장량을 보충해주는 것
- Balanced electrolyte solution 주입
- **목표: 중심정맥압 (CVP) 8-12mmHg, 폐동맥쐐기압(PAWP) 12-15mmHg 까지 유지**

• 수혈 : Hb 7g/dL 시 농축적혈구 투여

추가노트

☞ 폐동맥 카테터 tip에는 온도를 측정할 수 있는 probe가 있어서 찬 수액 2.5–10ml를 tip을 통해 흘려보낸 뒤 온도변화를 측정하여 간접적으로 cardiac output을 측정할 수 있다.
ex) 온도변화가 적으면 → 혈류량이 많음(CO↑)
온도변화가 많으면 → 혈류량이 적음(CO↓)
이렇게 얻어진 $\dot{C}$.O.을 통해 PVR, cardiac index 및 stroke volume 등 여러 가지 값을 얻을 수 있다.

② 약물학적 치료

Drug	Dose Range	Principal Mechanism
• Inotropic (May Be Chronotropic)		
– Dobutamine	2–20 ㎍/kg/min	β_1–adrenergic
– Dopamine (low dose)	5–10 ㎍/kg/min	β_1–adrenergic; dopaminergic
– Epinephrine (low dose)	0.06–0.20 ㎍/kg/min	β_1–and β_2–adrenergic; less α
• Vasoconstrictor and Inotropic		
– Dopamine (high dose)	〉10 ㎍/kg/min	α–adrenergic; less dopaminergic
– Epinephrine (high dose)	0.21–0.42 ㎍/kg/min	α–adrenergic; less β_1 and β_2
– Norepinephrine	0.02–0.45 ㎍/kg/min	α–adrenergic; less β_1 and β_2
• Vasoconstrictor		
– Phenylephrine	0.2–2.5 ㎍/kg/min	α–adrenergic
– Vasopressin	0.01–0.04 U/min	V1 receptor
• Vasodilator		
– Milrinone	0.4–0.6 ㎍/kg/min	Phosphodiesterase inhibitor
– Dopamine (very low dose)	1.4 ㎍/kg/min	Dopaminergic

추가노트

☞ Dopamine은 용량에 따라 그 작용이 차이가 있음에 주의하자.

• 낮은 용량 시(0–㎍/kg/min)
→ 신장 및 장간막으로의 혈류증가 (through dopaminergic receptors)
• 중간 용량 시 (5–10㎍/kg/min)
→ 심장수축력 및 박동수 증가 (through β–adrenergic receptors)
• 매우 높은 용량 시 (〉10㎍/kg/min)
→ 혈관수축 (through α–adrenergic receptors)

☞ inotrophic : PCWP 증가 시 사용
☞ vasodilator : 말초세포로 O_2 공급을 원활하게 함

☞ 맥박 산소계측기가 부정확한 경우:
저혈압(혈관수축), 빈혈, 정맥 조영제의 사용 및 carboxyhemoglobulinemia

■ 출혈성 쇼크(Hemorrhagic shock) ★★★

- 주로 trauma에 의한 Blood loss로 발생

1. 출혈성 쇼크의 종류 ★

(표) 출혈의 정도에 따른 임상적 변화

	1등급	2등급	3등급	4등급
실혈량(mL) (%)	〈 750 〈15	750-1,500 15-30	〉1,500-2,000 〉30-40	〉2,000 〉40
맥박	〈100	〉100	〉120	〉140
수축기 혈압	정상	정상	감소	감소
맥압	정상	감소	감소	감소
모세관 재충전	지연	지연	지연	지연
호흡수(beats/min)	14-20	20-30	30-40	〉35
소변량(mL/n)	〉30	20-30	5-15	Minimal
의식상태	약간 흥분됨	흥분	혼돈	혼돈되고 처짐

① **보상성 쇼크**

a. **출혈량〈 20%**

b. 보상작용

- **피부나 골격근**으로의 혈액 흐름은 **"감소"** 되고 **뇌나 심장**으로의 혈액흐름이 **"증가"** 되어 정상혈압을 유지
- 혈관수축으로 팔다리가 차가워짐 (cool extremities), 발한 (Diaphoresis)
- **간질-림프구역**(interstitial-lymphatic compartment)**로부터 혈장으로** 수액의 흐름이 이루어진다.

② **비보상성 쇼크**

a. **출혈량이 20-40%시**

b. 충분한 보상작용이 발생하지 않아 혈압이 낮고 산혈증이 발생한다.

c. 빈맥, 빈호흡, 소변량 감소

③ **과도한 출혈(Exanguinating hemorrhage)**

a. 40%이상 출혈로 곧 혼수, 사망에 이를 수 있다.

b. 저혈압

2. 임상양상

① **발한, 피부창백증**

② **혈압 감소**

③ **맥박 증가**

④ **산혈증**

3. 치료 【16】【14】

★ **출혈성 쇼크 소생술에서 가장 중요한 2가지 : 지혈, 혈장량 회복**
★ **출혈성 쇼크에서 수액요법 적절성 평가 : 시간당 소변량 (urine output)으로 판단**

① balanced electrolyte solution 2-4L를 주입한다. (소아는 20ml/kg) (Normal saline, Ringer's lactate solution)
② 그럼에도 불구하고 반응하지 않으면 급히 수혈을 시행한다.
(수혈의 기준) 혈색소(hemoglobin) 6-7g/dL이하 시, 혹은 ongoing bleeding이 있거나 기저질환 있을 시
③ 출혈부위를 찾아 적절히 지혈한다.

- balanced electrolyte solution은 **Normal saline 혹은 Ringer's lactate solution**을 가리킨다.
- NS(생리식염수)도 소생 시 이용될 수 있으나 많은 양 주입 시 고염소성 대사성산증(hyperchloremic metabolic acidosis)을 유발할 수 있다.
- Osmoid는 쇽환자의 소생에 이용되지 않는다.
- 대량수혈후 **응고장애**가 발생할 수 있으며 이때 FFP, cryoprecipitate 및 platelet concentrate 등으로 보충한다.

추가노트

☞ **혈액량감소 쇼크(Hypovolemic shock) 종류**

① 출혈성 – mc
② 분포성(distributive)
a. 췌장염, 화상(2도),복막염, 장마비 등에서 염증이 있는 부위로 혈장성분이 이동
b. 패혈증도 일부 분포성에 의한 혈액량 감소가 나타난다.
③ 위장관액의 손실:
설사, 구토, fistula등에 의한 손실

☞ **출혈량과 혈압과의 관계**
① 〈 25% 출혈 → 수축기혈압 〉 110mmHg
② 25–33% 출혈 → 수축기혈압 100mmHg
③ 〉 33% 출혈 → 수축기혈압 〈 100mmHg

☞ 맥박을 증가시키는 요인은 저혈압외에도 통증, 공포감등도 원인이 될 수 있고 혈압저하시 맥박이 느려지는 사람도 있으므로 **빈맥은 쇽의 민감한 지표라고 할 수 없다.**
☞ Base excess가 –10mEq/L시 비보상성 쇽을 가리키며 첫 24시간내에 산혈증이 교정되지 않을 때 50% 넘게 사망
☞ 상당한 출혈이 발생할 수 있는 부위

① 흉곽(chest)	② 복강	③ 장골(long bone) 골절	④ 외상부위

4. 쇼크으로 인한 소생 후의 경과

1기	• 응급처치시작~지혈 • 환자의 간질내 용적은 감소되어 있다.
2기	• 지혈후~ fluid sequestration • 소실량보다 10% 많은 량의 수액을 필요로 함
3기	• 다량의 이뇨가 발생한다.

■ 패혈성 쇼크 (Septic shock) ★★

- 사망률 〉 50%
- 사망하는 이유 : 두 가지!
  ① 심각한 쇽 및 말초혈관 수축 : 수 시간 내로 사망
  ② 다발성 장기부전

추가노트

☞ 1기 때 환자는 수액 및 수혈공급을 받았을 것이다. 혈관내용적은 확보가 될 수 있겠지만 간질내용적은 혈관 내 용적을 유지하기 위해 수액이 빠져나갔기 때문에 감소되어 있다.

☞ 2기 동안 소변량은 적고, 환자의 체중증가가 있다. 환자는 자신의 체중(ideal body weight)보다 10%많은 수액을 간질조직에 보관하며 그 결과 **부종**이 심하게 나타날 수 있다.

☞ 3기때 환자에게 심부전이 동반되어 있는 경우 이뇨를 돕기 위해 furosemide를 투여할 수 있다.

☞ 패혈증 초기에는 혈관확장과 관련된 물질은 "NO(Nitric oxide)" 이다.

☞ 패혈증 "**초기**" 에는 **혈관확장**으로 인한 **★피부홍조**를 띠고, **심박출량이 증가**하고 SVR (systemicvascula resistance)가 감소

1. 정의 ★【16】

① SIRS (Systemic Inflammatory Response Syndrome)

: 다음 중 2개 이상을 만족시켜야 한다.

a. 체온 〉 38℃ 혹은 36℃

b. HR 〉 90/min

c. 자발호흡시 RR 〉 20/min 혹은 $PaCO_2$ 〈 32mmHg

d. WBC 〉 12,000/mm^3 (혹은 〈 400/mm^3) 혹은 말초혈액에서 band form (미성숙세포) 〉 10%

② **패혈증** (sepsis) : SIRS + **감염**

③ **심한 패혈증** (severe sepsis) : 패혈증 + 장기부전 + 저관류(hypoperfusion)

④ **패혈성 쇽** (septic shock) : 심한 패혈증 + 수액공급에 반응하지 않아 혈압유지를 위한 약제투여가 필요

2. 치료 【16】【14】

- 패혈셩 쇼크의 궁극적인 치료는 패혈증을 일으키는 원인 병소를 제거하는 것이다.

① 수액치료 ★

a. **PCWP가 15-20mmHg를 목표로** Isotonic crystalloid fluid**를 투여한다**. (0.9% Normal salline)

b. Hb 〈 7g/dl **시 수혈**한다

② 항생제치료 및 감염관리

a. 가능한 빠른 시간 안에 적합한 항생제 투여 → 초기에는 광범위 항생제

b. 미생물 배양 검사 시행 → 이 후 감염원에 맞는 항생제로 대체

c. 면역력 저하 환자에서 → 항진균제 (antifungal agent) 추가

d. 필요하다면 외과적으로 감염원 제거 (ex. 괴사성 근막염, 장괴사, 복막염 등)

추가노트

☞ 패혈증의 흔한 원인균

① 그람양성균 : S. aureus, Enterococcus,CNS (Coagulase-negative staphylococci)

② 그람음성균 : E.coli, Klebsiella, Pseudomonas aeruginosa

→ 따라서 처음에 경험적 항생제를 쓸 경우 이 모든 것이 coverage되는 **broad-spectrum 항생제** 투여

☞ 전에 항생제 투여를 받았던 **면역력이 저하된** 패혈증 환자들에게 있어서는 **항진균제**(antifungal agent)를 추가한다.

☞ 중환자실 환자들에게서 가장 흔한 감염부위의 순서(가장 흔한 순서대로)★

① 폐	② 혈액	③ 생식비뇨기계	④ 복강내 창상

③ 약물치료 【17】【16】

a. 심장 수축촉진제 (Inotrophic drugs)

Dopamine ★	Norepinephrine ★	Epinephrine

b. 혈관수축제(Vasoconstrictors)

Norepinephrine	Phenylephrine	Vasopressin

③ 면역치료

a. Activated protein C (Drotrecogin alpha)

b. Glucocorticoid

c. Insulin

- 패혈증 환자에서 혈당이 80-110mg/dl로 엄격히 조절되었을 때 생존율의 향상이 보고되었다.

■ 심인성 쇽 (Cardiogenic shock)

- 혈장량이 충분함에도, 심장의 펌프기능 이상으로 조직관류가 감소하거나 저산소증이 발생

1. 혈역학적 기준

1) 심장박출지수 (cardiac index) : 2.2L/min/m^2 이하

2) 저혈압 (수축기 혈압 〈 90mmHg) 이 30분 이상 지속

3) 폐동맥쐐기압 (PAWP) : 15mmHg 이상

추가노트

☞ Norepinephrine은 심수축력 증가 기능과 혈관수축기능을 모두 지니지만 혈관수축기능이 주된기능이다. 피부나 골격근의로의 혈관을 수축시키고 신장,뇌,심장 등으로의 관류를 증가시키므로 패혈성 쇽의 치료 시에 매우 유용하다.

☞ Epinephrine 또한 심수축력 증가 기능과 혈관수축기능 모두를 지닌다.

☞ 패혈성 쇽시는 **부신피질의 기능이 억제되어 있으므로**(sepsis-associated adrenal insufficiency) 생리적인 용량의 cortisol투여는 도움이 된다. 마찬가지 이유로 mineralocorticoid인 **fludrocorticoid를 함께 투여**하는 것이 도움이 된다.

☞ 심장눌림증(Cardiac temponade)

- 수액이나 혈액이 심낭막과 심장사이에 축적되어 발생
- triad : 저혈압, 경정맥의 확장, 청진시 심박수가 잘 들리지 않음
- pulsus paradoxus : 흡입호흡 말에 10mmHg이상 수축기 혈압이 감소되는 현상으로 심장눌림증시 특이하게 나타난다.
- 급성과 만성으로 나눌 수 있다. 급성의 경우는 chest PA에서도 진단되기가 힘든데 이는 200ml이하의 수액축적도 환자에게 치명적일 수 있음을 의미한다. 만성의 경우 1L까지의 수액이 고일 수 있고 치료는 심장막 천자(pericardiocentesis)를 시행하는 것이다.

2. 원인

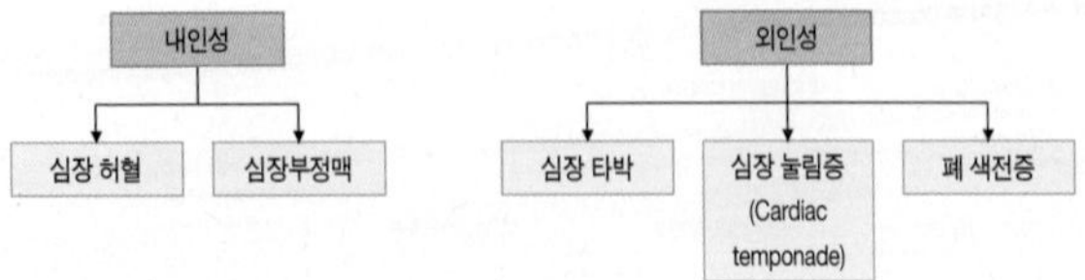

3. 치료

① **약물치료** : Dopamine, Dobutamine

② **대동맥 내 기구펌프** (Intra Aortic Balloon Pump(IABP))

- 일시적으로 사용하는 보조적 기구로, 후부하를 줄이고 이완기 관상동맥관류압 유지시켜 심박출량 증가

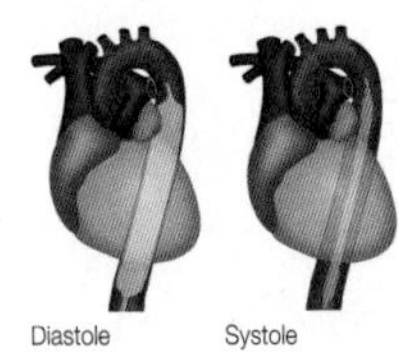

③ **급성 심근경색 치료**

- 심인성 쇼크가 급성 심근경색에 의한 것이라도 초기는 쇼크에 준하여 일차 치료 (혈역학적 안정)
- 환자가 안정된 후 급성 심근경색에 적합한 치료 시행

  (경피적 관상동맥 확장술 (Percutaneous Coronary Angioplasty (PCA), 혈전용해술, 항응고제, 아스피린, ACEi, BB 등)

④ 폐부종 치료

- O2
- 기계환기 및 양압환기 (PEEP)
- Preload 감소 : 이뇨제, nitrate, morphine, ACEi 등

추가노트

☞ 심장 허혈:

- 심장의 관상동맥의 허혈 및 폐색이 원인
- 치료

  ① aspirin, β차단제

  ② 확실한 치료들

  a. 혈전용해요법 (plasminogen activator 등) : 수술후 4주내에는 금기이다.

  b. 심도자(conary catherization)을 통한 시술 : 풍선혈관성형술 및 stent삽입

  c. CABG(coronar artery bypass graft)

※ 첫 증상후 6시간내로 치료를 해야 효과적이다.

■ 부신기능부전으로 인한 쇽

1. 부신기능부전의 종류

	일차성	이차성
원인	• **양측성 부신출혈** • 감염 : Meningococcal infection, AIDS, 결핵 • Antiphospholipid syndrome	• **산후**(postpartum) **뇌손상 시**
ACTH	• 증가	• 감소
치료	• Mineralocorticoid, Glucocorticoid 모두 투여	• Glucocorticoid만 투여한다.

2. 부신부전 증후군

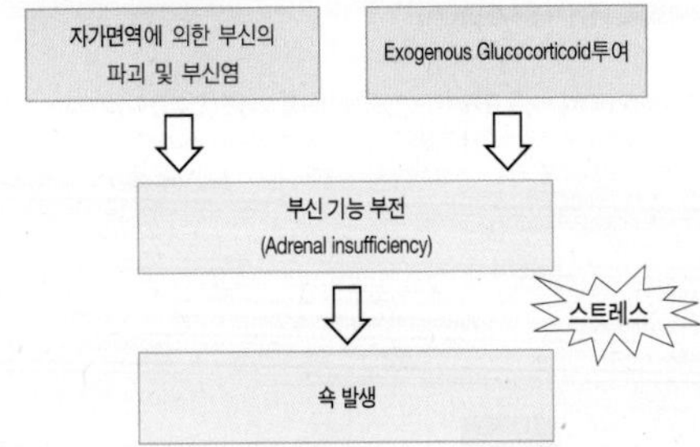

추가노트

☞ 즉, **'일차성'** 은 부신자체의 기능저하이고 **'이차성'** 은 부신기능을 조절하는 hypothalami(CRH)–pituitary(ACTH)–adrenal(cortisol) axis에서 뇌의 기능 저하가 온 것이다. 따라서 **일차성에서는 ACTH치가 증가**하지만(∵cortisol에 의한 negative feedback의 저하), **이차성에서는 ACTH가 감소하게 된다.**

☞ 관절염 치료 등을 목적으로 장기간 스테로이드 투여를 받으면 스테로이드가 CRF(corticotrophi–releasing hormone)을 억제하여 ACTH분비가 저하되어 endogenous cortisol 생산이 저하된다. (→adrenal insufficiency)

☞ 출혈 등으로 인한 **저혈량, 감염, 공포** 및 **저체온증** 등이 모두 stress로 작용하여 glucocorticoid의 **요구량을 늘린다.** 부신 기능이 떨어진 상태에서 요구량이 더 증가하게 되면서 부신 부전 쇼크에 빠지게 된다. 치료는 외부적으로 glucocorticoid를 보충하는 것이다.

☞ **치료에 반응하지 않는 쇽**의 경우 항상 부신기능장애의 가능성을 생각해야 한다.

수액요법의 실제

A. 먼저 필요한 수액의 종류를 선택한다.

• 수액에는 Crystalloid(결정질 용액) 및 Colloid fluid(교질 용액)가 있다. Crystalloid는 우리가 흔히 볼 수 있는 보통의 NaCl을 함유한 수액제제이며, Lactated Ringer's solution, 0.9% NaCl , dextrose water 등이 포함된다. Colloid는 큰 분자를 포함하고 있으며, 대표적으로 **알부민 제제, 덱스트란(dextran)** 등이 있다. 이로 인한 두 용액의 중요한 차이점은, Crystalloid는 Interstital space를 주로 채우는 반면, Colloid에 함유된 큰 분자들은 혈관 내, 즉 plasma 내에 잘 보존된다는 점이다. ★

cf) 체중의 60%인 TBW(Total body water) 중에서, 40%는 ICW(Intracellular water)
나머지 20%가 ECW(Extracellular water)임
└ 이중 15%가 Interstitial fluid, 나머지 5%가 plasma

(그림) **수액의 종류에 따라 plasma volume과 Interstitial volume을 증가시키는 정도의 차이를 보여준다. 이중 Crystalloid는 D5W, 0.9% NaCl 및 7.5% NaCl이 해당되며, 수액내의 NaCl의 농도가 높을수록 증가시키는 plasma volume이 더 많음을 알 수 있다. 5% Albumin은 Colloid에 해당되며, Crystalloid에 비해, Interstitial volume보다 plasma volume을 증가시키는 정도가 더 크다.**

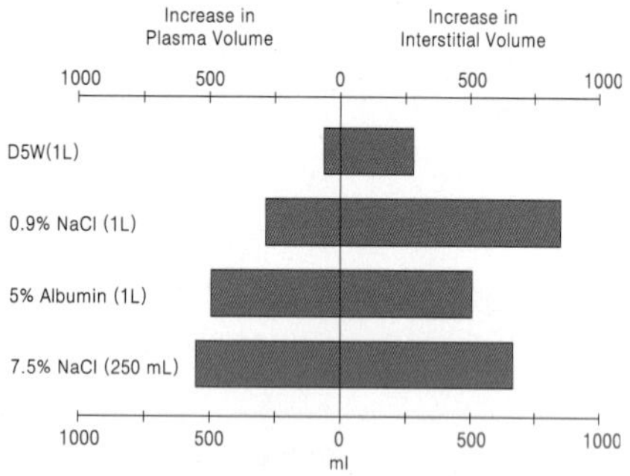

• 보통 환자를 소생 시 Colloid가 Cystalloid보다 유용성이 입증되지 않았으며, Crystalloid가 저렴하며 손쉽게 구할 수 있다는 장점으로 **crystalloid가 우선적으로 이용**된다. Crystalloid의 종류 및 조성은 아래와 같다.

• 이 수액 중 'NS(Normal saline)' 는 신체내의 Na^+와 조성이 유사하기 때문에 Isotonic saline이라고 부르며, 넓은 의미에서 'HS(Hartmann solution, Lactated Ringer's solution)' 도 Isotonic saline에 포함시키기도 한다. 그리고 이 두 수액은 plasma volume **확장이 다른** crystalliod**보다 우수**하기 때문에 소생 시 이용되는 Resuscitive fluid에 해당한다.

(표) Extracellular fluid 및 Crystalloid fluids의 종류 및 조성★

분류	종류	Na^+	K^+	Ca^{2+}	Cl^-	HCO_3^-/Lactate	Glc	Calories	Osm
체액	Extracellular fluid	142	4	5	103	27	–	–	280–310
Isotonic	0.9% NaCl (Normal saline, NS)	154	–	–	154	–	–	–	308
	Lactated Ringer's Solution (LR)	130	4	1.5	109	28*	–	–	273
	Hartmann Solution (HS)	131	5	2	111	29*	–	–	279
	5% Dextrose in water (D5W)	–	–	–	–	–	50	170	278
Hypotonic	0.45% NaCl (Half saline)	77	–	–	77	–	–	–	154
Hypertonic	5% Dextrose in half saline	77	–	–	77	–	50	170	415
	5% Dextrose in normal saline	154	–	–	154	–	50	170	585
	5% Dextrose in LR	130	4	1.5	109	28*	50	170	551
	10% Dextrose in water (10DW)	–	–	–	–	–	100	340	556
	M/6 NaCl	167	–	–	–	167*	–	–	334
	3% NaCl	513	–	–	513	–	–	–	1026

*Present in solution as lactate that is converted to bicarbonate.

(표) Colloids 조성

종류	Na+	K+	Ca2+	Cl–	고분자 물질	Osm
4.5% albumin	145	2	–	154	Albumin 45g/L	290
6% Hydroxyethyl Starch (HES)	154	–	–	154	Starch 60g/L	310
Gelofusine	154	0.4	0.4	120	Gelatine 40g/L	274
Haemaccel	145	5	6.25	145	Gelatine 35g/L	301

- Glucose가 함유된 수액은 소생 시 사용되지 않는데 이는 Critically ill patient에서, 혈장 내 높은 혈당이 삼투작용으로 cell dehydration을 유발하며, 세포가 주입된 glucose를 이용하지 못하기 때문에 무산소대사과정을 통해 lactate로 전환되어, Lactic acidosis를 악화시키기 때문이다.

B. 필요한 수액의 양을 결정한다.

※ Fluid requirement = Maintenance fluid + Lost fluid + Ongoing loss

추가노트

- 소생 시 사용되는 NS, HS 중 어느 쪽이 더 우수한지에 대해선 입증된 것이 없다.
NS (Normal Saline)는 많은 양을 사용 시 Hyperchloremic metabolic acidosis를 유발할 수 있는 단점이 있고, HS (Hartmann Solution)의 경우 수액 내의 Ca^{++}이 혈액성분에 있는 citrated anticoagulant와 반응하여 혈액응고를 유발할 수 있기 때문에 혈액성분과 섞어서 사용하지 않는다(수혈 기본 제제로 금기).

1. Maintenance Fluid

① NPO(금식)하는 성인의 하루의 수액요구량은 얼마나 될까…?
이는 하루의 필수 소변배출량, insensible loss, 대사량 등을 산출하여 계산되는데 보통 건장한 70kg 성인의 경우 2,500cc/day로 생각한다.
병원에선 편의상 **건장한 남성의 경우 3,000cc/day, 여성의 경우 2,500cc/day로 생각**하며, 경우에 따라서 2,000-3,500cc 가량으로 조절하기도 한다.

② **'Potassium' 은 하루에 보통 1mEq/kg를 필요하며 1L에 40mEq 이상 혼합하지 않는 것이 원칙이다.** 또한 **심한 stress 및 수술 후 24시간 내에는 보통 K+을 보충하지 않는다.** 이는 이러한 상황에서 세포손상 등으로 인해 세포내의 주된 양이온인 K^+이 세포밖으로 유리되기 때문이다.

③ Critically ill patient가 아니라면, **'gluocose'** 를 보충하는 것이 필요하며, 금식하는 환자의 경우 Protein-sparing effect를 위해 **400-1,800 cal/day**의 glucose를 공급해야 한다.

④ 수액 주입 속도는 소변량이 0.5-1mL/kg/h로 유지되도록 유지한다.

⑤ 유지요법에 사용되는 수액량은 체중에 기초하여 계산한다.

- **0-10kg : 100ml/kg**
- **11-20kg : 1,000ml + 50ml/kg**
- **20kg 초과 : 1,500ml + 20ml/kg**

⑥ 유지요법의 수액에는 일반적으로 나트륨 1-2mEq/kg/d, 칼륨 0.5-1mEq/kg/d를 포함한다.

⑦ 예컨대, 위절제 수술 후 3일째인 75kg의 남자환자에게 아래와 같이 수액을 공급할 수 있겠다.

5DS10 + KCl 40mEq
HS10 + 50DW1
10DW10 + KCl 40mEq

2. Lost Fluid

① 사람의 **총 혈액량** (Whole blood)은 얼마나 될까?

Fluid	남성	여성
TBW	600ml/kg	500ml/kg
Whole blood	66ml/kg	60ml/kg
Plasma	40ml/kg	36ml/kg
RBC	26ml/kg	24ml/kg

즉, 신체내에서 Plasma가 차지하는 비율은 책에 따라서 3.6-5% 정도로 차이를 보이는데 위 표 (American Association of Blood bank Technical Manual 10th ed.)에서는 **남성은 4%, 여성은 3.6%**로 계산했다.

따라서 **'총혈액량 (Whole blood)'** 은 'Plasma' 와 **'세포성분'** (이중 대부분이 RBC)의 합으로 이루어지며 각각은 60:40의 비율로 있으므로,

남성의 경우, 4% + 4%×40/60= 6.6% 이며

여성의 경우, 3.6% + 3.6%×40/60= 6% 가 해당된다.

이는 80kg 남성의 경우 '5.3L', 70kg 남성의 경우 '4.6L', 60kg 여성의 경우 '3.6L' 에 해당한다.

• 혈액의 손실정도에 따른 증상 및 징후는 아래와 같다. ★

	수혈량	임상양상
1기	• < 10%	• 증상 없음
2기	• 10-20%	• HR증가★, Orthostatic Hypotension
3기	• 20-40%	• BP감소, 소변감소, Confusion
4기	• > 40%	• Shock

• 위를 기준으로 소실량을 계산해 보자.

ex) 70kg 남자환자 교통사고 후의 심한 복통 및 복부팽만을 주소로 응급실에 왔다. HR는 120/min, 혈압은 90/70이라고 했을 때 소실된 수액량 및 보충할 수액량은?

→ 먼저 소실정도가 20-40%에 해당하며 30%로 추정했을 때, 70kg × 0.066 (%) × 0.3 = 1.4L

하지만, 1.4L만 보충하면 될까… **아니다!** 위에서도 보았지만 Crystalloid로 보충시 오직 20%만이 혈관내에 남아있고, 80%는 interstitial space로 빠져나가게 되므로, Crystalloid 보충 시는 부족한 수액량의 **4배를 보충**하며, Collioid로 보충 시는 부족한 수액의 **1.5배**를 보충한다. 따라서 1.4L × 4 =5.6L가 보충할 Crystalloid 양이다.

3. Ongoing Loss

- 외상환자의 경우, Intra-abdominal bleeding 등 숨겨진 지속되는 출혈의 가능성을 놓치지 않고 보충해야 한다.
- 수술 중 소실 : 출혈 및 제 3구역(third-space loss) 소실이 포함
  - 창상절개 크기, 조직 손상의 정도, 절제 범위 등에 따라 달라지며, Lactated Ringer's solution으로 적절한 용적을 공급한다.

    a. 소절개를 통한 경도의 조직손상 (ex. 서혜부 탈장 교정 수술) : 1-3ml/kg/h

    b. 중절개를 통한 중증도 조직손상 (ex. 에스결장절제술) : 3-7ml/kg/h

    c. 대절개를 통한 광범위 조직손상 (ex. 췌십이지장절제술) : 9-11ml/kg/h

C. 수액의 주입속도를 결정한다.

- Vital Sign이 불안정한 환자에게 있어선, 'Resuscitive fluid' (HS, NS)를 2,000cc/hr로 주입함으로써 소생을 시작한다. 그리고 혈압이 떨어지는 3기이상 (>30%이상의 fluid loss)의 경우는 'Blood component' 의 보충이 시급히 요청된다. 보통 혈액제제 : 수액을 1:3-4의 비율로 공급한다. 그후 안정화되면 위의 식과 같이 계산하여 환자에게 적절한 수액량을 공급한다.

- gtt는 "1분" 동안 떨어지는 방울(drop)수를 가리킨다.
  즉, 10gtt라는 것은 1분 동안 10방울이 떨어지는 것이고 30gtt는 1분 동안 30방울이 떨어지는 것이다.
  이를 초 단위(1분=60초)로 한다면 10gtt는 60초당 10방울이므로 6초에 한 방울 떨어지는 것이고 30gtt는 60초당 30방울이므로 2초에 한 방울 떨어지는 것이다.

- 각각 한 방울의 물의 양은 일정한데 15방울이 1 ml에 해당한다.
  즉, 10gtt= 10방울/min = 10 방울×60/hr = 10방울×60×24 /day 에 해당하는데 1방울은 1/15 ml에 해당하므로, 10gtt = 10×(1/15)×60×24/day = 960ml/day 에 해당한다. 이를 대략적으로 계산하면(하루를 25시간으로 산정하면) 10gtt = 10×(1/15)×60×25/day = 1000ml/day 에 해당한다. 마찬가지로 30gtt는 3000ml/day에 해당한다.

- 또한 10gtt= 10방울/min = 10 방울×60/hr= 10×(1/15)×60 ml/hr 이므로 40ml/hr에 해당한다.

이상을 정리하면,

1) gtt수에 "100"을 곱하면 하루에 들어가는 전체 ml가 된다.

 ex) 10gtt 1000 ml/day

  30gtt 3000 ml/day

2) gtt수에 "4"를 곱하면 시간당 ml(ml/hr)이 된다.

 ex) 10gtt 40 ml/hr

  30gtt 120 ml/hr

3) 마찬가지로 ml/hr의 값을 "4"로 나누면 gtt에 해당한다.

 ex) 40 ml/hr는 10gtt

  즉, 분당 10방울이므로 6초당 1방울씩 떨어지게 맞춘다.

  120 ml/hr는 30gtt

  즉, 분당 30방울이므로 2초당 1방울씩 떨어지게 맞춘다.

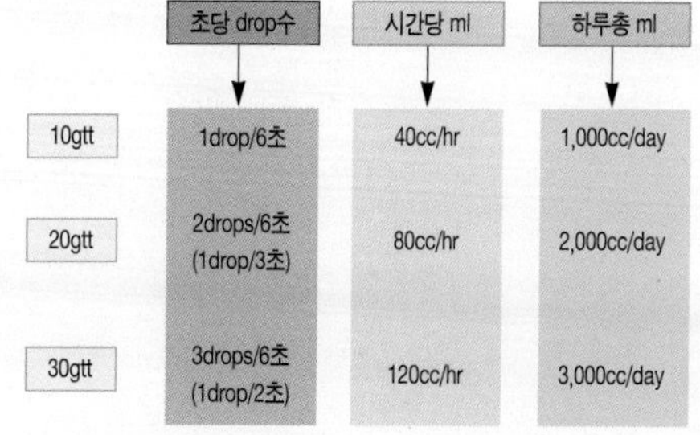

초당 drop수
시간당 ml
하루총 ml
10gtt
1drop/6초
40cc/hr
1,000cc/day
20gtt
2drops/6초
(1drop/3초)
80cc/hr
2,000cc/day
30gtt
3drops/6초
(1drop/2초)
120cc/hr
3,000cc/day

4. 환자가 안정화되고 혈액검사결과가 나오면, 전해질불균형을 확인하여 교정한다.

- **소변량을 잘 관찰**하여 0.5-1ml/kg/h로 유지되는지 확인해야 한다. **[15]**
- 수술에 따른 제 3구역으로 수분 이동은 수술 후 2-3일에 일어난다
  이를 예견하여 환자의 용적상태를 평가하여, 과혈량이 되지 않도록 하고 필요시 이뇨제를 고려한다.

★ 수액 공급이 충분한지 판정하는 적절한 지표 : 시간 당 소변량 측정 (〉30ml/hr)

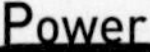

★★★★☆

02 수혈

Hematologic Principles in Surgery

혈액 성분

채혈된 혈액은 citrate 처리를 하여 응고를 억제하며, 원심분리하여 각각 성분수혈이 가능하다.

(표) 혈액성분의 보관기간 및 온도

	보관기간	보관온도
• 전혈	35일	1-6℃
• RBC	35일 (CPDA-1) 42일 (additive solution)	1-6℃
• PLT	5일	20-24℃
• FFP	1년	≤-18℃
• Cryoprecipitate	1년	≤-18℃
• 알부민	3년	상온

1. Whole Blood (전혈)

① **적응증** : 15% 이상의 급성 실혈 시 (산소 운반능력 및 혈액량 확장이 동시에 요구되는 경우)

② 저렴하고, 감염위험도가 낮지만 (∵single donor), 효과가 적어 많이 쓰지 않는다.

③ 전혈을 24시간 이상 저장 시 혈소판, 백혈구는 거의 생존 불가 → 응고인자/혈소판 공급 필요한 환자에게는 성분수혈이 바람직하다.

④ 성인에서 전혈 1단위 수혈 → Hb 약 1g/dL 증가, Hematocrit 3~4% 증가

2. Packed Red Blood Cells (농축 적혈구)

Packed RBC의 시간에 따른 변화 ★★

① O_2에 대한 Hb의 친화력 증가
② pH 감소 ★
③ RBC deformability change
④ Hemolysis (Free Hb 증가) ★
⑤ Potassium, Phophate, Ammonia 증가
⑥ Microaggregates
⑦ Vasoactive substances 분비
⑧ Protein denaturation
⑨ ATP, 2, 3-DPG 감소
⑩ Granulocyte, PLT degeneration ★
⑪ Factor 5, 8 deterioration
⑫ Lactic acid 증가

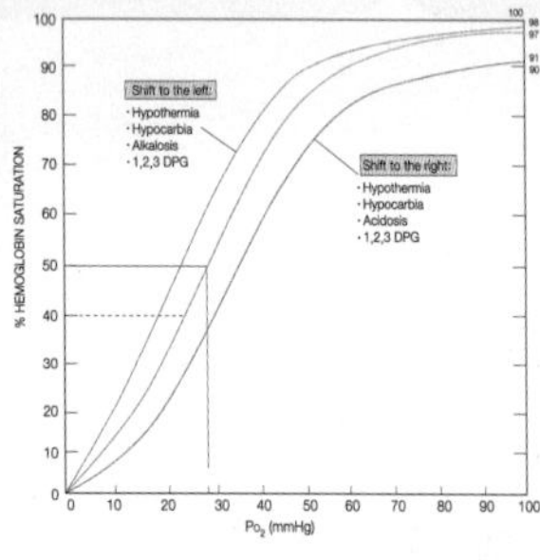

※ Oxygen – Hemoglobin dissociation curve를 Rt & Lt shifting시키는 인자들★

Rt shfting	Lt shifting
2, 3-DPG(diphosphoglycerate)↑, H+↑(Acidosis), 온도 상승 시	2, 3-DPG (diphosphoglycerate)↓, H+↓(Alkalosis), 온도 하강 시
: Hb의 O_2에 대한 친화력 감소 (조직으로 충분한 산소를 공급한다) → 조직에서 O_2를 더 잘 이용할 수 있게 함.	: Hb의 O_2에 대한 친화력 증가

① CPDA-1를 이용하여 1-6° C에서 35일간 보존할 수 있다.
② PRC 1 Unit은 Hct 2-3% 가량을 올린다.
③ 혈액제제와 같이 Lactate Ringer' s solution을 사용할 경우 칼슘때문에 응고 (clot)를 형성할 수 있다. ★

〈수혈의 적응증〉【17】

a. **출혈 시의 신체반응**

- Red cell mass가 감소 시 O_2 delivery를 위한 **"보상작용"** 이 일어난다.
- Hb < 7-8 g/dl까지는 환자는 tolerable 하지만,
- Hb < 7 g/dl로 떨어지면 CO (Cardiac Output) 이 증가한다.
- 따라서 수혈의 기준은 신체내에 보상작용이 일어나는 시점인 Hb 7-8 g/dL가 적절하다.

b. **"임상양상"** 에 따라 수혈여부를 결정한다.

Ongoing blood loss, HR ↑, Dizziness, UO ↓, Base deficit, Lactic acidosis

c. **심한 심혈관질환 시 수혈을 시급히 시행해야 한다.**

(∵질환상태에서 심박출량을 증가시켜 MI를 유발할 수 있다)

> * 적혈구 수혈을 위해 혈색소나 적혈구 용적률만을 지표로 사용하는 것은 좋은 방법이 아니며, 환자 임상상태, 출혈 여부 및 위험성 등을 복합적으로 고려하여 판단해야 한다.

(표) RBC수혈의 guidelines ★

1. Hb〈8g/dl 혹은 **급성출혈**이 있는 환자들에게서 아래 중 2개 이상이 해당될 때 ① 출혈량이 15%이상으로 예상될 때 (75kg남성에서 750ml) ② 이완기 혈압 〈 60mmHg ③ HR〉100/min ④ Oliguria/Anuria ⑤ **의식**상태의 변화
2. Hb〈10g/dl이고 **"심장 관상동맥 질환"** 및 **"폐기능 부전"** 을 지닌 환자가 상당한 출혈이 있거나 그러한 출혈이 예상될 때
3. **증상**이 있는 빈혈 ㄴ HR〉100/min, **의식**상태변화, 심근**허혈**소견, Shortening of breath, **기립성 저혈압**
※ 다음의 경우엔 수혈하지 **않는다.** ① 창상치유를 좋게할 목적 ② 환자의 well-being sence를 위해 ③ Hb 7-10 g/dL (Hct 21-30%)이지만 증상이 없는 환자

추가노트

☞ O_2 delivery를 위한 보상작용

- CO 증가, Extraction ratio 증가
- Oxyhemoglobin curve의 Rt. shifting & Volume expansion

3. Platelets

① 수술도중 **이상출혈** 시의 **가장 흔한 원인**은 혈소판 부족 때문이다.★

② 혈소판 1 Unit 투여 → 1시간 후 〉5,000/mm^3 증가해야 함.

③ 질환별 혈소판 수혈지침

• DIC	≤ 20,000~50,000/mm^3
• 대량수혈 후의 혈소판 감소 시	≤ 50,000/mm^3
• 간경화 환자의 수술 및 시술 시	**≤ 50,000/mm^3**
• 간조직 생검 시	≤ 50,000~100,000/mm^3

(표) 혈소판 수혈의 guidelines

1. **혈소판〈 10,000/mm^3** : 예방적으로 혈소판 수혈 시행
2. **혈소판〈 50,000/mm^3**이며 • **미세혈관출혈(oozing)**이 있거나 혈소판 수가 급감할 때 • 수술/시술이 예정되어 있는 경우
3. **혈소판 수 50,000 ~ 100,000/mm^3** • 혈소판 기능장애 • 항 혈소판 제제 사용하는 환자에서 급성 출혈 있는 경우 • 외상성 뇌출혈 환자에서는 100,000/mm^3 이상 유지
4. (수술방에서) **10 Unit이상의 RBC가 수혈**되었으며 **미세혈관 출혈**이 있는 경우
5. **혈소판 기능장애 시** (BT 〉15min) └ **점출혈**(petechiae), **자색반점**(purpura), **미세혈관 출혈**

※ **다음의 경우엔 수혈하지 않는다.** ① 대량수혈 시 환자의 미세혈관 출혈이 없는 경우 ② TTP (thrombotic thrombocytopenic purpura), HUS (hemolytic-uremic syndrome), ITP에서 예방적 투여 ③ 외부적 원인의 혈소판기능장애 시 (e.g., 신부전, von Willebrand's disease) ④ 혈소판 수 〉 100,000/mm^3 시 수혈하지 않는다.

추가노트

☞ 혈소판 수치가 10,000/mm^3 이상일 경우 출혈요인이 교정되었을 땐 부가적인 출혈을 유발하지 않는다.

4. Fresh Frozen Plasma (신선동결혈장)

① 채혈 후 6시간 이내 분리해 동결한 혈장을 의미하며, -15도 이하에서 1년간 보존 가능

② **구성** : plasma, Factor 2, 5, 7, 8, 9, 12, 13, fibrinogen

③ 1Unit → 3%의 clotting factor level 상승

적절한 응고는 factor level이 30% 이상일 경우 이루어진다.

④ **FFP 수혈 후 평가** : **PT & aPTT** 측정

⑤ **FFP 수혈의 적응증** :

응고장애가 있거나 **응고인자가 부족**한 경우

→ 간질환, 응고인자의 선천적 결핍, 응고인자 없는 혈액성분 수혈 때

(표) FFP 수혈의 Guideline ★

※PT 및 aPTT의 연장으로 나타나는 **응고인자 결핍** 및 이러한 환자가 중요한 수술/시술을 시행 전에 투여한다.
1. **선천적인 응고인자 결핍** : **antithrombin III, prothrombin, factor 5,7,C 혹은 S 단백, plasminogen 혹은 antiplasmin**
2. **후천적 응고인자 장애** : **Warfarin**투여, **비타민K 결핍, 간질환, 대량출혈** 및 **DIC**
3. **과도한 미세혈관 출혈**이 있는 경우 : **PT** 〉 정상의 **1.5배** 이상 연장, **INR** 〉 **2, aPTT** 〉 정상의 **2배** 이상 연장
※ 다음의 경우엔 수혈하지 **않는다.** ① 대량수혈 후 환자에게 응고장애가 없음에도 투여하는 경우 ② volume replacement ③ 영양공급 목적 ④ 저알부민혈증

5. Cryoprecipitate (동결침전물 제제)

① **구성** : **Factor 8★**, 13, **fibrinogen★**, vWF, fibronectin

② **수혈의 적응증** :

hemophilia A, von Willebrand's disease, hypofibrinogenemia, uremic bleeding 등에 사용

수술 전후의 수혈

- 안정적인 환자에서 수혈적응증에 대한 정확한 수치는 나와 있지 않으나,
  ① **증상**이 있는 환자의 경우,
  ② **심각한 출혈이 예상**되는 수술을 앞둔 경우 수혈을 하는 것은 합당하다.
- 특히 reticulocyte 수치마저 정상이거나 낮은 경우 Hb을 올리는 길은 수혈뿐이다.

- 수술 전 혈액준비

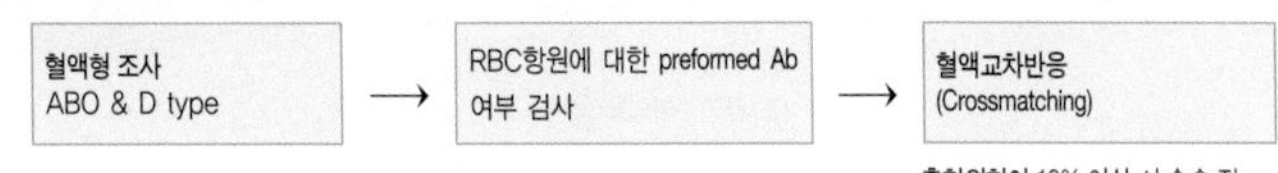

출혈위험이 10% 이상 시 수술 전
미리 시행하고 그렇지 않으면
수술도중(수분 소요) 시행한다.

Shock 환자에서의 수혈

1. Crystalloid : RBC = 3 : 1

- Crystallid가 선호되는데 이는 값이 저렴하고, crossmatching할 필요가 없으며, 병균을 전파할 가능성도 없기 때문이다.

2. Crystalloids 종류

① "Lactated Ringer solution (Hartmann solution)"

Ca2+**를 함유**하여 Citrate**를 포함한 혈액성분제제와 혼합**하는 경우 clot**을 형성**할 위험이 있다.

→ 따라서 수혈 시에는 금기

② "Normal Saline" (m/c)

→ 혈액성분제제와 함께 투여할 수 있는 Crystalloid는 생리식염수 뿐이다

단, 과량 수혈 시 Hyperchloremic metabolic acidosis 유발할 위험이 있다.

③ 5% Dextrose water

저장성이므로 적혈구를 팽창시켜 용혈을 유발할 수 있다 → 따라서 수혈 시에는 금기

추가노트

☞ Ab screening 상 음성이며 수술 중 수혈이 필요한 가능성이 10% 이내이면 수술 전 crossmatchig 필요없다. 수혈의 가능성이 10% 이상이면 수술 전 crossmatiching이 필요하다.

대량 수혈 (Massive Transfusion) ★★★

① 정의

: **전체 혈액**을 보충하거나 혹은 **짧은 시간** 동안 **10Unit 이상**의 **수혈**을 시행

- 24시간 동안에 환자 혈액량을 대체할 정도로 수혈한 경우
- 몇 시간 동안 10단위 이상의 농축적혈구를 수혈하는 경우
- 동적 대량 수혈
  - 지속적으로 수혈이 필요한 경우 1시간 내에 4단위 이상의 농축 적혈구 수혈
  - 3시간내에 전체 혈액량의 50%를 대치할 정도 수혈하는 경우

② 보통 Packed RBC가 1~6° C에서 저장되어 있는 경우 시간이 지남에 따라 변화가 일어나는데 이로 인해 대량수혈 시 문제가 발생할 수 있다.

↓

세포 내 K^+ leakage, **pH 감소**, 세포 내 ATP & **2,3-DPG 감소**, Hb의 산소 친화력 **증가**, 응고인자 **V & VII 감소**

■ 대량 수혈의 부작용

① **저체온증** : 수액공급 및 수혈, 환자 노출에 의해 발생
② **응고장애** : 소모 및 희석에 의한 효과
③ **혈소판 감소증** : 출혈 및 소모에 의해 발생
④ 구연산염(citrate) 독성 : 저칼슘혈증, 저마그네슘혈증, 응고장애, 심근억제 등을 유발
⑤ 고칼륨혈증/저칼륨혈증 : 용혈 또는 조직 파괴로 인해 발생
⑥ 구획증후군 : 수액 요법 또는 압박에 의한 손상
⑦ 백혈구 감소증 : 희석 및 출혈로 인해
⑧ 대사성 산증/대사성 알칼리증 : 젖산의 생성 및 구연산염의 제거의 둔화
⑨ 다발성 장기 부전증
⑩ 감염증
⑪ **수혈관련 급성 폐손상**(Transfusion related acute lung injury: TRALI)

1. 저체온 ★

- Cold blood product의 다량 수혈로 인해 저체온이 발생

↓

Hb의 산소친화도 **증가**, **혈소판**기능 저하, Ca^{2+}↓, Dysarrhythmia
(∵간에서 citrate의 대사율이 떨어지므로)

추가노트

☞ 빠른 수혈이 필요한 Shock 환자는 대개 aldosterone, ADH, steroid hormone의 증가로 인한 Hypokalemia 상태여서 신기능이 떨어져 있지 않은 이상 수혈에 의한 hyperkalemia는 발생하지 않는다.

2. 산염기 변화

- Alkalosis 유발 : sodium citrate가 간에서 sodium bicarbonate로 **전환**되기 때문
  but , alkalosis는 세포내 2, 3DPG 를 증가시켜서 결국, 조직으로의 RBC의 O_2 운반에 도움이 된다.

3. 저칼슘혈증

- 보통은 일시적이고 교정을 필요로 하지 않는다.

4. Potassium 변화

- 이론적으로 hyperkalemia가 일어날 수 있으나 수혈 속도가 100~150ml/min를 넘지 않으면 문제가 되지 않는다.

5. 2, 3-DPG 감소

- RBC 보관 3주후에는 2, 3DRG가 감소되어 조직으로의 **산소공급능력**이 저하된다.

6. Hemostasis

- 대량 수혈을 받은 환자에게는 Dilutional Thrombocytopenia가 발생한다.
  하지만 **예방적인 혈소판수혈은 (저체온증과 관련없는)** "microvascular bleeding" **이 있을 경우에만 시행한다.**
- PT & aPTT를 통해 FFP 및 응고인자 보충여부를 결정한다.

※ **[정리] Massive transfusion이 필요한 환자에서,**

① packed RBCs → O_2 carrying capacity 제공
② Platelet → 저체온이 없는 환자에서 microvascular bleeding이 있을 경우
③ Crystalloid infusion → Intravascular volume 보존을 위해 (예방적 Ca, Bicarbonate & FFP는 의미 없음)

수혈에서의 위험 【15】【14】

- 수혈의 부작용은 여러가지가 있으며, 발생기전에 따라 분류할 수 있다.
- 수혈 부작용은 전체 수혈의 10% 정도에서 발생하며, 발생 시 즉시 적절한 처치를 시행하여야 한다.

■ Transfusion Reactions

1. 급성 용혈 반응 (Acute hemolytic transfusion reaction) ★★

① **가장 심각!!**

RBC가 혈관 내에서 급격히 파괴되면서, complement에서 유래된 peptide가 분비
→ 저혈압, 신장으로의 혈액흐름 감소, Clotting cascade 활성화 (→ DIC)를 일으킨다.

② 가장 흔한 원인은 **ABO 부적합 혈액을 수혈함으로써 발생한다.**

보통 type A혈액을 수혈받은 type O환자에서 나타남

③ **증상** ★

주사부위의 통증 및 발적, 저혈압, 혈뇨, 핍뇨(oliguria) 및 발열/오한

※ 의식이 없는 환자(ex. 마취 중)에선
"저혈압", "혈색소뇨증(Hemoglobinuria)" **및** "전반적인 삼출성 출혈(Diffuse oozing)" 이 유일한 단서이다.

④ **조치** ★

a. 수혈을 즉각 **멈추고**, PRC에 표시된 label과 recipient의 wrist band에 표시된 label이 일치하는지 확인한다.

b. **혈액팩의 혈액**과 **환자의 infusion site에서 먼쪽의 혈액샘플**을 채취해 **혈액은행**으로 보낸다.
→ 혈액은행에선 posttransfusion plasma색이 분홍색인지를 확인하고 direct antiglobulin test를 시행해야 한다.

c. **소변을 수집**하여 free hemoglobin이 있는지 확인한다.

d. 환자에게 **저혈압 교정** 및 renal blood flow를 확립하기 위해 **신속한 수액 주입**을 시행하며, 이뇨를 위한 **furosemide를 투여**한다. DIC 및 저혈압이 발생한 환자는 사망률이 높다.

추가노트

☞ 수혈 후 발생하는 주된 치명적인 손상들

① ABO 불일치 수혈 후의 문제들
② 수혈로 인한 세균성 감염
③ TRALI(Transfusion-related acute lung injury): 수혈과 관련된 폐손상

2. 지연성 용혈성 부작용 (Delayed Hemolytic Reaction)

① 수혈 후 **수 시간**에서 **수일 후** 발생
특히 massive transfusion을 시행받은 경우 위험

② 원인 : 수혈 전 검체에서 검출되지 않는 **적혈구 항체에 의해 발생**
(IgG에 의한 비ABO 항원에 대한 반응)

③ 증상: **발열, 황달, 예기치 못한 Hb의 감소**

④ 진단 : 직접항글로불린 검사 양성, 고빌리루빈혈증, 합토글로빈 감소

⑤ 치료 및 예방 : 특별한 치료는 없으며, 환자의 과거력 및 수혈 부작용 여부를 조사하는 것이 최선의 예방

3. 알레르기 비용혈성 수혈반응 (Allergic nonhemolytic reactions) ★【14】【13】

① 원인 : **공여자 혈장 단백질에 대한 수혜자 항체의 반응** (제 1형 과민반응. 수혈 후 즉각적으로 반응)

② 증상 : 가벼운 발진, 두드러기에서부터 아나필락시스까지 다양

③ 치료 : 항히스타민, 에피네프린, 스테로이드 등을 증상 정도에 따라 투여

④ 예방 : 항히스타민제 (diphenhydramine)

4. 비용혈성 발열 반응 (Febrile nonhemolytic reaction) 【15】

① 원인 : **공여자의 백혈구 및 HLA antigen에 대한 수혜자의 항체에 의해서 발생**

② 증상 : 다른 이유 없이 수혈 중 열이 1도 이상 상승

③ 예방 : 백혈구 제거 혈액 수혈, 해열제(아스피린, 아세트아미노펜)

	알레르기 비용혈성 수혈 반응	비용혈성 발열 반응
기 전	수혜자 항체 → 공여자 **혈장단백질** 공격	수혜자 항체 → 공여자 WBC or PLT 공격
증 상	**피부 발진** (rash), 두드러기 (urticarial) 기관지경련 및 **아나필락시스**	수혈 후 바로 발생하는 **발열/오한**
예 방	**항히스타민제** (diphenhydramine) 선처치	**백혈구 제거 혈액 제제 수혈** ★
치 료	항히스타민제, (아나필락시스 시) 에피네프린	**해열제** ★

■ 수혈 관련 폐 손상 (TRLI, Transfusion-Related Lung Injury)

① 원인 : **공여자의 혈장에 있던 anti-HLA 항체가 수혜자의 백혈구에 결합 및 공격**

② 증상 : 6시간 이내 호흡곤란, 청색증, 양쪽 폐부종

③ 감별 : 체액 과부하, 심인성 폐부종, ARDS

④ 치료 : 수혈 중단, 혈역학적 안정을 위한 보조적 치료, 호흡 보조 치료

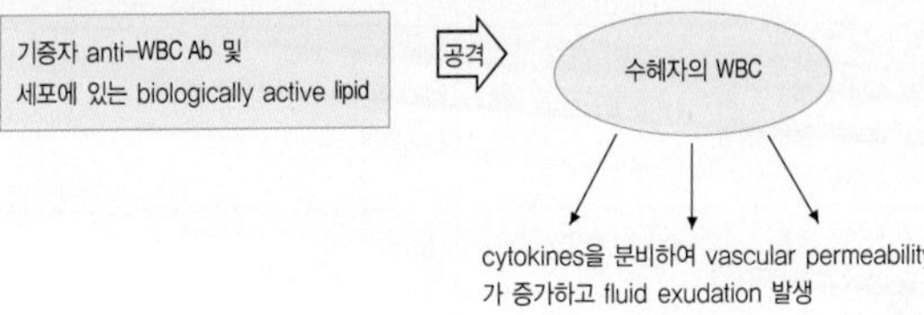
기증자 anti-WBC Ab 및
세포에 있는 biologically active lipid
공격
수혜자의 WBC
cytokines을 분비하여 vascular permeability
가 증가하고 fluid exudation 발생

- 수혈 후 환자가 사망할 수 있는 가장 흔한 원인이다(사망률 5-10%).

■ 이식편숙주 반응 (Graft vs Host Reaction)

① 원인 : **수혈된 림프구(lymphocyte)가 면역기능이 저하된 숙주조직 및 세포를 공격**

② 증상 : 8-10일 후 발열, 피부 발진, 설사, 간 기능 이상 발생 (예후 불량)

③ 예방 : **방사선 조사 (감마선) 혈액제제 수혈**

■ 수혈 전파성 감염

• **Transmission 될 수 있는 균주 ★**

① 바이러스 : **EBV, CMV, HIV, HTLV(Human T-cell leukemia virus) type I & II** ② 세균 및 원충 (Protozoal disease) : Syphilis, Malaria, Yersinia enterocolitica, Trypanosoma cruzi

수혈의 부작용 및 기전, 예방책

합병증	증상 및 징후	빈도	기전	예방
발열	발열, 오한 드물게 저혈압	0.5-1.5%	미리 만들어진 사이토카인 공여자의 림프구에 대한 숙주의 항체	백혈구 제거 혈액의 사용 수혈전 해열제 투여
알레르기 반응	두드러기, 홍반, 발진 가려움증	단위당 0.1-0.3%	혈장 단백에 대한 항체	예방적 항히스타민제 세척 적혈구 사용
급성 용혈 반응	발혈, 오한, 흉통, 호흡곤란, 복통, 저혈압, 파종성 혈관내 흉조증, 혈색뇨, 혈색소혈증, 신기능 장애	1:33,000- 1:1,500,000단위	ABO 부적합 수혈 ABO 항원에 대한 기존 IgM 항체	적합한 혈액의 수혈
지연성 용혈 **(2-10일)**	발열, 권태감, 빈혈, 간접 고빌리루빈혈증, 합토글리빈 증가 직접 항글로불린 검사 양성		IgG 매개 (비ABO 부적합 수혈)	재발을 방지하기 위해 환자의 항원 규명
수혈관련 **순환 과부화**	호흡곤란, 고혈압, 폐부종, 심부정맥	1:200-1:10,000 (수혈환자)	고령의 울혈성 심부전증 환자에게 다량의 혈액을 수혈	수혈 시간을 늘린다. 이뇨제 투여 동반 수액을 최소화
수혈관련 **급성 폐손상**	급성 저산소증(<6시간) 양측 폐 침윤 빈맥, 저혈압		항-HLA 또는 항HNA 항체에 의한 순환계 및 호흡기계 백혈구를 공격	여성 공여자를 제한
세균오염	고열, 오한 혈역학적 변화 파종성 혈관내 응고증 구토, 설사 혈색뇨	<0.05%(혈액) 0.05%(혈소판)	오염된 혈액의 주입	혈소판 보관 < 5일

추가노트

☞ CMV : 가장 흔한 viral infection, WBC에 의해 전파
HBV : 단위혈액수혈시 간염위험도는 1%임.
HIV : window period 45일 정도이다.

수혈대치제재

1. 자가 수혈 (autologous blood)

① 방법 : **수술 전 환자로부터** 2-3Unit의 혈액을 채취한 뒤 필요 시 사용한다.

② 적응증 : 어느정도의 출혈이 예상되는 elective 수술을 앞둔 환자에게 있어서

i) **감염** 및

ii) 심각한 **심장질환**이 없으며 Hct이 **30% 이하**일 경우

③ 단점 :

가격이 비싸고, 빈혈위험이 있고, 결국엔 allogenic transfusion을 받을 수 있는 확률이 높으며, 획득한 자기혈액을 버릴 확률도 20-73%에 이른다.

2. Acute Normovolemic hemodilution

① 방법 :

마취 후 수술시작 전 1-3Unit의 혈액을 채취한뒤 **crystalloid나 colloid로 그 양을 보충**한다. → 채취한 혈액은 **항응고처리 후** 상온에서 4시간까지 보관이 가능하므로 **수술도중 필요시 사용**할 수 있다.

※ 자가수혈과 함께 사용하면 6Unit 이상의 혈액을 사용할 수 있다.

② 단점 : 급성 출혈 시 사용하지 못한다.

3. Autologous cell salvage

① 방법 : 수술도중 **흡입기**(suction)를 통해 모아진 혈액을 세척,여과 후 환자에게 되돌리는 방법

② 단점 : 감염 우려가 있으며 종양이 있는 경우 사용하지 못하고, 응고장애 등의 위험이 있다.

추가노트

☞ **자가수혈**

1. 자가수혈의 장점

① 감염성 질환의 전파 방지 ② 동종 면역의 위험 방지 ③ 수혈 부작용이 적다

④ 이식 대 숙주 질환(GVHD)의 위험 방지

2. 채혈한 혈액은 5주까지 보관할 수 있고, 대략 3-7일 간격으로 채혈하므로 5Unit까지 모으는게 가능함. 마지막 채혈은 3일전에 할수 있음.

3. 자가 수혈의 금기증

1) 절대적 금기

① 균혈증 ② hematologic or systemic malignancy

2) 상대적 금기

① Hb<11g/dL ② 심장질환: 위험성이 높다

☞ **기타 수혈대치 방법**

① 철의 공급 ② Erythropoietin 사용 ③ RBC 대용제(substitutes) 사용

외과적인 출혈성 질환

• 지혈 과정

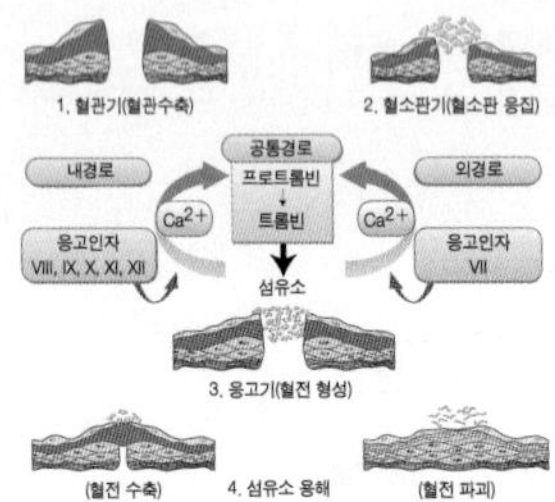

(그림) 응고 과정

1. **혈관기**	– 혈관 손상 시 Tissue factor 및 Collagen 노출 – 혈관이 수축하여 초기 지혈에 중요한 역할
2. **혈소판기**	– 노출된 Collagen에 혈소판이 부착 및 응집하여 Plug 형성 – 내피 세포 하의 vWF가 혈소판에 부착 및 ADP, 세로토린 피브리노겐 분비시켜 출혈 억제 **(1차 지혈)** – 혈소판에서 분비된 TXA2 (Thromboxane A2) 및 세로토닌, 내피세포에서 분비하는 Endothelin 등에 의해 비가역적 혈소판 응집이 진행되고, 이후 섬유소원과 혈소판이 결합하여 혈전 형성 **(2차 지혈)**
3. **응고기**	– Factor VII 및 Tissue factor의 작용으로 Coagulation cascade 시작 – **내경로** : Factor V, VIII, IX, XI, XII 관여 – **외경로** : Factor VII, 혈관 손상에 의한 조직인자 관여 – **공통경로** : Factor X(Xa), 프로트롬빈 (Factor IIa)→ 트롬빈, 피브리노겐→피브린 관여
4. **용해기**	– 혈전은 궁극적으로 Fibrinolysis로 용해되는데, 여기에 Plasmin이 관여

(그림) 혈관 손상 후에 일어나는 혈소판의 변화와 혈전의 형성 과정

혈관 내피세포 손상

혈소판의 지혈기능 / 혈관 수축

내피세포하 콜라겐
↓
혈소판 부착, 분비
(가역성) ↓ *ADP, 세로토닌,*
혈소판 응집, 분비
(비가역성) ↓ *ADP, 세로토닌,*
혈소판응집
↓

조직인자-인자 VIIa에 의한 응고활성
↓
활성화된 혈소판위에 IXa, Xa 복합체
↓
트롬빈 + 섬유소원 → 혈소판-섬유소 혈전

(그림) 폭포모델 응고 기전

내경로 / 외경로

HMWK
XII → XIIa
XI → XIa
IX → IXa (Ca2+)
IXa, Ca2+, VIII, 인지질
VII, Ca2+, 조직 트롬보플라스틴
X → Xa (Ca2+, V, 인지질)
프로트롬빈 → 트롬빈
섬유소원 → 섬유소

■ 국소지혈반응

- "Blood Vessels & Endothelial Cells"
  - 혈관손상시 중요한 초기 반응은 **"혈관수축"** 이다.

  : 작은 혈관에선 TXA2

  큰 혈관에선 **신경반응** 및 NEI (Norepinephrine)이 여기에 관여한다.

1. 혈관 내피세포 (Vascular endothelium)

- Prostacyclin (혈소판응집의 강한 억제제), Nitric oxide, Thrombomodulin, tPA (tissue Plasminogen activator)을 분비하며 Anticoagulant 인 Heparin이 결합하는 anti-thrombin III도 Endothelium에 위치한다.
- Thrombomodulin+Thrombin → Protein C **활성화**

※ Protein C는 cofactor인 Protein S와 함께 activated Va 및 VIIIa를 분해하여 Thrombin 생성을 감소시킨다.

※ Antithrombin III은 heparin의 존재하에서, Thrombin을 비활성화시킨다.

AntithrombinIII는 이밖에도 factor VIIa, IXa Xa, kallikein & plasmin을 비활성화시킨다.

※ 즉, 혈액응고를 억제하는 인자들

(1) Protein C

(2) Protein S

(3) Antithrombin III

2. Platelet

① 역할

손상부위에 붙어서 α 및 dense granule 분비, 응집하여 plug 형성, 표면에 procoagulant surface를 제공하여 coagulation을 활성화 시킴

② **성공적인 Platelet adherance에 필요한 물질** : Fibrinogen & vWF

Platelet는 다음과 같은 물질을 분비한다.

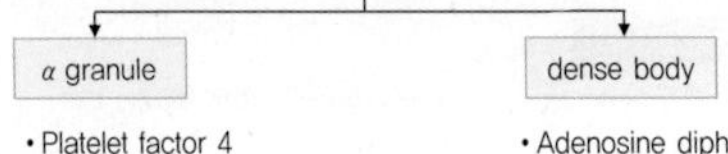

- Platelet factor 4
- β thromboglobulin
- Thrombospodin
- Platelet drived growth factor (PDGF)
- von-Willebrand factor (vWF)

- Adenosine diphosphate (ADP)
- SEROTONIN

③ Platelet plug가 형성되기까지 혈관손상으로부터 1-3분 가량이 걸리며, clot이 형성되어 retraction이 이루어지면 clot 크기가 감소하는데 여기까지 10분 가량이 소요된다.

■ 응고반응

- **Coagulation cascade** : Extrinsic & Intrinsic (임상적으론 Extrinsic pathway가 더 중요)

(그림) 전통적인 Coagulation cascade

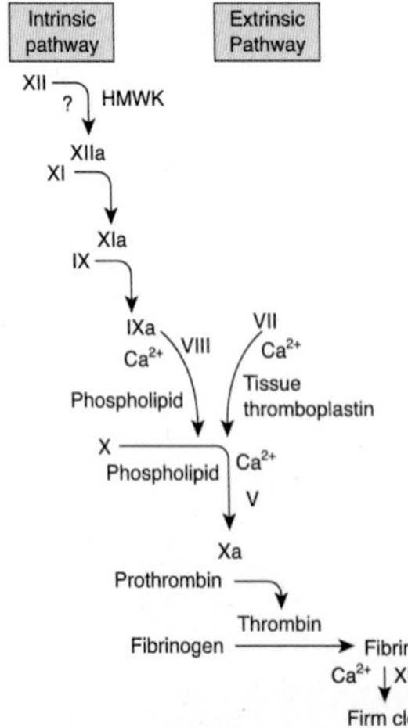

(그림) Update된 Coagulation에 대한 그림으로 TF (tissue factor) 경로가 강조되었다.

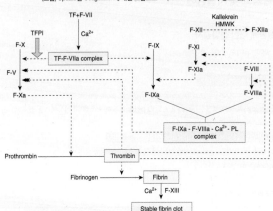

TF+F-VII
Ca^{2+}
TFPI
F-X
TF-F-VIIa complex
F-V
F-Xa
F-IX
F-IXa
Kallekrein
HMWK
F-XII
F-XIIa
F-XI
F-XIa
F-VIII
F-VIIIa
F-IXa - F-VIIIa - Ca^{2+} - PL complex
Prothrombin
Thrombin
Fibrinogen
Fibrin
Ca^{2+}
F-XIII
Stable fibrin clot

3. 섬유소용해 (Fibrinolysis)

① Fibrolytic pathway의 주된 반응은, plasminogen activators인 tPA (tissue Plasminogen Activator)와 Urokinase에 의해 "Plasminogen → Plasmin"의 활성화이다.

(그림) Fibrolysis

cf. PAI-1 : Plasminogen activator inhibitor I

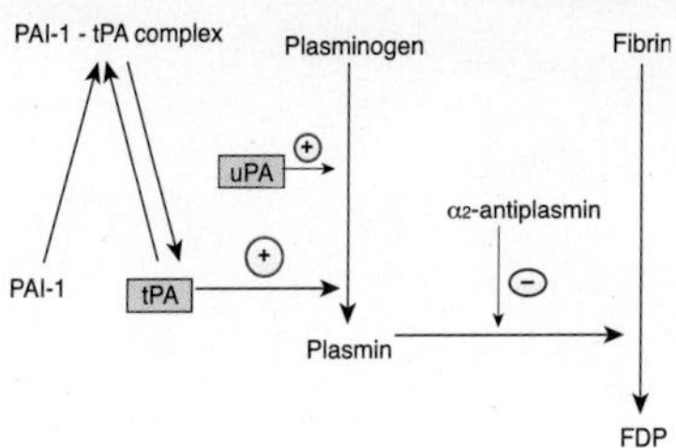

추가노트

☞ Fibrinolysis

plasminogen이 plasmin으로 활성화되면 이 plasmin에 의해 fibrin을 FDP (fibrin degradation production)으로 잘게 분해하는 과정이 섬유소용해(fibrinolysis)이다. 이렇게 plasminogen을 plasmin으로 활성화시키는 물질이 tPA(tissue plasminogen activator) 및 uPA(Urokinase)로 임상적으로도 많이 이용된다. 참고로 alpha2-antiplasmin은 간에서 분비되며 plasmin의 작용을 억제하는 물질이다.

혈액응고 및 지혈장애

■ 출혈성질환에 대한 선별검사

• 선별검사: ★PT, aPTT, CBC & Platelet

1. PT (Prothrombin Time)

① factorⅦ 기능 및 common pathway factors를 평가 (factor X, prothromibin/thrombin,fibrinogen, fibrin)

② Warfarin therapy, Vitamin K 결핍 (→ factor 2, 7, 9, 10, protein C, S 이상 초래)의 이상여부를 알 수 있다.★

2. aPTT (ativated Partial Thromboplastin Time)

① Intrinsic pathway (HMWK, prekallikrein, factor 8, 9, 11, 12), common pathway (fibrinogen, factor 2, 5, 10)

② Heparin therapy monitoring 시 이용됨

※ PT와 aPTT의 해석

PT	aPTT	
•	증가	→ intrinsic pathway 이상 (facter 8,9,11,12 결핍), 헤파린 치료
증가	•	→ Vit-K dependent factor 이상 (Factor 2,7,9,10 결핍, 초기 간질환)
증가	증가	→ 간질환, Lupus anticoagulant (APS), DIC, 와파린 치료

추가노트

☞ BT(bleeding time) : "혈소판" 및 "혈관내피세포기능"에 대한 정보를 제공한다.
보통 귓불(earlobe)에 흠집(cut)을 내어 지혈될 때까지의 시간을 측정한다.

☞ "아스피린(aspirin)" 복용 시 BT 증가 → 아스피린은 혈소판 생성 및 응집에 관여하는 TXA2의 생성을 방해하여 항혈소판 작용을 함

외과적인 출혈성 질환

■ Vitamin K 결핍

① Vitamin K dependent factors : factor 2, 7, 9, 10, protein C, S ★

② 원인

: 섭취부족, 흡수장애, TPN (Total parenteral nutrition), 경구항생제 (broad-spectrum), poor bile salt, biliary fistula, obstructive jaundice

③ 치료

a. Vit. K : 6-12시간 후 PT가 교정된다.

b. 신선동결혈장 (FFP) : 응고인자결핍을 속히 교정한다. 계속된 출혈 시 Vit. K와 함께 준다.

■ 항응고제

1. Warfarin ★

① 작용기전 : Vit K dependent factor 합성을 억제

② PT로 검사하며, 반감기는 40시간이며, 부작용시 치료는 ★Vit K, FFP투여이다.

③ "태아기형을 유발" 할 수 있으며, 경구제재이므로 수술전후엔 iv 제재인 heparin으로 바꾼다.

2. Heparin

① 작용기전 : Antithrombin Ⅲ와 함께 thrombin에 결합하여 factor 10를 비활성화.

② aPTT로 검사하며, 반감기는 6시간이며, 해독제는 protamine sulfate 이다.

③ LMWHs (Low-molecular weight heparin)

- 응고인자 10a에 대한 선별도를 높힌 heparin으로 출혈이 적은 것이 장점이다.
- DVT (deep vein thrombosis)와 급성 심관상동맥질환의 예방과 치료약제로 이용됨

■ 항혈소판제 (Antiplatelets)

1. Aspirin ★

① 작용기전 : TXA2 생성과 관여하는 COX 효소 억제 → 혈소판 생성 및 기능 불활성화

② BT로 검사하며, 반감기는 20분 정도로 짧으나 COX 억제 효과는 일주일간 지속, 부작용시 DDAVP 투여하여 치료한다.

③ 수술 전 1주 동안 복용 중단해야 함

추가노트

ex) 판막질환으로 Warfarin 주입중인 환자의 담낭절제술 시

→ Warfarin을 heparin으로 바꾸어 복용하다가 heparin은 수술 4-6시간 전 투여 중지한다.
그 후 술 후 수일 내 다시 Warfarin으로 바꾸어 준다. 단, Warfarin이 효과를 나타내기까지 2-3일간의 시간이 소요되므로, 해당 기간 동안 헤파린과 병행투여 해야 한다.

■ 간부전

- 간은 factor 8을 제외한 모든 응고인자의 생성장소
  간질환 땐 혈소판 저하 및 기능장애도 동반되어 지혈에 어려움이 있다.
- 간부전 시 fibrinogen 감소, PT 증가, aPTT 약간 증가
- 심한 간부전 시 FFP는 2시간당 2Unit까지 투여 필요

(표) 간에서 만들어지는 응고관련인자

응고인자	II, V, VII, VIII, X, XI, XIII, 피브리노겐
비타민 K-의존성 응고인자	인자 II(prothrombin), VII, IX, X
항응고인자	단백 C(protein C), 단백 S(protein S), 항트롬빈 III(AT III)
비타민 K-항의존성 응고인자	Protein C, protein S
섬유소 용해 인자	플라스미노겐

■ 신부전

- 혈소판 기능부전과 연관된 가역적인 출혈장애를 일으킨다.
  즉, 혈소판의 aggregation 및 adhesiveness 감소, PLT factor II 감소 및 BT연장이 있다.
- 치료 : DDAVP (Desmopressin), Cryoprecipitate, conjugated Estrogen

■ Thrombocytopenia

① 정의 : Platelet < 10만/m^3 ★

4만 ~ 10만	• 손상이나 수술후 출혈 발생.
1만 ~ 2만	• 자발적인 출혈이 나타날 수 있다.
1만 이하	• 자발적 출혈이 잦거나 심하게 있을 수 있다.

② 특징

- 주로 피부를 침범하여 petechiae, purpura 혹은 confluent ecchymoses를 일으키며 수술 후 mucosal bleeding & excessive bleeding의 원인이 된다.
- 특히, 심한 GI bleeding이나 CNS bleeding은 치명적이다.
- 그러나 조직으로의 과다출혈이나 hemarthrosis는 일으키지 않는다.

③ 원인

a. 혈소판 생산장애 : 골수 기능 저하 (백혈병, Vit B12/엽산 결핍, 항암치료 등)
b. 혈소판 파괴 증가 : 특발성혈소판감소증(ITP), 혈소판감소성자반증(TTP), 용혈성 요독증후군(HUS), 파종성혈관내응고(DIC)
c. 혈소판 격리 : 문맥 항진증, Gaucher 병
d. 유발약제 : Quinidine, 경구 혈당강하제, 리팜핀, 헤파린
e. 기여인자 : 최근 출혈 및 출혈후의 purpura, 심한 알코올 섭취, 면역질환

④ **감별진단 : 발열** 여부 및 **비장종대** 여부로 감별한다.

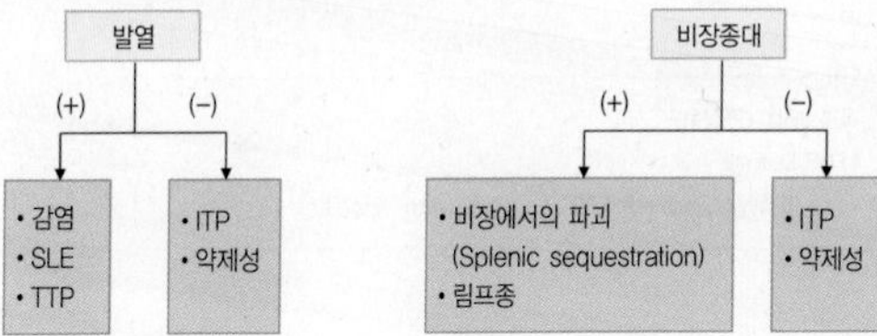

■ 혈소판기능장애

• 혈소판숫자에 중요한 영향을 미치는 약들 : **Thiazide** diuretics, Alcohol, Estrogen, Antidiabetics(Sulfa agents), **Quinidine**, Quinine, Methydopa, Gold salt

※ 혈소판기능 저하를 일으키는 약 : Aspirin이나 Indomethacin 같은 Prostaglandin inhibitor, other **NSAIDs**

cf) **Aspirin**은 **7일**간, **NSAIDs**는 **3-4일**간 장애를 일으킨다.

• 치료 : aspirin에 의한 기능장애시(BT의 지연) **desmopressin (DDAVP)**이 효과적이다.

■ 저체온

• 특히, 대량수혈을 받은 경우 응고 장애를 유발한다.

■ 파종성 혈관내 응고(Disseminated Intravascular Coagulation)★

① Systemic "**thrombohemorhhagic**" disorder → 진단 전 저체온 및 특별한 응고인자 결핍을 감별해야 함.

② **원인** ★

• **용혈(Hemolysis)**	• 화상
• 대량 출혈(Massive transfusion)	• Crush injury and tissue destruction
• 산부인과질환 : Amniotic fluid embolism, Placental abruption	• 백혈병
• Retained fetus	• 종양 (특히 전이성 종양)
• 패혈증 및 바이러스혈증	• 간질환
	• 혈관염을 포함한 다양한 염증성 및 자가면역 질환

추가노트

☞ TTP
: Thrombotic Thrombocytopenic Purpura

☞ ITP
: Idiopathic Thrombocytopenic Purpura

☞ 여기서 정리한번! Antidote

원인	해독제
Vit K deficiency	Vit K, FFP
Warfarin	Vit K, FFP
Heparin	protamine sulfate
간질환	DDAVP, FFP
신질환	DDAVP, Cryoprecipitate
Aspirin	DDAVP

③ **검사실 소견**

a. **증가**하는 것

- PT, aPTT (연장됨)
- FDP, D-dimer
- 말초혈액에서 fragmented RBC가 관찰됨 (non-specific)

b. **감소**하는 것

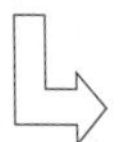

- Platelet fibrinogen
- antithrombin III, plasminogen, thrombin-antithrombin 복합체
- plasminogen, α2-antithrombin

④ **치료**

※ **치료원칙**

원인질환 치료 (가장 중요!!!) 및 장기부전을 유발하는 혈관내 혈전생성과 차단이 중요

a. TF (tissue factor) **활동도를 저하**시킴

: 합성 TFPI, 비활성화시킨 factor 7a 및 합성 NAPc2

b. Antithrombin**농축제**를 이용하여 그 혈액 수치를 정상의 125% 이상으로 올림.

c. 고갈된 성분의 보충

: washed RBCs, PLT, AT-III, 혈장확장제(crystalloid and colloid)

d. 마지막 카드는 "ε-aminocarproic acid + heparin" 으로 fibrinolysis를 **억제**하는 것이다.

선천성 출혈 장애

1. Hemophilia A

① factor 8 결핍, X-linked recessive disorder ("남성"이 대부분, "여성"은 carrier)

② "factor VIII" : C level과 severity의 연관성을 지닌다.

즉, <2% : severe, 2~5% : moderate, 5~30% : mild bleeding

③ 정상혈소판 기능을 지니며, bleeding onset이 종종 지연된다.

deep tissue와 joint에 출혈 유발 : Hemarthroses

④ 검사소견 : aPTT 증가, factor VIII : C 감소

PT, BT, vWF: Ag은 정상

⑤ 치료

- DDAVP : 증상이 심하지 않을 때 좋다.
- FFP : 많이는 이용되지 않음.
- factor VIII concentrate : 제일 좋다.
- Cryoprecipitate : factor VIII 대신 사용할 수 있다.

2. Hemophilia B (Christmas Disease)

① Factor 9 결핍, X-linked recessive

② 증상 : Hemophilia A와 같다. severity도 level과 일치함.

③ Lab. : aPTT 증가, factor IX 감소 / PT, BT, PLT. count 정상

④ 치료 : prothrombin complex concentrate 보충함(factor IX).

3. von Willebrand's Disease

① 가장 흔한 선천성 출혈장애 (1%)

② vWF 결핍 : PLT응집의 자극제이며, factor VII의 주요 carrier protein임

③ subtypes

	1형	2형	3형
유전양식	• AD (autosomal dominant)	• 다양한 유전	• AR (autosomal ressesive)
병인	• vWF의 양적 감소	• vWF의 기능적 장애	• vWF가 없다
소견	• PT, PLT 정상, aPTT 약간 상승, abnormal BT, factor VIII:C 및 vWF:Ag 약간 감소	• ristocetin cofactor assay (vWF R:Cof) 감소	• aPTT 연장, abnormal BT & low PLT

④ 임상양상 : 혈소판기능장애 시의 출혈양상과 유사하다.

즉, Hemopilia는 deep hematoma, hemarthroses 등을 유발하는데 비해, vWD는 mucosal bleeding, petechiae, menorrhagia 등을 일으킨다.

⑤ 치료

- DDAVP 투여
- Cryoprecipitate
- 유전성출혈질환을 지닌 환자들에서의 검사 → Factor VIII, IX, vWF : Ag을 확인하자.

★★★★☆

Power

03 대사 및 영양

Metabolism In Surgical Patient

영양 기초 생리

■ 금식시의 대사변화 ★★

• 금식

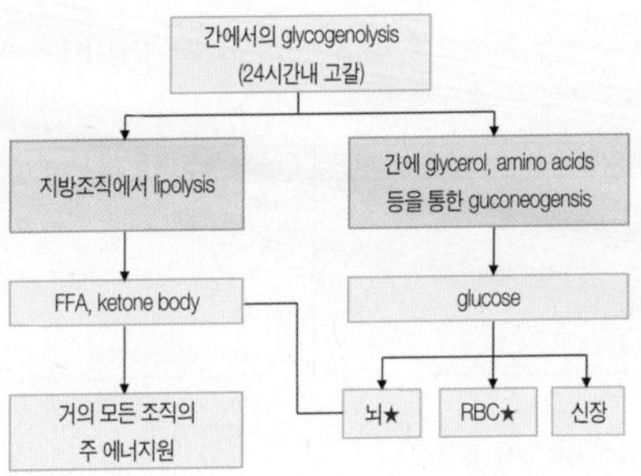

• 낮은 insulin과 높은 glucagon이 이러한 변화를 일으킨다.

추가노트

☞ FFA : free fatty acids

☞ 금식 초에는 급격한 단백분해가 이루어지지만(protein 300g/day) **금식기간이 길어져서 일주일가량이 경과되면** 뇌의 영양공급이 ketone body에 적응이 되어 **근육의 단백분해속도도 안정화** 된다.

• 금식 → 저혈당

Insulin ↓

Glucagon, Steroid (Cortisol), GH, Catecholamine ↑

지방, 근육
단백질 분해 및 지방분해

간

glycerol, amino acids를 이용한
당신생(gluconeogenesis)

1. 금식 시 생리적 반응에 의해 혈당을 최대한 유지하게 된다. 뇌, 적혈구, 및 신장은 포도당을 에너지원으로 이용하므로 금식시에도 적절한 혈당을 유지하는 것이 중요하다.
2. 금식 후 24시간이내에 간의 글리코겐을 모두 사용하게된다(glycogenolysis). 그후에는 단백질, 글리세롤 등을 포도당으로 전환하는 당신생 (gluconeogenesis)를 통해 혈당을 유지한다.
3. 당신생을 위한 근육에서의 단백질분해에서 중요한 전구체(precursors)는 alanine과 glutamine이다.
4. 간은 적은양의 지방산으로 케톤체를 생성하여 에너지원으로 이용하는데 뇌는 포도당과 더불어 케톤체를 에너지원으로 이용할 수 있다.

■ 염증 및 패혈증시의 대사변화 (Catabolic state)

1. 아래와 같은 Catabolism을 자극하는 호르몬 및 사이토카인들이 분비되어 catabolism을 증가시킨다. ("Counterregulatory" hormones & cytokines)

증가하는 물질 (이화작용 [Catabolism]을 하는 호르몬)	감소하는 물질 (동화작용 [Anabolism]을 하는 호르몬)
Glucagon	Insulin
Steroid (Cortisol)	TSH
Catecholamine	T3/T4
(에피네프린, 노르에피네프린)	FSH
IL-6, IL-1, TNF α, IFN λ	Estrogen, Testosterone

2. 패혈증(및 심한 염증)시의 대사
   a. 정상적으로 포도당이나 지방 투여하면 인슐린이 분비되어 지방분해가 억제된다. 하지만, **패혈증**시에는 "인슐린 저항성"이 생겨서, 이러한 지방분해를 억제하는 기전이 작용하지 않으며 투여된 glucose등도 골격근에 uptake되지 않아 고혈당증이 유발된다. 또한 오랜 금식 후 발생하는 단백질 분해를 최소화하려는 기전도 패혈증 시는 발생하지 않는다.

즉, 패혈증 시는
포도당 신합성 (gluconeogenesis) ↑
단백분해 (Proteolysis) ↑, 지방분해 (Lipolysis) ↑

b. 이러한 어려움으로 인해 혈당을 높이지 않고 어떻게 적절한 영양공급을 하는가의 문제가 제기됨. 한 방법은 지방을 공급하는 것이다. 하지만 지방의 대사도 정상적으로 이루어질지는 의문점이다.

영양 성분

■ 단백질

1. 아미노산

1. 아미노산의 일부는 그 구조에 따라 분지쇄 아미노산(BCAA; branched-chain amino acid)과 방향족 아미노산 (aromatic amino acid)로 나뉠 수 있다.

분지쇄 아미노산	방향성 아미노산
Valine Leucine Isoleucine	Phenylalanine Tyrosine Tryptophan

2. 아미노산은 대부분 간에서 대사되지만 BCAA는 근육에서 대사된다. 따라서 간질환이 있는 환자에서 BCAA의 공급한다면 간의 부담을 줄일 수 있다. 또한, 금식 시 BCAA중의 하나인 leucine은 자체적으로 근육의 중요한 에너지원으로 작용할 수 있다.

a. 산도에 따른 분류

중성	산성	염기성
• glycine, alanine • BCAA : Valine, leucine, isoleucine • AAA : phenylalanine, tyrosine, tryptophan • hydroxy아미노산 : serine, threonine • sulfa포함: methionine, cysteine	• aspartate, glutamate	• arginine, lysine, histidine

· BCAA(분지쇄 아미노산): branched-chain amino acids, AAA(방향족 아미노산): aromatic amino acids

b. **필수 아미노산 (8종)**

- 모든 BCAA : Valine, Leucine, Isoleucine
- AAA 중에선 : Phenylalanine, Tryptophan
- 기타 : Lysine, Methionine, Threonine

2. 아미노산의 대사과정

a. 단백질 합성

b. TCA회로를 통해 산화되어

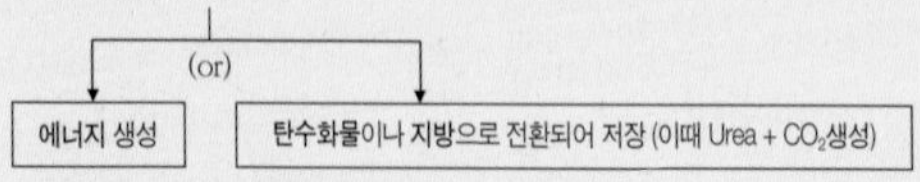

c. 비필수아미노산 생성 및 purine이나 pyrimidine등 생성

3. 아미노산의 대사장소

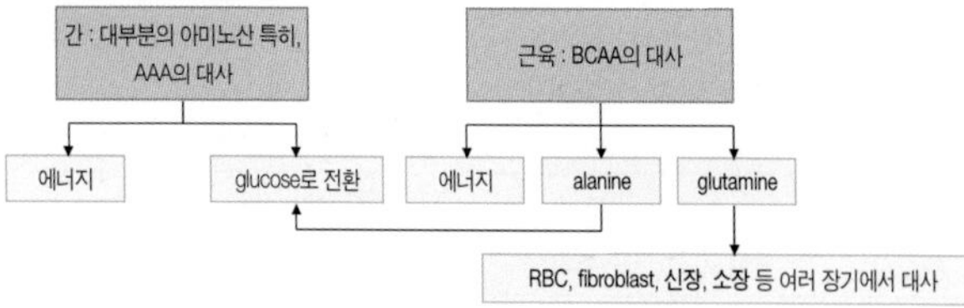

추가노트

☞ 필수아미노산이라함은 우리 몸에서 합성되지 않으므로 식사를 통해 반드시 보충해야하는 아미노산을 가리킨다.

※ cysteine, tyrosine은 각각 필수아미노산인 methionine, phenylalanine으로부터 만들어지므로 'essential' **하다고** 말할 수 있다.

histidine, proline, glutamine 및 arginine은 catabolic state에 놓여질 때에 우리몸에서 자체적으로 생산되지 않으므로 **'조건적인 필수아미노산'** 이라고 불리기도 한다.

☞ **아미노산은 대부분 간에서 대사되지만 BCAA는 근육에서 대사된다.** 따라서 간질환이 있는 환자에서 BCAA는 간의 부담을 줄일 수 있으므로 도움이 된다. 또한 금식 시 BCAA중의 하나인 leucine은 자체적으로 근육의 중요한 에너지원으로 작용할 수 있다.

☞ 간은 아미노산의 대사산물인 암모니아를 요소(urea)로 바꾸어 처리하지만, **근육**에는 이러한 작용을 하는 효소가 없다. 따라서 아미노산 대사산물인 아미노기(amino group)를 이용하여 alanine 및 glutamine이라는 또다른 아미노산을 합성한다.

☞ 이 중 alanine는 간으로 이동하여 요소와 포도당으로 전환되어(glucose-alanine cycle) 결국 근육에서 해결하지 못한 암모니아의 요소로의 전환을 간이 담당하게 된다.

glutamine은 여러 조직에서 에너지원으로 이용되며 결국 간이나 신장을 통해 암모니아나 요소로 배출된다.

즉, alanine과 glutamine은 nitrogen exchange의 carrier라고 할 수 있다.

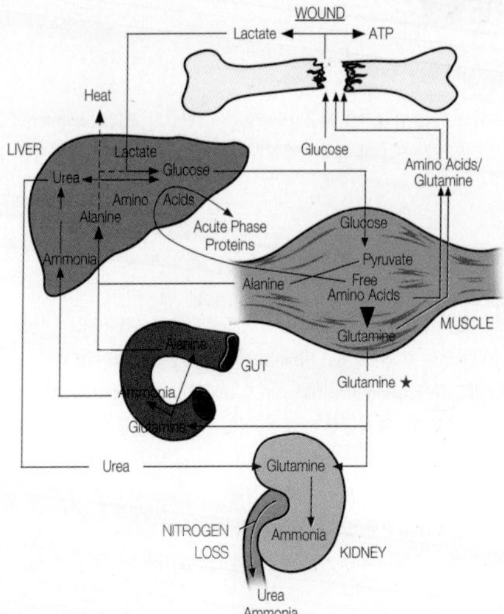

4. 단백질 필요량 ★

1) 일일 단백질 요구량

건강한 성인에서는 0.8g/kg (체중)의 단백질을 공급해야 한다. 전체 에너지의 20%를 단백질로 공급해야 단백질의 손실을 최소화시킬 수 있다. 금식한 외과 환자에게선 1.5 – 2.0 g/kg (체중)의 단백질을 공급해야 하며 심한 손상을 입은 환자에서는 3.0g/kg (체중)의 단백질을 공급해야 한다.

Nitrogen-to-calorie ratio 를 1:150으로 맞추는 것이 적절하다. 이는 150kcal의 비단백열량을 공급할 동안 1g의 nitrogen을 공급하는 것을 의미한다.
경정맥영양요법에서 단백:지방:포도당의 칼로리비는 보통 20:30:50이 적합하다.

2) 특수한 상황에서의 단백질 공급

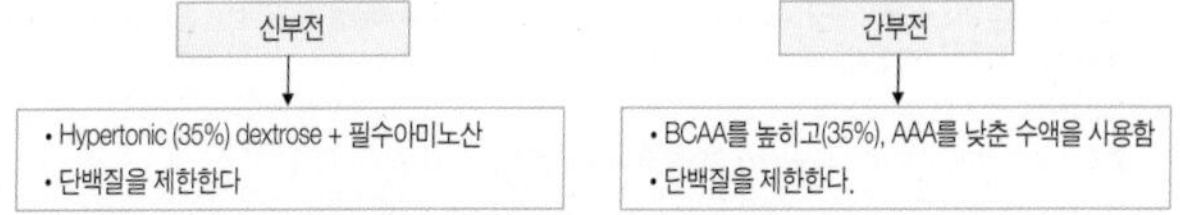

5. 단백질 균형의 평가 ★

1) 단백질측정

알부민 (반감기 14-20일)보다는 반감기가 짧은 prealbumin (반감기 2-3일), transferrin (반감기 8-10일), retinol binding protein (반감기 12-24)이 현재 단백질의 부족여부를 좀더 정확히 반영할 수 있다.

2) 질소 균형 (Nitrogen balance)

질소균형 (g/day) = 일일 질소섭취량 − 일일 질소 소실량

여기에서 질소섭취량은 환자에게 공급된 단백질(g)을 6.25로 나누어주면 된다.
일일 질소소실량은 소변에서의 질소배출량 + 비(非)소변 질소배출량의 합이다.
소변에서의 일일 질소배출량은 Urine urea nitrogen (UUN)과 urine nonurea nitrogen의 합이다. Urine nonurea nitrogen은 UUN값의 20%에 해당한다. 또한, 일일 비(非)소변 질소배출량은 대략 2g에 해당한다.
따라서 위의 공식은,
질소균형 (g/day) = 일일 질소섭취량 − 일일 질소 소실량
= 일일단백질 섭취량/6.25 − (24h UUN + 0.2×UUN +2)
따라서 24시간 환자의 소변을 수집하여 UUN값을 구하면 nitrogen balance를 알 수 있다.

추가노트

☞ 외상 및 stress시 분비되는 counterregulatory hormones이 단백요구량을 늘린다(대략 2배가량).
TPN을 공급하면 그 요구량을 TPN을 사용하지 않을 때의 1/4수준으로 낮출 수 있다.

> ex) 만약에 체중이 70Kg인 사람이 trauma로 입원하여 NPO & TPN을 해야 한다면 하루 필요한 protein양은?
> → trauma시에는 2배가 필요하며, TPN시에는 1.5g/Kg가 필요하므로 70Kg × 1.5g/Kg × 2 = 210g

☞ 즉, 이 단백질공급은 protein-sparing effect를 최소화 할 수 있는 양이다. 이 단백공급량(1.5g/kg/day)과 정상 평균단백요구량(0.8g/kg/day)과 차이가 있음에 주의하자.

☞ 신부전은 과도한 catabolism으로 단백질분해가 과도하게 발생하는 상태로 그 결과 단백질의 분해산물은 BUN 및 Ammonia가 상승할 수 있다.

안정적인 신부전환자는 0.6g/kg, 투석중인 신부전환자는 1.2g/kg 의 일일 단백질 공급이 적절하다.

☞ BCAA(분지쇄 아미노산) : branched-chain amino acids → Valine, Leucine, Isoleucine

☞ AAA(방향족 아미노산) : Aromatic amino acids → Phenylalanine, Triptophan, Tyrosine

☞ AAA의 대사물은 CNS로 가서 false neurotransmitter로 작용하여 **간성혼수**를 유발할 수 있으므로 (false neurotransmitter hypothesis by Fisher) 간부전환자에서 제한해야 한다.

※ **질소균형**이 4-6g 가량 양성값을 보여야 한다.
- UUN (urinary urea nitrogen)으로 24시간 소변을 모아 측정한다.

■ 탄수화물

1. 탄수화물 대사

① 금식시 **24시간 내에** liver glycogen은 고갈되며, gluconeogenesis가 가동됨.

sepsis, low-flow state & neoplasia시 anaerobic glycolysis로 인해 Lactate 생성 (but, 효율은 낮다)

② **Protein Sparing Effect ★**

resting state에서 24시간 동안 최소 100g의 포도당이 공급되어야만, 단백분해를 최소화시킬 수 있다. (즉, 간에서의 gluconeogenesis를 억제함)

③ 고혈당시

포도당이 간에서 지방으로 전환되어 지방간 등 간질환을 유발하고 CO_2생성을 증가시켜 RQ (respiratory quotient)를 상승시켜 호흡곤란을 일으키고 chemotaxis, adherence, phagocytosis 및 bactericidal function을 악화시켜 병원감염빈도를 증가시킨다.

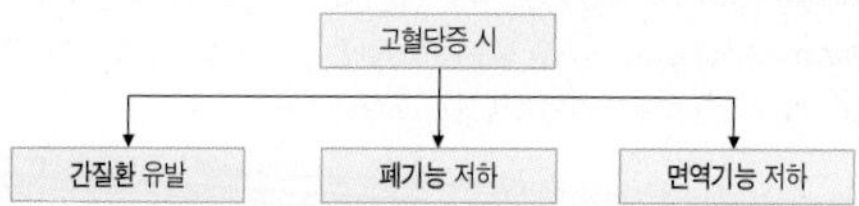

■ 지방

1. catabolism 시의 지방의 역할

① **금식** 시 주된 에너지원으로, FFA 및 Ketone body로 전환되어, 에너지원으로 이용된다.

이러한 반응(lipolysis)은 **counterregulatory hormones**(steroid, catecholamine, glucagon, 일부 cytokine)에 의해 매개되며, **Insulin에 의해 매우 민감하게 억제**된다.

2. 지방의 공급

① 적어도 칼로리의 2-5%를 지방으로 보충 해주어야 하는데 이는 **필수지방산결핍을 막기 위함**이다.

• 일주일에 한번씩 30-50g의 지방 emulsion을 주입함으로 최소 필요지방의 양을 보충할 수 있다.

② 지방결핍 시 **건조**하며 잘 벗겨지는(flaky) **피부**, 붉은색 **구진**(papule) 및 **탈모증**이 발생한다. 【13】

③ 정상적으로 **비단백질 칼로리의** 2-5%를 **지방**으로 공급해 주는 것이 간에서의 단백질 생성을 위해 적절하다.

④ LCT (long-chain triglycerides)의 경우 성인에서 0.1g/kg/hr(or 1kcal/kg/hr)이하로 공급해야 'fat overload syndrome' 을 막을 수 있다.

3. 지방의 종류

① LCT (Long-chain triglycerides)

- intralipid라는 상품으로 개발되었고, 긴 사슬을 지닌 triglycerides로 구성되었으며 linoleic acid나 linolenic acid같은 **필수지방산**의 source가 포함된다.
- 고열량을 공급하며(9kcal/g), 말초정맥으로도 공급이 가능하다.
- 혈당이 조절이 되지 않거나, 탄수화물 과다공급이 위험한 환자에게 적절하다.

② MCT (Medium-Chain Triglycerides)

- 8-10개의 탄소만을 지닌다.

4. 지방에서의 포화도

① 지방산 구조는 carboxylic acid에 길게 탄소들이 결합되어 있는 형태이다. 보통은 단일결합으로 탄소들이 연결되어 있는데 (**포화지방산** ; saturated fatty acid), 이중공유결합으로 연결되어 있는 탄소를 지닐 수 있다(**불포화지방산** ; unsaturated fatty acid). 이러한 불포화지방산은 우리 몸에 필수적인 경우가 많기 때문에 **필수지방산**(essential fatty acid)과 비슷한 개념으로 많이 쓰인다.

■기타 영양성분

1. 혈장 전해질

- Na : 40mEq/day, K : 30 mEq

이외에도 calcium, magnesium, phosphaste 등도 적절하게 보충되어야 한다.

2. 비타민 및 미세영양성분

- Thiamine, Biotin, Vitamin D, Vitamin K, Zinc, Cupper, Chromium, Molybdenum, Selenium, Iron

이들 중 thiamine과 Iron에 대해서 알아보자.

① Thiamine

- 포도당이 TCA cycle로 들어가는데 도움을 주는 조효소로 결핍 시 "**각기병**(Beriberi)" 발생

추가노트

☞ Fat overload syndrome : 소아에서 심각하며 발열, 요통, 호흡장애, 그물내피계통(RES; reticuloendothelial system) 장애가 나타난다.

☞ MCT는 간경화가 있는 환자에게 있어서 혈장에서 쉽게 제거되지 않기 때문에 **신경독성**을 지닌다. 일반적으로 MCT와 LCT가 혼합된 지방 emulsion제제를 쓰는 것이 유리하다.

② **철**

• **우선적 고려대상 환자**

i) 십이지장 절제 및 우회술을 받은 환자 ii) 생리전 여성 iii) 50%이상 칼로리를 TPN에서 공급받는 경우 iv) 만성 위장관 출혈 v) HD를 시행받는 환자

• 주의점:

동반된 염증이나 **급성감염**이 있는 경우는 흡수에 어려움이 있을 수 있고 면역억제 및 감염의 위험이 증가되므로 철공급을 **피해야 한다.**

③ **비타민 및 미량미네랄의 공급**

수용성비타민 (B, C)은 **2-5배** 공급하고, **지용성**비타민 (A, D, E, K)은 **최소필요량**만을 공급한다.

추가노트

☞ **포화지방산**의 경우 쭉 뻗은 'I' 자 모양임 하지만 불포화지방산은 도중에 '이중결합' 있는 부분에서 휘어진다. 'ㄱ' 모양이라 할까요?

따라서 **불포화지방산은 유동성**이 증가하게 된다. **포화지방산**은 상온에서 **고체**상태(ex. 동물성; 쇠고기기름, 돼지기름)이지만 **불포화지방산**은 **액체**상태임(ex.식물성; 옥수수기름, 올리브기름 및 동물성 중에선 등푸른생선의 기름 예컨대 참치, 고등어 등의 기름)

포화지방은 우리몸의 노폐물(수소이온, 콜레스테롤등)을 제거할 수 없고, 오히려 혈중콜레스테롤을 높이지만, **불포화지방은 노폐물을 제거하여 배출시키기 때문에 좋은 지방이라고 할 수 있음.**

☞ 지방산의 명명은

C 전체탄소수:이중결합수 n(or ω)- 이중결합의 위치결합위치

여기서 이중결합의 위치는 carboxylic acid **반대쪽 탄소**에서 이중결합을 지닌 탄소까지 개수를 가리키며 대표적인 것이 **오메가(ω)-3 지방산과 오메가 6 지방산**이다.

오메가 3지방산은 참치, 고등어 등 생선기름, 들깨기름 및 콩류에 많고, 오메가-6계 지방산 은 옥수수기름, 면실유, 콩기름, 해바라기씨 기름 등에 다량 포함되어 있음.

오메가 3지방산은 북극에 사는 사람들이 생선을 많이 먹음에도 심장병의 빈도가 현격히 낮음이 보고되면서 각광을 받게 되었고, 콜레스테롤을 낮추어 심장질환 발병위험을 낮추는 것으로 알려져 있다.

참고로 불포화지방산에 존재하는 CIS형이중결합에 수소를 첨가하여 억지로 포화지방을 만들면 식물성기름이 고체화되어 **트랜스지방**이 형성되는데 (마아가린,쇼트닝) 이는 우리몸의 효소가 잘 인지할 수 없는 트랜스지방을 지니므로 몸에서 잘 빠져나오지 못하고 동맥경화등을 일으킨다.

→ 마가린 절대 먹지 말자! 쇼트닝은 과자,빵의 재료로 많이 쓰인다. 과자, 빵 등을 먹을 땐 트랜스지방여부를 꼭 확인하자.

영양상태 측정 ★

① **병력**청취: 체중감소

② **신체구성분석**

- Biochemical impedence, exchange of labeled ions, neutron activation analysis
- 영상검사 (CT, MRI)

③ **Indirect calorimetry**

- 산소소비 및 **RQ** (respiratory quotient)결정

④ Anthropomorhic measurements 【15】

- **IBW** (ideal body weight), **skinfold thickness**

⑤ 생화학적 측정

- **Albumin,transferrin, prealbumin**

⑥ **질소균형** 측정

⑦ **면역학적** 기능 측정

- **지연성 피부 과민반응**

추가노트

☞ **각기병(Beriberi)** : 의식저하, 요붕증, 빌리루빈혈증 혈소판저하 및 sepsis와 유사한 젖당산증

☞ **칼슘, 철** 등은 십이지장에서 흡수된다.

→ 십이지장 우회술 (B-II 위절제술), 십이지장 절제술(위플씨 수술에서) 후에는 결핍가능성을 생각해야 한다.

☞ 경구 철 섭취량은 15mg/day로서, 이 중 **5-10%만이 흡수**된다. 따라서 경정맥으로 공급할 때 필요량은 1-2mg/day에 해당한다.

영양공급의 적응증 【15】

■ 수술 전후 영양공급 적응증

1) 과거력상 심한 영영결핍 및 만성질환이 있는 경우
2) 최근 6개월 내에 10-15%이상의 체중감소 및 최근 1개월내에 5%이상의 체중감소가 있는 경우
3) 수술도중 예상출혈량 〉500mL
4) IBW의 20%이하의 체중이거나 BMI〈18.5시
5) 성장장애 시 (〈5th percentile)
6) 염증질환, 간 및 신장질환이 없으면서 혈청 albumin 〈3.0 g/dL 혹은 transferrin 〈200mg/dL
7) 수술 전후 7-10일 내에 환자가 catabolic demand를 충족시킬 수 없을 것이라고 생각되는 경우
8) Catabolic disease (e.g., burns, trauma, sepsis, pancreatitis)

■ 경구영양요법의 금기증

1) 난치성 설사 및 구토
2) 장마비 (paraytic ileus)
3) 위장관 폐색 및 허혈
4) Diffuse peritonitis
5) 심각한 쇼크 및 혈역학적 불안전성
6) 심한 위장관 출혈
7) 심한 단장증후군 (소장이 100cm이하만 있는 경우)
8) 심각한 위장관 흡수장애
9) 위장관으로 경구영양을 위한 access device를 설치할 수 없는 경우
10) 7일이하의 금식이 필요한 경우

추가노트

☞ 경장 영양요법(enteral feeding)의 장점

① **간을 우회하지 않는다.** → 생리적이며, 간기능이 보존된다.

② 장을 우회했을 경우, 장의 평소 대사기능을 유지하기 위해 장으로의 혈액공급이 15~20% 증가하게 되어 CO (cadiac output)이 증가하게 되는데 이것을 막을 수 있다.

또한 장을 우회했을 때 장호르몬에 의해 매개되는 anabolic hormones (ex. 인슐린)등이 분비되지 않아 영양분 이용이 불충분해지는 현상을 막을 수 있다.

③ **장점막의 integrity 유지** (특히 화상, 출혈성쇼크 시) → 균의 장점막을 통한 Translocation 빈도를 낮춘다.

④ 위장관 이외의 점막에 대해서도 **보호작용**을 지닌다(IgA에 의해 매개됨).

■ 일반적인 원칙

가급적 경장(enteral)영양을 시행하며 부득이한 경우 적어도 20%의 칼로리 및 단백요구량을 **경장영양을 통해 공급**하도록 한다.

경장 영양 (Enteral feeding)

■ 영양공급원칙

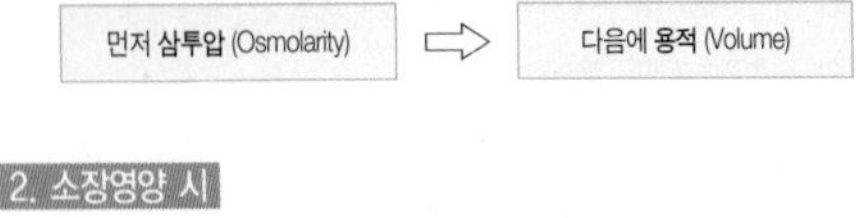

■ 비장 (Nasoenteric) 및 유문부하 (Postpyloric) 영양

1. 비장 (nasoenteric) 영양방법의 분류

- 튜브 끝이 위 유문부(pylorus)를 통과하는지의 여부에 따라 nasogastric feeding과 postpyloric feeding으로 구분될 수 있다. postpyloric feeding의 우월성은 입증되지 않았지만 **심한 위마비(gastroparesis)** 및 **췌장염**이 있는 경우 내시경등을 통해 튜브 끝을 위 유분부를 넘겨 위치시키는 postpyloric feeding을 고려할 수 있다.

추가노트

☞ 경장영양(enteral feeding)의 금기증 : critical ill patients, 복강내 농양이 있는 경우

☞ 즉, 일단 위장영양이나 소장영양이나 저장성 수액 (<300mOsm) 주입부터 시작한다.
위장 영양은 먼저 **삼투압**을 서서히 올린 후 적응이 되면 투여용적을 늘리지만,
소장 영양 시에는 **서서히 용적(투여량)**을 늘린 뒤에 삼투압을 올린다.

☞ 비장영양 (nasoenteric feeding)시 환자가 가지고 있는 L tube (16-18Fr)를 그대로 이용할 수도 있고, 가는 튜브 (8-10Fr)로 바꿀 수도 있다.
전자는 많이 불편하고 위식도역류의 위험이 많은 단점이 있고, 후자는 기능성이 떨어지고 위잔류량 측정이 어렵다.

2. 비장(nasoenteric) 영양방법의 단점

① **흡입**(aspiration)

- 경장영양 시의 **가장 큰 사망요인** ★★★

② GI intolerance

- 대부분 **위잔류량이 많은** 경우이며, 60%에서 발생한다.

■ 위창냄술 (Gastrostomy)

- **수술**로 시행할 수 있고, **경피적**으로 시행할수도 있다.

■ 빈창자창냄술 (Jejunostomy)

- **소장**으로 영양공급 시는 bolus feeding이 아니라 **지속적 주입**을 해야하며, hypoosmolar solution 최소한 isoosmolar solution을 이용해야 한다.

추가노트

☞ 식도하 괄약근이 튜브로 인해 열려있기 때문에 발생하며 feeding시 **상체를 올리고** (30도) **위잔류량**을 150ml이하로 **유지**하여 빈도를 줄여하 하겠다.

☞ 치료: promotility agents (Metoclopramide, Erythromycin)를 사용하기도 하며 postpyloric feeding을 시도하기도 하지만, postpyloric feeding이 확실히 GI intolerance를 줄인다는 보고는 아직까지 없다.

경정맥 영양(Parenteral feeding)

경정맥 영양은 소화기를 통해서 영양이 공급되는 것이 아니라, 정맥(IV)등의 경로를 통해서 영양소를 공급하는 것을 말한다.

■ 경정맥 영양요법의 적응증 ★★★

(표) Parental Nutrition의 적응증

1. 일차치료

- **효과가 입증된 경우* ★**
  - ① 위장관-피부 누공(Gastrointestinal cutaneous fistula)
  - ② 신부전
  - ③ 짧은 창자 증후군 (Short bowel syndrome)
  - ④ 화상
  - ⑤ 간부전
- 효과가 입증되지 않은 경우
  - ① 염증성 장질환 (ex.크론씨 병 (Crohn's disease))
  - ① 신경성 식욕부진 (Anorexia nervosa)

2. 보조적 치료

- 효과가 입증된 경우*
  - ① 급성 방사선 장염(Acute radiation enteritis)
  - ② 급성 항암치료 독성(Acute chemotherapy toxicity)
  - ③ 장기간의 **장마비 (Prolonged ileus)**
  - ④ 주요수술 전의 **체중감소** 시
- 효과가 입증되지 않았지만 효과가 있을 것으로 생각되는 경우
  - ① 악성종양
  - ② 심장수술 전 투여
  - ③ 호흡부전으로 장기간의 인공호흡기를 필요로 할 때
  - ④ 큰 창상을 지닌 경우

추가노트

☞ 경정맥 영양의 종류

- Peripheral Administration

  짧은 기간(4-7일)의 경우 및 catheter sepsis 위험이 심각할 때 사용할 수 있으며 저장성용액을 사용한다.

- Central Administration

  고장성용액(〉900mOsm/L)을 이용하므로 충분한 열량을 공급할 수 있다.

  catheter 끝은 SVC (과 Rt. atrium의 경계)에 위치시킨다.

  sepsis, thrombosis 등의 문제가 발생할 수 있다.

  → 앞으로의 경정맥영양요법은 central administration을 가리킨다.

☞ 경정맥요법의 치료에서, 일차치료라함은 병의 진행을 호전시키는 TPN의 효과가 있는 것이고, 보조적치료라 함은 병의 진행을 호전시키지는 못하지만 TPN이 중요한 역할을 하는 경우이다.

☞ 즉, TPN는 장-피부누공의 자연적인 폐쇄를 증가시킨다는 말이다.

■ 에너지 요구량 ★

BEE (basal energy expenditure) → 하루에 필요한 기초에너지량으로서 체중을 통해 추정한다.

남성에선,

BEE = 66.5 + (13.75 × 체중 [kg]) + (5.003 × 신장[cm]) − (6.775 × 나이 [yr])

여성에선,

BEE = 655.1 + (9.563 × 체중[kg]) + (1.850 × 신장[cm]) − (4.676 × 나이[yr])

■ Stress factors

1.1	minor elective surgery
1.2	major elective surgery
1.35	skeletal trauma
1.6	head injury
1.1, 1.5, 1.8	각각 mild, moderate, and severe infection
1.2 - 1.95	40% - 100% TBSA (total body surface area) burn

BEE (kcal/day) = 체중(kg) ×30 ★
(25-35)

■ 경정맥 영향의 구성 영양소 [14]

1) 전체열량 : 약 30kcal/kg/day로 공급(25-35kcal/kg/day)
2) Protein : 1.5kcal/kg/day로 공급
3) Fat : 전체 열량의 20%를 담당한다.
4) Glucose : protein과 fat에서 담당하는 열량의 나머지를 보충한다. 하루 열량의 60%이상을 담당할 수 있다.

추가노트

cf) 이 때 체중 기준(feeding weight)

i) 환자가 저체중시는 실제체중−ABW (actual body weight)−를 이용한다.

ii) 환자가 **비만시** (실제 체중이 IBW의 120% 이상)는 실제 체중과 IBW간 차이의 25%를 IBW에 더하여 계산한다.

iii) 실제 체중을 측정하기 힘들면, IBW를 계산하여 이용한다.

■ TPN의 실제 ★

Question

문제 1

70kg 성인에게 지방 없는 TPN 용액(2-in-1 solution)을 공급한다고 할 때, 하루에 공급해야 할 아미노산과 탄수화물(dextrose)의 양(gram)은 얼마인가?

답) 전체 칼로리 2,100kcal이며

아미노산으로부터의 열량은 = 105g×4kcal/g = 420kcal이므로 나머지 열량 (2100 - 420 = 1680kcal)은 dextrose로부터 보충하면 된다.

즉, 1680kcal÷3.4kcal/g = 494g dextrose가 필요하다.

문제 2

70kg 성인에게 지방을 포함한TPN 용액(3-in-1 solution)을 공급한다고 할 때, 각각 공급해야 할 아미노산과 탄수화물(dextrose) 및 지방의 양(gram) 및 각각 수액의 용량(ml)은 얼마인가?

(단, 각각의 이용한 원액수액: 아미노산은 10% 1000 ml, Dextrose 70% 1000 ml, 지방 20% 100 ml임)

답) 전체 칼로리 2100kcal이며

전체 열량의 20%를 지방으로 공급한다고 했을 때, 2100×0.2 = 420kcal를 지방으로 공급하게 되므로 420kcal÷9kcal/g = 47g의 지방이 필요하며, 아미노산으로부터의 열량은

= 105g×4kcal/g = 420kcal 이므로

남은 칼로리 (2100 - 420 - 420 = 1260kcal)는 dextrose로부터 보충하면 된다.

즉, 1260kcal×3.4kcal/g = 370g dextrose가 필요하다.

즉, 탄수화물(dextrose), 지방, 단백질의 양은 각각 370g, 47g, 105g이며

탄수화물 1000ml : 700g = x(ml) : 370g x = 528ml

지방 100ml : 20g = x(ml) : 47g x =235ml

단백질 1000ml : 100g = x(ml) : 105g x=1050ml

total volume = 528ml +235ml +1050ml = 1813ml를 공급해야 한다.

■ TPN 진행계획

1. dextrose는 50-100 g/day로 증량한다.
2. 혈당조절
   a. RI (regular insulin) 10U를 기본으로 TPN용액에 혼합 후 시작한다.
   b. 혈당치가 150mg/dl이상으로 증가하면 dextrose증량을 중단하고 혈당조절을 우선적으로 시행한다. 이때의 혈당조절은 하루 4회 혈당을 측정하여 각각의 혈당에 따른 피하 RI주입으로 시행하며, 그 날 주입된 RI 총량의 절반~2/3 수준의 RI를 TPN용액에 추가한다.

추가노트

☞ 일정한 계획에 따라 TPN을 서서히 올리지 않으면 고혈당 및 대사성이상이 발생할 수 있다.

c. 매일 증량하는 TPN의 dextrose량에 비례해서 RI량을 증가시킨다. (ex. "200g dextrose + RI 10U" 시 "300g dextrose + RI 15U" 로 증량

3. 일정하게 혈액검사 (혈당, 전해질, 간 및 신장기능 등)를 시행하여 적절하게 TPN이 시행되는지 monitoring한다.

■ 경정맥영양요법의 합병증

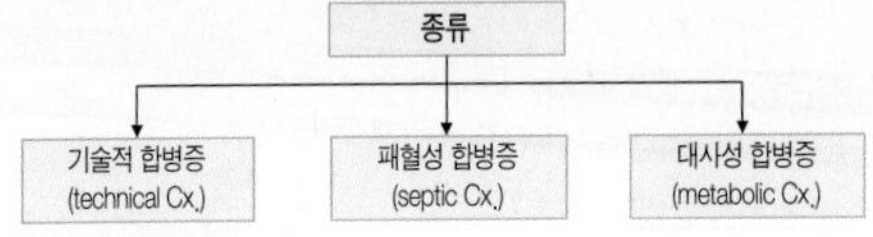

1. 기술적 합병증

① 도관 실패(catheter failure)

- 도관내 혈전이나 fibrin tip으로 인해 catheter가 기능하지 못하는 경우
- 치료: 혈전용해제(tissue plasminogen acitivator 혹은 urokinase)를 도관으로 주입한다.
- 예방: 낮은 용량의 heparin이나 warfarin을 장기적으로 TPN bag에 혼합한다.

② 큰 혈관(subclavian vein, SVC) 혈전증 ★

- 5-10% 빈도
- 상완(upper arm), 목, 얼굴 등의 부종
- 치료 :

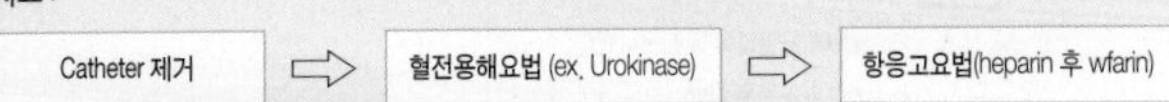

③ Catheter 위치관련 합병증

- 기흉 (Pneumothorox)
- 감염성 정맥혈전증 (Septic venous thrombosis)
- 혈관손상
- 팔신경얼기 손상 (brachial plexus injury)

추가노트

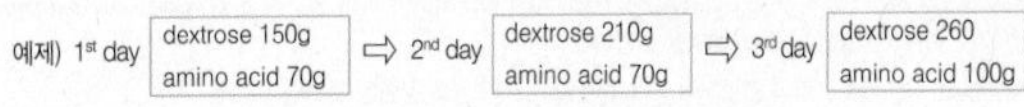

☞ Thoracic duct injury는 왼쪽으로 SCC(subclavian catheter)를 확보할 때 발생한다.

ex) 중심정맥을 통해 영양공급 중인 환자에게서 갑작스런 상지 및 얼굴의 부종 및 동통이 발생했다. 의심할 수 있는 질환 및 처치는? ★

→ 진단 : Subclavian v. thrombosis

→ 처치 : 도관을 제거하고 thrombolytic Tx 후 heperin 및 warfarin을 이용한 anticoaglation 치료를 한다.

- 가슴림프관 손상 (thoracic duct injury)
- **공기색전증 (air embolism)**, catheter색전증
- 물가슴증 (hydrothorax)

2. 패혈성 합병증★

① 가장 치명적이 합병증임

② **원인균**

80%	15%	5%
Staphylococcus (50:50 aureus vs epidermidis)	yeast	그람음성균(GNB)

③ **catheter sepsis가 의심되는 환자의 관리**

a. TPN 중인 환자에서 **열이 발생** 시,

- **TPN 병을 바꾸고**
- **중심 혈관 및 말초혈관**에서 **혈액배양검사**를 시행
- 다른 발열원인(폐렴, 복강 내 농양 등)을 찾는다.

b. 그럼에도 불구하고 **열이 지속**되거나
혈액배양검사에서 도관감염이 의심되는 경우

- catheter **제거함**
- catheter tip을 agar plate에 **도말하여** culture**시행함**
  → ≥15 colonies 검출시 **양성**으로 판정

▸ 추가노트

☞ Septic venous thrombosis는 생명을 위협할 정도로 심각한 합병증
→먼저 항생제 및 항응고제 투여 병변부위 혈관절제 및 fogarty 도관을 통한 제거 시도

☞ Hydrothorax는 도관위치가 잘못되어 흉곽내로 수액이 유입되어 발생함.
왼쪽으로 SCC를 확보할 때 많이 발생함.
오른쪽 SCC삽입 시는 16cm, **왼쪽** SCC삽입 시는 20cm가 확보되어야 하며 충분치 못할 때에는 catheter tip이 정맥벽을 손상시키거나, tip이 혈관 내로 erosion될 위험이 있다.

☞ Staphylococci는 catheter 관리와 연관되며 yeast는 장에서부터 균이 감염된 것이다.

※ 종종 도관 tip에 있는 fibrin sheath가 감염원이 될 수 있으므로 tissue plasminogen activator 혹은 urokinase로 용해시키는 것이 도움이 될 수 있다.

※ Staphylococcus aureus 및 yeast는virulence가 높으므로 의심이 되는 경우 즉각적으로 치료해야 한다.

※ **항구적 도관** (히크만 도관 등)의 경우, 세균혈증이 확진되어도 도관을 제거하지 않고 **우선 2주간 항생제 투여**한다. catheter 내에 병소가 있는 경우 혈전용해제(tPA, urokinase)로 용해시키는 것이 도움이 된다.

c. **도관제거 후 24시간 이상 열이 지속**되면 **항생제**를 투여한다.

d. 보통 S. aureus 혹은 yeast는 악성도가 매우 높으므로 혈액배양검사에서 동정 시 도관을 제거하고 항생제 치료를 해야 한다.

3. 대사성 합병증 【13】【12】

① **전해질**이상 및 **미량원소** 결핍

② **필수지방산** 결핍★

③ **탄수화물** 대사이상

> a. **저혈당증**(Hypoglycemia)
> b. **고혈당증**(Hyperglycemia) : 너무 **빨리** 주입 시 ★ → **삼투성이뇨** 유발 ★
> c. **당뇨** : Hyperosmolar Nonketotic Coma
> d. **간기능장애**
> - 장영양을 통한 자극이 없고 cholecystokinin분비가 없는 것이 원인이 되어 지방간 및 쓸개즙정체 (cholestasis)가 발생할 수 있다.

 추가노트

※ 갑작스런 고혈당증의 가장 흔한 원인은 패혈증이다.

※ TPN환자에서 **고빌리루빈혈증**의 가장 흔한 원인은 간질환이 아닌 **패혈증**이다.

조직손상 및 반응

■ Wound closure 유형들

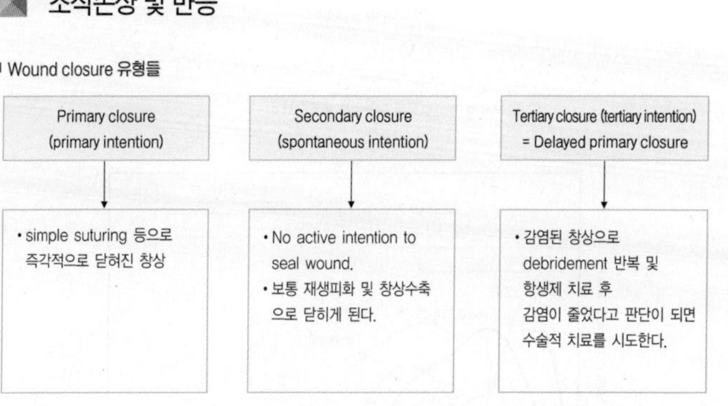

Primary closure
(primary intention)
• simple suturing 등으로
즉각적으로 닫혀진 창상
Secondary closure
(spontaneous intention)
• No active intention to
seal wound.
• 보통 재생피화 및 창상수축
으로 닫히게 된다.
Tertiary closure (tertiary intention)
= Delayed primary closure
• 감염된 창상으로
debridement 반복 및
항생제 치료 후
감염이 줄었다고 판단이 되면
수술적 치료를 시도한다.

창상치유 과정

(표) Wound healing at a glance!!!

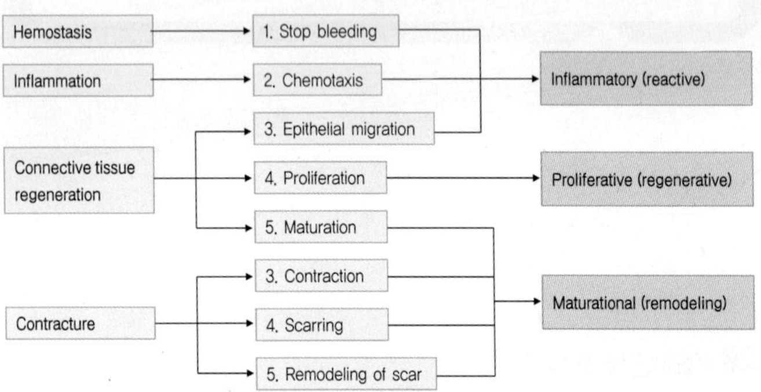

(그림) wound healing 도중 발현되는 세포순서

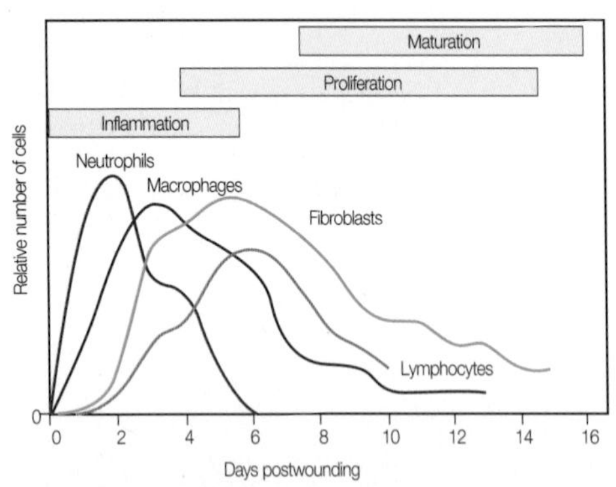

■ Inflammatory Phase

• wound event 후 즉시 발생함

※ 관여하는 세포의 순서 :

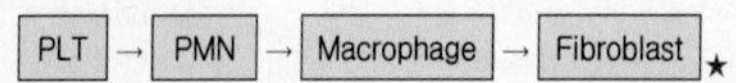

1. Hemostasis

1. Endothelium 손상 → PLT 활성화 & 응집

PLT은 다음의 두 가지를 분비하게 된다.

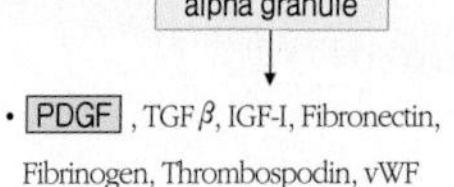

• PDGF, TGF β, IGF-I, Fibronectin, Fibrinogen, Thrombospodin, vWF

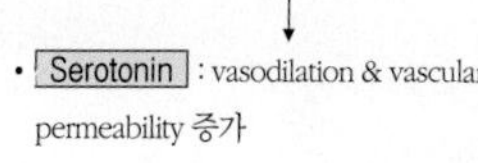

• Serotonin : vasodilation & vascular permeability 증가

2. Clotting cascade가 시작됨 : Intrinsic & Extrinsic

• PLT을 활성화시키는 기능을 지님

• 초기 염증세포이동을 위한 matrix를 제공함

3. Tromboxane A2, Prostaglandin F2 α

① 세포막에서부터 생성됨

② PLT응집 및 혈관수축을 돕는다. → 손상을 국소화시킨다.

2. Leukocytes

1. Leukocyte chemoattraction & activation에 관련된 물질들

① Histamine, Serotonin : vascular permeability 증가

② C5a (complement), Leukotriene B4

: Neutrophil adhesion & chemoattraction 향상시킴

③ PAF (Platlet aggregating factor)

: Endothelium에서 분비하여 Neutrophil adhesion 향상시킴

④ IL-1, TNF α

: Monocyte 및 Endothelial cell에서 분비, Endothelial-Neutrophil adhesion을 높임

2. Neutrophil의 작용

- 이렇게 활성화된 Neutrophil은 necrotic debris, bacteria 등을 scavenge한다. 이때 **산소**가 있으면 더 많은 bacteria를 제거할 수 있지만, 그만큼 조직손상은 커진다.
  활성화된 Neutrophil에서 free oxygen radicals을 분비하여 창상반응을 유발한다.
  따라서 Early wound **debridement**하여 bacteria등을 제거하는 것은 이러한 염증반응을 제한하여 scarring을 **줄이는 효과**가 있다.

3. Lymphocytes

① **"심하게 오염된 창상"** 에서 염증이 회복되는데 중요한 역할을 한다.
Macrophage가 bacteria, Foreign body 등과 반응하는 과정에서 그 조각을 lymphocyte에 제공하여 lymphocyte가 활성화된다.

② T cell

a. IFNγ 분비
- Monocyte가 TNFa, IL1 등을 분비하게 함
- PG (Prostaglandin) 합성억제 → inflammatory mediator를 항진시킨다.
- monocyte의 이동을 억제하여 염증 부위에서 세포이동 방지
- GAG (glycosaminoglycan) 합성, collagen 억제

b. IL-2 합성
- IFN γ 합성을 항진시킴.
- monocyte antimicrobial activity를 자극함.

4. Macrophage

① Monocyte가 계속된 창상치유과정에서 leukocyte보다 더 늦게, lymphocyte와 같이 chemoattraction되며, 창상에서 macrophage로 변환된다.
② Neutrophil이 necrotic tissue, bacteria를 phagocyte하는 기능은 macrophage가 이어받는다.
Bacterial debris, C5a, "TGF β" → chemotactic agent for macrophage
③ Activated macrophage가 분비하는 것들에는,

a. Free radicals분비

b. Phospholipase를 induction함

- 세포막의 phospholipid로부터 TXA2, PGF2α, "LTB4", LTC4 등 분비하게 함
  강력한 Neutrophil chemotactic!

c. Collagenase 분비

d. IL-1: Endogenous pyogen → Febrile response 일으킴

e. TNF (Tumor necrotic factor)

f. IL-6

g. PDGF

- Macrophage 및 PLT에서 분비한다.
- 염증세포의 증식과 fibroblast migration에 관여

h. TGF αβ

- 골수에서 stem cell의 증식과 분화에 관여한다.
- TGF β ★는 가장 강력한 fibroplasia의 stimulant 임
  - fibroblast가 colllagen 및 fibronectin을 분비하게 하여 proliferative phase로 들어가게 함.
- TGF α: stimulate epidermal growth & angiogenesis

(그림) 창상치유에서 cellular & humoral factors의 상호작용

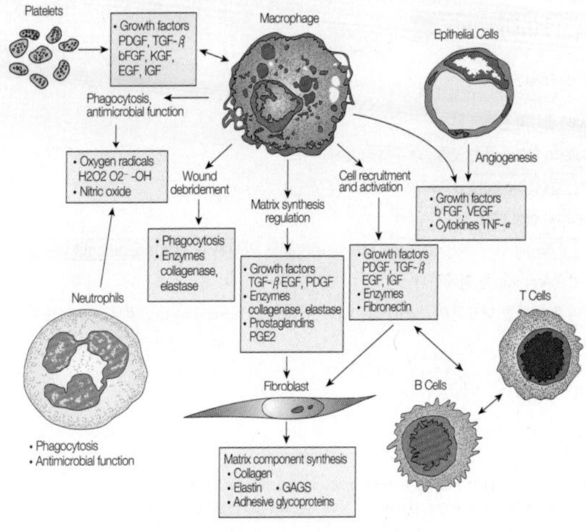

■ Proliferative Phase

※ 주된 과정 : Angiogenesis, Fibroplasias & Epithelialization

1. Angiogenesis

① **관련된 인자들** : Heparin, FGFs (fibroblast growth factors), TGF $\alpha\beta$ & Epidermal growth factor, Fibronectin, Hyaluronic acid

② Hypoxia 역시 angiogenesis를 촉진시킨다.

2. Fibroplasia

• 유해자극(noxious stimuli)에 의해 Fibroblast가 염증부위로 chemoattraction된 뒤 'PDGF', IGF-1, Epidermal growth factor 및 TGF β에 의해 증식된다.

3. Epithelialization

① 48시간내에 surgical incision에 water-tight seal 형성함.

② Epidermis에 gap이 생기면, wound는 먼저 blood clot으로 채워짐.

→ Epidermal cell이 주변 혹은 심부의 epithelium-linked skin appendages로부터 이동 & 증식함.

③ Epithelialization에 직접적으로 관여하는 Cytokines

→ KGF(Keratinocyte GF) & EGF(Epidermal GF)

4. Extracellular Matrix

5. Collagen Structure

① Collagen 합성과 관련된 인자

a. Collagen 합성을 돕는 것들

→ Ascorbic acid, TGF-β, IGF-1, IGF-2

b. Collagen 합성 방해

→ IFN-γ 는 collagen gene transcription을 억제하고 Glucocorticoid는 procollagen gene transcription을 억제한다.

② 정상피부에 있는 대부분의 collagen은 type I이며 초기 healing wound에서는 type III가 많이 나타난다.

추가노트

☞ basement membrane이 intact하면 epithelialization이 빠르게 발생함
Fibronectin, Vitronectin, Tensascin 등이 이동의 경로제공함

■ Maturational Phase

① contracting wound에서 fibroblast는 fibroblast와 smooth m. cell 기능을 동시에 지니는 **"myofibroblast"** (→ **Wound contraction과 관련**)로 변화한다.

② **새로운 collagen fibers** 수상 후 **3일째**에 나타나게 된다.

③ **창상조직의 경과** ★

a. **Wound strength**는 **1-6주내에 급격히 증가**하여, 수상 후 **1년**까지 sigmoid curve를 이루게 된다.

b. tensile strength는 창상에서 **정상조직의 30% 정도**만을 지닌다.

c. crosslinking으로 말미암는 **breaking strength** (즉, Remodelling)는 대략적으로 **"21일 후"**에 증가하는데, 이는 collagen의 양이 더 이상 증가하지 않기 때문이다.
crosslinking은 wound contraction 및 strength 증가를 일으키지만, 이로 인해 **창상이 부서지기 쉽고, 유연성을 잃게 된다.**

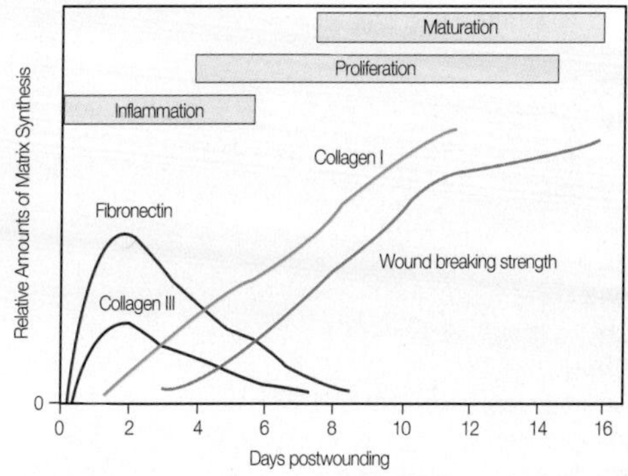

추가노트

☞ contraction은 정상이지만, contracture란 용어는 기능장애가 있는 상태이다.

※ 따라서 과거에 midline incision 후 다시 개복술을 시행할 경우, tensile strength를 높히는 방법은 **새로운 절개창으로 개복**하는 것이다.

비정상적인 창상치유

• **병적 반흔** : hypertrophic scar, keloid

KELOID SCAR	HYPERTROPHIC SCAR
• 예방안됨	• **예방**가능
• asian 등 유색인종에서 흔함	
• 쇄골위, trunk, 상지, 얼굴에 발생	• 신체의 **어느 부위**에도 발생
• 원래 손상된 부위를 **넘어서도** 발생	• wound healing되는 부위에 **국한**됨
• TGF 1 & 2 관련됨	• TGF 1 관련됨

• Wound healing을 **방해하는 요소들★**

(표) 창상치유를 방해하는 인자들

- **감염**
- **허혈**
  - 순환장애
  - 호흡부전
  - 국소적으로 힘이 가해지는 경우
- **당뇨**
- **방사선** (ionizing radiation)
- **고령**
- **영양결핍**
- **비타민 결핍** : 비타민 C, A
- **미네랄 결핍** : 아연, 철
- **약제** : Doxorubicin (Adriamycin), 스테로이드

추가노트

※ 즉, TGF β는 과잉생산 시 과도한 반흔반응을 보인다.

☞ 만성적으로 염증이 진행되며, 봉합되지 않는 창상에선 Squamous cell Ca 발생 위험이 있다.

① 감염

- m/c
- bacterial count〉10^5/gram 혹은 β-Hemolytic streptococci

→ 치유되지 않는다.

② 창상에서의 저산소증

- 저산소증이 angiogenesis를 촉진시키지만, 조직산소도가 35 mmHg 이하시 창상치유가 일어나지 않는다.
- 원인들 : atherosclerosis, 심부전, wound tension 빈혈보다는 hypoperfusion이 더 좋지 않다.

  담배는 vasoconstriction을 유발하여 tissue hypoxia 야기

③ 당뇨

④ 방사선

⑤ 고령

⑥ 영양결핍 : Albumin〉2.0g이어야 함

⑦ 비타민 결핍

- Vit-C : 3개월의 결핍으로도 창상치유 장애 나타남

  collagen 생성의 속도와 질의 저하

- Vit-A : monocyte 활성화, fibronectin deposition 장애, TGF-βreceptor 장애
- Vit-K : prothrombin, factor Ⅶ, Ⅸ, Ⅹ 합성장애

  Vit-K대사는 항생제에 의해 방해를 받음

- Zinc
- Iron

⑧ Doxorubicin (Adriamycin), Glucocorticoid, NSAIDs

↓

- fibroblast proliferation 및 collagen synthesis 방해
- reversed by Vitamine A
- breaking strength감소는 시간과 용량에 비례

Power ★★★★★

05 수술 전 및 수술 시 환자관리 원칙

Systems Approch to Preoperative Evaluation

1. 심혈관계

1. ASA (American Society of Anesthesiologisis) classification

(표) ASA classification

	마취 관련 위험
1도: 정상적인 건강 환자	0% ris
2도: 가벼운 전신질환만 있는 경우	0.17%
3도: 심한 전신질환이 있는 경우	0.6%
4도: 생명을 위협하는 심한 전신질환이 있는 경우	4.3%
5도: 수술과 관계없이 24시간 이상의 생존이 어려운 환자	10%
E: 응급수술인 경우	

2. 심장 위험지수

① 위험지수

위험지수	점수	평가
1. Goldman 심장위험지수		심장합병증 비율
① Historical		0-5점 : 1%
• 70세 이상시	5	6-12점: 7%
• 6개월 내의 심근경색	10	13-25점 : 14%
② P/Ex		〉26점 : 78%
• 3번째 심장음 혹은 경정맥확장	11	
• Aortic valvular stenosis	3	
③ EKG		
• Premature atrial contractions or rhythm other than sinus	7	
• 〉 5 PVCs/min	7	
④ 전신상태가 좋지 않은 경우		
• $Po_2 < 60$ or $Pco_2 > 50$		
• K < 3.0 or $HCO_3 < 20$ mEq/L	3	
• BUN > 50 or creatinine > 3.0 mg/dL		
• Bedridden		
⑤ 수술		
• 응급수술 시	4	
• 흉곽 내, 복강 내 및 대동맥 수술 시	3	
2. 개정(Revised) 심장위험지수 ★		
① 허혈성 심질환	1	
② CHF (Congestive heart disease)	1	각각의 항목은
③ 뇌혈관질환	1	수술후 심근 질환
④ 위험도 높은 수술 시	1	의 위험을 증가시
⑤ 수술 전 당뇨로 인해 인슐린치료를 받는 경우	1	킨다.
⑥ 수술전 Cr〉 2 mg/dL		

② ACC 및 AHA의 권고안

(비심장수술을 받는 환자에서의 심장위험 측정)

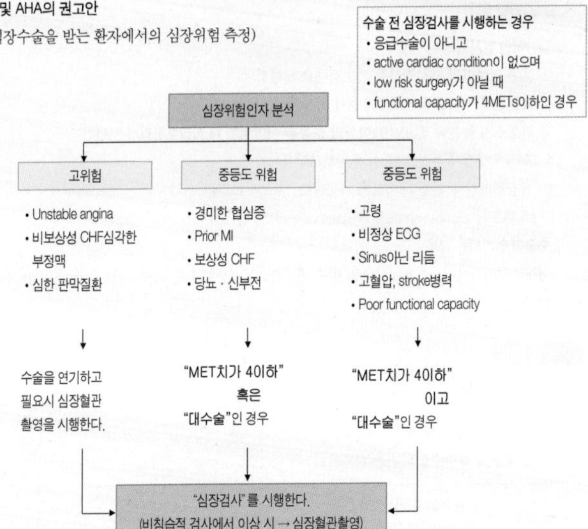

수술 전 심장검사를 시행하는 경우
• 응급수술이 아니고
• active cardiac condition이 없으며
• low risk surgery가 아닐 때
• functional capacity가 4METs이하인 경우
심장위험인자 분석
고위험
중등도 위험
중등도 위험
• Unstable angina
• 비보상성 CHF심각한 부정맥
• 심한 판막질환
• 경미한 협심증
• Prior MI
• 보상성 CHF
• 당뇨 · 신부전
• 고령
• 비정상 ECG
• Sinus아닌 리듬
• 고혈압, stroke병력
• Poor functional capacity
수술을 연기하고 필요시 심장혈관 촬영을 시행한다.
"MET치가 4이하" 혹은 "대수술"인 경우
"MET치가 4이하" 이고 "대수술"인 경우
"심장검사"를 시행한다.
(비침습적 검사에서 이상 시 → 심장혈관촬영)

3. 수술 전후 β차단제 복용

"중등도 혹은 고위험을 지닌 환자"가 "중등도 혹은 대수술을 받을 때" 가급적 빨리 수술 전 β차단제복용을 시작하여 심박동수가 60/min이하가 되도록 한다.

추가노트

☞ **비침습검사**

표준 운동부하 검사 (perfusion영상을 위해 thallium을 사용할 수 있다)가 있으며 환자가 제대로 운동검사를 하지 못할 경우엔 약물적 스트레스(dipyridamole)을 가한 후 thallium을 통해 perfusion defect를 측정하거나, dobutamine-induced stress후 심장초음파검사를 시행한다.

☞ METs

"두 층 이상"을 오를 수 있으면 4 METs (metabolic equivalents)이상으로 간주한다.

☞ **급성 심근경색이 있거나 PTCA로 스탠트를 심장에 삽입한 경우는** 수술(elective noncardiac surgery)을 "4-6주" 후로 연기한다.

4. 심장 위험 평가

- **일반적인 검사의 진행**
  ① 보통 기본적인 EKG검사를 기초검사로 시행함
  ② 위험인자가 있을땐 **심초음파 검사** 시행함
  ③ 위험도가 높을때 및 4METs이상의 운동을 어려워할 때 **심장부하검사** 시행함
  (약물부하검사 우선, 다음엔 운동부하검사)
  ④ 심장조영검사: 진단과 치료가 가능하다. Most invasive!
  cf) 4METs: climbing a flight of stairs or walking up a hill
- **수술이 연기되는 경우**
  심장조영검사에서 stenting시술을 받은 환자는 그 시술로부터 4-6주 후로 elective surgery를 연기해야 한다.

2. 호흡기계

1. 폐기능검사 (PFT)

① 폐기능검사의 적응증 ★

주요 흉부 및 복부수술을 받는 환자가,

- 60세 이상이거나
- 심각한 **내과적 질환**이 있거나
- **흡연자**일 경우
- **호흡기 증상**이 있을 때

② **주요 항목**

a. **FEV1** (forced expiratory volume in 1 second)

☞ FEV1이 0.8L/sec이하이거나 예상치의 30%이하 시 수술 후 폐합병증의 위험이 높다.

b. **FVC** (forced vital capacity)

c. **DLco** (diffusion capacity of Carbon monoxide)

추가노트

☞ 수술 후 이차적인 신장기능저하가 오지 않도록 **신독성이 있는 약제는 피하고, 수술 전후 적절한 용적상태를 유지해야** 한다.

2. 수술 후 호흡기계 합병증에 대한 위험인자

일반적 인자	동반질환	폐연관인자
• 고령★ • 낮은 알부민치 • Functional status가 좋지 않을 때 • 수술의 종류: AAA repair, thoracic, upper abdomen 수술의 경우 • 체중감소 • 비만★ • 음주	• 의식저하 • Stroke과거력 • CHF • ARF • 만성적 스테로이드 복용 • 수혈	• COPD • 흡연★ • 수술 전 객담 배출 • 폐렴 • 호흡곤란 • Obstructive sleep apnea

3. 폐합병증을 줄이는 방법들

① 수술 "2달 전" 금연한다.

② **기관지확장제** 치료

③ 감염이 있으면 항생제 치료를 시작하고, 천신환자에선 스테로이드 치료를 한다.

④ 수술 전후로는 **경막외 마취(Epidural anesthesia)**, 객담 배출(vigorous pulmonary toilet) 및 지속적인 기관지확장제 치료 등의 방법이 있다.

2. 신장계

chronic end stage renal disease 환자의 경우 수술 전 혈액투석하여 potassium level을 정상화한다. 또한 수술 중 nephrotoxic agent를 사용하는 것을 주의한다.

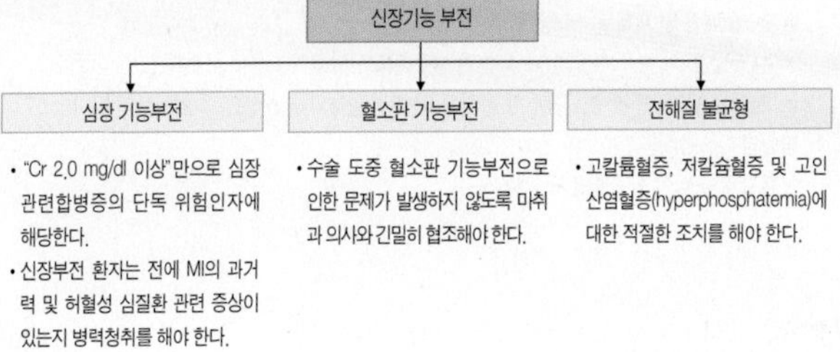

신장기능 부전
심장 기능부전
혈소판 기능부전
전해질 불균형
• "Cr 2.0 mg/dl 이상"만으로 심장 관련합병증의 단독 위험인자에 해당한다.
• 신장부전 환자는 전에 MI의 과거력 및 허혈성 심질환 관련 증상이 있는지 병력청취를 해야 한다.
• 수술 도중 혈소판 기능부전으로 인한 문제가 발생하지 않도록 마취과 의사와 긴밀히 협조해야 한다.
• 고칼륨혈증, 저칼슘혈증 및 고인산염혈증(hyperphosphatemia)에 대한 적절한 조치를 해야 한다.

3. 간담도계

1. 간기능 장애의 발견

① 임상양상

a. 가려움(pruritus), 피로감, 과다한 출혈, 복부팽만 및 체중증가

b. **황달 및** icteric sclera는 빌리루빈치가 3mg/dl 이상 시 두드러진다.

c. 피부변화 : 거미모양혈관종(spider angioma), 메두사 머리(caput medusae), 손바닥홍반(palmar erythema), 손가락끝 곤봉증(clubbing of the fingertip)

d. **알코올성 간염** (AST/ALT > 2)

간경화 → **간합성** 기능 저하
└ **알부민**, prothrombin 및 fibrinogen 감소

e. 간염: hepatitis A,B, C에 대한 serology 확인

f. 만성 간염, 간경화가 의심되는 환자는 간합성 능력 확인: serum albumin, prothrombin, fibrinogen

2. 간경화 환자에서의 Child-Pugh 분류

① Child-Pugh 분류

	1점	2점	3점
• 뇌증	없음	I 혹은 II기	III 혹은 IV 기
• 복수	없음	적음 (이뇨제로 조절됨)	많음 (이뇨제로 조절 힘듬)
• 빌리루빈(mg/dL)	< 2	2-3	> 3
• 알부민 (g/L)	> 3.5	2.8-3.5	< 2.8
• PT (second)	< 4	4-6	> 6
(INR)	(< 1.7)	(1.7-2.3)	(> 2.3)

3. 간경화 환자의 수술

① 가장 흔한 수술은 **탈장수술(배꼽 및 서혜부)** 및 **담낭염** 수술이다.

a. **탈장수술(배꼽 및 서혜부)**

- "배꼽탈장" 의 경우 복수가 다 조절된 시행해도 사망률이 14%에 이른다.
- "서혜부 탈장" 의 경우는 복수와 사망률 및 재발율과의 연관성은 그렇게 높지 않다.

b. **담낭염**

- 복강경 술식이 합병증을 줄인다.

추가노트

☞ Child A = 5-6점, 10% 사망률
Child B = 7-9점, 31% 사망률
Child C = 10-15점, 76% 사망률
(이 사망률은 복부수술 후의 사망률이다.)

☞ 간경화환자에서 Child분류 외에도 수술 후 성적에 영향을 주는 인자들
1) 수술의 응급도 (교정되지 않은 상태에서 시행되는 수술이기 때문에 위험도 증가)
2) PT가 3초 이상 연장되고 vitamin K로도 교정되지 않는 경우
3) 감염이 있을 때

4. 내분비계

1. 당뇨 환자의 수술전 관리 원칙

① **"경구 혈당 강하제 복용환자"** 에서는 chlorpropamide나 glyburide 같은 **장시간 작용하는 sulfonylurea** 는 수술 중 혈당저하위험이 있으므로 끊는다. metformin의 경우는, 특히 신부전환자에서, 젖산산증(lactic acidosis)의 위험이 있으므로 끊어야 한다. **수술 당일에는 모든 경구 혈당 강하제를 끊는다.** 경구 혈당 강하제는 환자가 다시 식사를 시작할 때 투약한다. 그 사이에는 **속효성 인슐린★** 으로 혈당을 조절한다.

② **"인슐린 복용 환자"** 에선 **장시간 작용**하는 인슐린(ultralente 제제)는 수술당일 끊고 **중시간 작용성의 인슐린(NPH 혹은 Lente)**으로 대치한다.
"환자가 금식하는 경우" 급효성(Lispro) 및 속효성(Regular) 인슐린은 끊는다.
수술 **"전날 저녁"** 에는 **중시간 작용성(NPH Lente) 및 장시간 작용성(Ultralente, Glargine) 인슐린을 정상오후용량의 2/3을 주입**하고, **"수술당일 아침"** 에는 **정상아침용량의 절반치**를 주입한다. 이때 자주 혈당을 측정하여 고혈당 시에는 **속효성 인슐린**을 주입한다.
이러한 환자의 수술은 아침 일찍 시행하는 것이 좋으며 수술하는 아침 5% dextrose수액을 연결한다.
"수술 도중" 에는 **5% 혹은 10% dextrose용액**을 **속효성 인슐린** 과 혼합하여 주입한다. 수술이 길어지면 인슐린 펌프를 사용할 수 있다.

③ 수술 전후 혈당은 당뇨진단을 받지 않은 환자라도 80-150 mg/dL로 조절한다.
→ **창상 치유**에 도움이 되고 SSI를 낮춘다.

④ **"수술 후"** 에는 2-4시간마다 자주 혈당을 측정하여 각각의 혈당치에 맞게 **속효성 인슐린**으로 조절한다.
즉, **중시간 작용성의 인슐린**으로 하루에 두 번 투약하고, 그때그때 맞추어(sliding scale) 속효성 인슐린으로 조절한다.

⑤ **심장합병증**에 주의하며, DVT에 **대한 예방**은 필수적이다.

추가노트

☞ 경구용 혈당강하제 중 metformin은 수술 후 환자의 신장기능이 완전히 정상화 되었을 때 재투약을 시작한다.

(표) 인슐린 종류

인슐린 종류	Onset	최고효과	작용기간
Rapid acting (Lispro)	10-30분	30-90분	3-4시간
Short acting (Regular)	30-60분	2-5시간	6-10시간
Intermediate acting (NPH Lente)	1-4시간	4-12시간	12-24시간
Long acting			
Ultralente	1-2시간	8-20시간	24-30시간
Glargine	1시간	3-20시간	24시간

2. 갑상성기능장애

① **"갑상선기능 항진증"** 환자는 **euthyroid상태**로 전환한 뒤 수술하는 것이 원칙이다. **항갑상선제제(PTU 및 methimazole)을 수술 당일까지 복용**하며 다른 보조적인 약제(β차단제 및 digoxin)도 함께 **수술당일**까지 복용한다. 갑상선 급성발작(thyroid storm)의 위험이 있는 경우는 **아드레날린 차단제와 스테로이드**를 처방한다.

② **"갑상선기능저하증"**은 보통은 수술전 치료를 필요로 하지 않는다. 심한 갑상선기능저하의 경우에서는 교정이 필요하다.
갑상선기능저하증시 보통 **마취제 및 마약성 진통제**에 대한 감수성이 증가한다.

3. 부신 기능저하

① **적응증**
5mg/day Prednosone (혹은 이외유사약물) 복용을 **최근 1년 내**에 **3주 이상** 치료받은 환자가 **"대수술"**을 받을 경우 위험하다.

② **HPA축에 대한 검사**

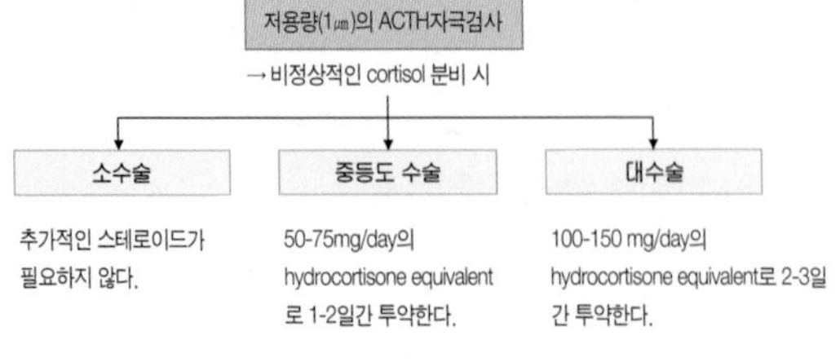

추가노트

☞ 편의상 한글용어를 이렇게 사용했습니다.

Rapid-acting	급속효성
Short-acting	속효성
Intermediate-acting	중시간 작용성
Long-acting	장시간 작용성

☞ HPA축

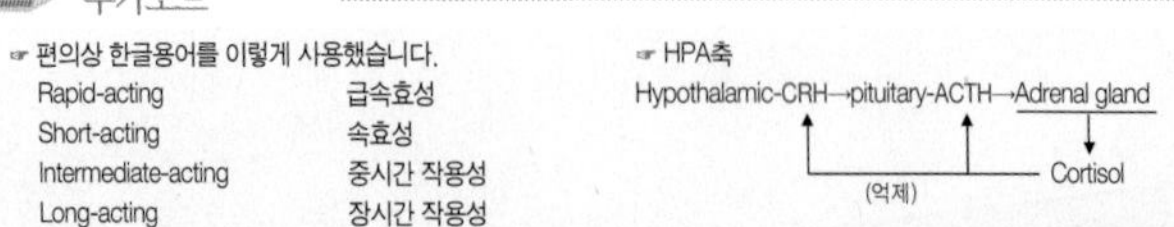

☞ 갑상선 기능저하증 시에는 심근기능부전, 응고장애, 전해질불균형(특히 저혈당)과 관련이 있으므로 심한 갑상선기능저하 시 예정 수술(elective operation) 전 교정해야 한다.

☞ 대수술의 예) colectomy or cardiac surgery

☞ 중등도 수술) open cholecystectomy, lower extremity revascularization

4. 갈색세포종(Pheochromocytoma)의 수술 전후관리

① 수술 전 α차단제 및 β차단제 복용 (intraoperative hypertensive crisis를 prevention해야 한다.)

> a. α차단제는 보통 수술전 2주 가량 투여하게 된다.
> b. β차단제는 α차단제복용 수일 후에 처방하며 빈맥을 막고 부정맥을 조절하는 효과가 있다.

② 나트륨제한 식이

5. 면역기계

1. 면역기능이 떨어진 환자들

항암요법, 면역억제제를 복용 중인 이식 환자 및 면역억제질환을 가지고 있는 경우
→ **"수술 전 면역기능을 최상화"** 시켜서 감염위험이나 창상 breakdown을 막아야 한다.

2. 수술 전 3일내의 스테로이드 복용

→ 창상 염증반응, 상피화 및 콜라젠 합성 등을 줄여서 창상 breakdown 및 감염을 일으킨다.

6. 혈액학적 고려

1. 수혈

① 특별한 심장질환이 예상되지 않은 환자가 출혈이 심하지 않은 수술을 앞두고 있는 경우 Hb 6-7 g/dL도 문제를 일으키지 않는다.
② **허혈성 심질환 및 수술 중 많은 출혈이 예상되는 경우**는 Hb치를 이보다 더 높게 올려서 수술한다.
③ 응고장애가 있는 경우 원인을 교정하고, 출혈위험이 있는 환자에서 **혈소판 치**가 50,000 이하인 경우 혈소판 수혈을 시행한다.

2. 응고관련 점검 【16】

① warfarin 복용 중인 환자는 수술 전 **예정된 복용 4회를 끊어서** INR 1.5이하 시 수술해야 한다.
② 최근의 VTE(venous thromboembolism) 및 **급성 동맥 색전의 과거력**이 있는 경우 이러한 질환발병에서 1달 내에 수술은 피하고 수술 전후 **헤파린** 투약을 해야 한다.

추가노트

☞ • 비선택적 차단제 : Phenoxybenzamine
• 선택적 α_1 차단제 : prazocin
• 선택적 β차단제 : propranolol

☞ 수술전 면역기능 향상
영양상태의 항진, 예방적 항생제의 사용 등

③ **전신적인 헤파린 투여는 수술 전 6시간 내에** 복용을 중단하고 **수술 후 12-24시간 내에** 다시 복용을 시작한다.

④ **폐색전증으로 인해 항응고요법을 시행한지 2주 내 및 근위부 DVT가** 있는 경우엔 수술 전 "IVC filter" 를 고려할 수 있다.

⑤ 아래의 지침을 따라서 DVT에 대한 예방을 시행한다. 초기의 예방적 목적의 헤파린은 **수술 전 2시간** 까지 줄 수 있다.

⑥ 응고장애가 의심될 때 **C단백, S단백, antithrombin III 및 antiphospholid antibody**를 측정한다.

⑦ 경구 항응고제를 복용 중인 환자의 수술 전후 항응고요법은 다음과 같다.

(표) 위험도에 따른 DVT의 예방

위험도	위험도의 정의	예방 ★
낮음	• **소수술** 환자가 **나이〈40세**며 추가 위험인자가 없는 경우	• 조기에 운동을 시킴(early mobilization)
중등도	• **소수술 환자**가 **추가위험인자**가 있는 경우 • **소 및 중등도 수술환자**가 **40-60세**인 경우 • **대수술** 환자가 **〈40세**이며 **추가 위험인자가 없는** 경우	• Graded compression stocking; IPC • 항응고제 투여 (LDUH, LMWH, Daltaparin or Fondatarinux)
높음	• **소 및 중등도 수술**환자가 **〉60세**이거나 **추가위험인자가 있는 경우** • **대수술환자**가 **〉40세**이거나 **추가 위험인자가 있는 경우**	• 압박스타킹 혹은 **IPC** • 항응고제 투여 (LDUH, LMWH, Daltaparin or Fondatarinux) • IPC와 항응고제 병행치료
• 중등도 위험군과 고위험군은 항응고제 투여를 수술 12-24시간내에 시작하여 수술후 7-10일간 시행한다.		
가장 높음	• **대수술환자**가 **〉40세**이며 **추가 위험인자가 있는 경우**	• 압박스타킹 혹은 IPC • 항응고제 투여 (LDUH, LMWH, Daltaparin or Fondatarinux) • IPC와 항응고제 병행치료

· 초고위험군은 항응고제 투여를 수술 전 2-12시간 내에 시작하거나 수술 후 12-24시간 후에 시작 최소 7-10일간 시행한다.
· 경우에 따라서 4주간 항응고요법을 지속할 수 있다.
· 수술로 인한 출혈위험이 높은 환자에게서 DVT가 있는 경우는 제거가능한 IVC filter를 수술 전에 미리 설치할 것을 고려한다.

추가노트

☞ **추가 위험인자**

전에 PTE의 과거력, **악성종양**, **고응고** 상태, **고관절** 혹은 **무릎**의 **관절성형성술**, **고관절골절수술**, **주요외상** 및 **척수손상**

☞ **약자들**

ES : Elastic stocking
IPC : Intermittenta pneumatic compression
LDUH : Low-dose unfractionated heparin
LMWH : Low-molecular-weight heparin
PE : Pulmonary embolus
VTE: Venous thromboembolsim

(표) 경우 항응고제를 복용하는 환자의 수술 전후 항응고요법

적응증	수술 전	수술 후
급성 VTE		
1달 내로 발병한 경우	IV heparin	IV heparin
2-3달 내로 발병한 경우	No change	IV heparin
재발성 VTE	No change	SC heparin
급성 동맥 색전증	IV heparin	IV heparin
인공판막	No change	SC heparin
Nonvalvular artrial fibrillation	No change	SC heparin

추가적인 수술 전 고려사항

1. 나이

① 수술 후의 사망에 영향을 미치는 독립위험인자임 동반질환 여부를 찾아 그 상태를 최상화시켜야 한다.

② **수술 후 섬망(delirium)** 위험인자

a. 70세 이상	b. **알코올 남용**
c. **인지능력 장애**	d. functional status가 좋지 않은 경우
e. 검사이상 : Na^+, K^+, 혈당치	f. Noncardiac thoracic surgery
g. 복부 대동맥 수술	

2. 영양 상태

① **6개월 내 10%이상**의 체중감소 및 **1개월내에 5%이상**의 체중감소의 경우는 심각하다.

② 영양상태를 알 수 있는 지표들

알부민	반감기 14-18일
Transferrin	반감기 **7일**
Prealbumin	반감기 **3-5일**

③ **심한 영양결핍환자**에서의 수술 전 5-10일전 경정맥 영양요법은 도움이 되지만 영양상태가 좋은 환자에서의 경정맥영양요법은 오히려 **패혈증 위험**을 증가시킨다. 가능한 enteral feeding 으로 영양을 공급한다.

추가노트

☞ 이런 위험인자들 중 3개이상이 있는 경우 50% 정도에서 수술 후 선망이 발생한다.

☞ 이런 지표들은 stress에 반응하여 감소될 수 있고 수술 직후에는 억제될 수 있다.

3. 비만

① **수술 전후 사망률이 증가하는 경우**

BMI > 40 kg/m2 혹은

BMI > 35 kg/m2 이며 심각한 "**관련질환**"이 있는 경우

② 비만관련 위험인자

– **고혈압, 폐고혈압, 좌측 심방비대, CHF 및 허혈성 심질환**

- 위험인자가 0-1인 경우 → 심장 및 폐를 보호하기 위해 **β차단제**를 복용해야 한다.
- 위험인자가 2개 이상인 경우 → 수술 전 **비침습적 심장검사**를 시행해야 한다.

③ 비만은 수술 후 **창상감염, DVT** 및 **폐색전증**의 위험인자이다.

수술 전 검사

1. 예방적 항생

1. 창상에 따른 항생제 투여

창상	정의 ★	감염율	치료 ★
1) Clean (class I)	• 수술도중 염증소견 없었던 감염없는 수술창상 • 수술시 호흡기, 소화관, 생식관 및 감염된 비뇨관이 열리지 않은 경우	1–5%	예방적 항생제가 **필요 없다.** (indwelling prosthesis pacement 가 아닌한)
2) Clean-contaminated (class II)	• 호흡기, 소화관 등이 오염없이 감염이 조절 가능한 상태로 열려 처리된 경우	3–11%	피부절개 전 항생제 **단독 투여**한다. (ex. Cefazolin 1회 투여)
3) Contaminated (class III)	• 개방성, fresh, accidental wounds. 수술도중의 감염원칙이 크게 깨졌거나 소화관으로부터의 gross spillage가 있는 경우 및 급성 비화농성 염증이 있는 절개선의 경우	10–17%	**기계적 장세척 + 호기균 및 혐기균 모두에 대한 경정맥 항생제** 투여
4) Dirty (class IV)	• 비활성조직을 지닌 수상 후 시간이 경과한 창상 시 • 임상적으로 저명한 감염이 있거나, 소화관천공이 있는 경우. 즉, 수술 전 이미 수술 후 감염을 일으키는 균이 수술창에 있음을 의미한다.	27%	예방적 항생제 투여가 아닌 "**치료적**" 목적 투여이다.

2. 예방적 항생제투여에 대한 일반원칙 ★

> ① 첫항생제 투여는 "**절개선을 가하기 전**"에 투여한다.
> ② 다음투여는 보통 "**3시간 간격**" (혹은 그 항생제의 **반감기**의 두 배의 시간경과 후 시행한다)
> ③ 수술한 **다음날까지** 투여하지 **않는다**.

2. 수술적 계적 장세

① **기계적 장세척**과 **경구항생제 투여**가 수 십년 간 장수술에서의 표준으로 알려져 왔다.
② 최근의 연구에선 경구항생제투여는 환자에게 도움이 되지 않고 오히려 Clostridium difficile같은 감염 위험을 증가시키고, 장세척의 경우는 오히려 문합부 및 감염 합병증을 증가시는 것으로 나타났다.

3. 약제에 대한 점검

1. **경구용 심장약, 폐관련약제, 항경련제, 항고혈압제** 및 **정신과 약**은 **수술당일 날** 소량의 물과 함께 복용해도 무방하다. 경우에 따라서 경정맥 제제로 대치할 수 있다.

2. 끊어야 하는 약제들

약제	끊어야 하는 시기
• Warfarin	수술 **3일** 전
• Aspirin 및 Clopidogrel★	수술 **7-10일** 전
• NSAIDs	
i) Ibuprofen, Indomethacin	수술 **1일** 전
ii) Naproxen, Sulindac	수술 **3일** 전
• Estrogen 및 Tamoxifen	수술 **4주** 전

① 수술 전날 자정부터 금식이라는 원칙은 수술 중 위(stomach)의 용적 및 산도를 감소시키려는 목적이다.
② 최근에는 수술 수 시간 전 수액제한으로 원칙이 완화되었다.
즉 고형식이는 수술 6시간 전에 금지해야 하며 수액(clear liquid)은 수술 2시간 전에 금지해야 한다.

추가노트

☞ 복강경수술의 도입으로 예방적항생제 사용빈도가 점점 줄고 있다.
☞ Estrogen 및 Tamoxifen은 수술 후 thromboembolism의 위험도를 높힌다.
☞ 최근에는 수술전 탄수화물 보충은 안전하며 오히려 수술 전후 스트레스를 감소시킬 수 있다는 보고가 있다.

수술 중 환자의 불안정성에 대한 원인들

1. 아나필락시스 / 라텍스 알러지

1. 수술 중 아나필락시스의 원인

: **근육이완제**(m/c) 〉 **라텍스**(2nd m/c) 〉Etomidate 및 propofol같은 마취유도제, 마약성 진통제

2. 조치

① 원인으로 생각되는 것을 **끊고**

② **Epi를 피하주사**한다. (0.3-0.5mL of 1:1000 용액) 심할 경우는 iv로 5-10분 간격으로 주사한다.

③ 아래의 약제를 6시간마다 반복투여한다.

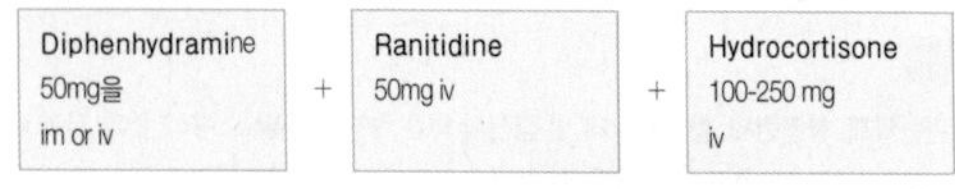

④ 환자가 불안정할 때의 보조적 치료: 수액공급, 강심제, 기관내 삽관, 분무형 β_2 작용제 및 racemic Epi.

3. 라텍스 알러지

① 근이완제 사용 다음으로 가장 흔한 아나필락시스의 원인

② 병력청취상 가능성이 있으면 **피부반응검사**를 시행한다. 양성시 수술 도중 라텍스 사용을 피한다.

2. 악성 고체온증 (Malignant Hyperthermia)

① **소아** 및 **젊은 성인**에서 빈도가 높다.
상염색체 우성으로 유전되나 불완전한 발현을 보이므로 병력을 통해 정확히 알 수 없다.

② 할로겐화된 마취제혹은 succinylcholine에 반응하여 급성 과대사 및 근육손상 소견을 보인다.

③ **치료**

a. 원인이 되는 호흡기 마취제 및 succinylcholine을 **끊고**, 마취 회로를 완전히 바꾼다.

b. dantrolene sodium 2-3mg iv 을 투여한다.

c. 고열, 부정맥, 고칼륨혈증 및 산증 등에 대해 보존적 치료를 한다.

추가노트

☞ Malignant hyperthermia의 임상양상

1) 교감신경계 활동도 증가, 근육강직, 고열

2) 탄산과잉증(hypercapnia), 부정맥, 산증, 저산혈증 및 rhabdomyolysis

수술 시의 원칙

1. 수술실

① 수술 방의 **기구**들은 최적의 수술을 위해 준비되어야 하며

② 마취과 외과의, 마취과 의사 및 수술방 인력 간에 환자에 대해 **충분한 교통**이 이루어져야 한다.

③ 외상환자 수술실은 **온도**관리가 잘 이루어져야 하며 수술실내에서의 **무균조작**이 용의해야 한다.

(hand-free communication)

2. 수술실 온도 조절

① 수술 전후의 저체온증의 위험을 높이는 인자들

→ **고령**, **여성**, 수술실 온도, 수술시간, 악액질(cathexia), 심각한 수액부족, 차가운 배액수(irrigant) 사용, 전신 및 부위마취

② **환자의 체온 올리기**(warming)

수동적 단열 (passive insulation)	능동 가열 (active warming)
• 따뜻한 면담요	• 공기전도 가열시스템 (air conduction warming system)
• Heat covering	• 가습한 마취제사용 (humidified, warmed)
• 피부노출제한	• 따뜻하게 가열한 iv 수액
• circulationg water mattress	
• 실내온도 높이기	

3. Skin Preparation

① 수술할 부위를 중심으로 **충분한 면적**을 소독제로 수술 전 바른다.

② **수술할 부위에서 멀어지는 방향으로 둥근 원**을 그리며 소독제를 바르고 바깥까지 사용한 소독제는 재사용하지 않고 버린다.

③ 소독제가 **마른 뒤** (특히, 알코올) 수술을 시작해야 한다.

④ 수술부위에 체모의 경우는 면도기로 미는 것보다 전기 hair clipper로 제거해야 한다.

추가노트

☞ 정상 체온(normothermia)은 36-38℃

☞ **"수술 후 1시간째"** 에 가장 환자체온이 떨어지므로 주의해야 한다.

4. 지혈

① **"1mm이상의 큰 혈관"** 은 tie, clipping 혹은 전기 소각기로 sealing해야 한다.

② **"주요 이름이 있는 혈관(major named vessel)"** 은 tie로는 충분하지 않고 suture ligation해야 한다.

③ Hemoclip은 **수술시야가 제한**되어 있거나 간문맥 분지같이 **정교한 혈관**을 다루는데 이용할 수 있다. 종양수술 시에는 제거된 종괴 주위로 hemoclips을 남겨두어 후에 있을 **방사선치료때 위치를 파악**할 목적으로 이용될 수 있다.

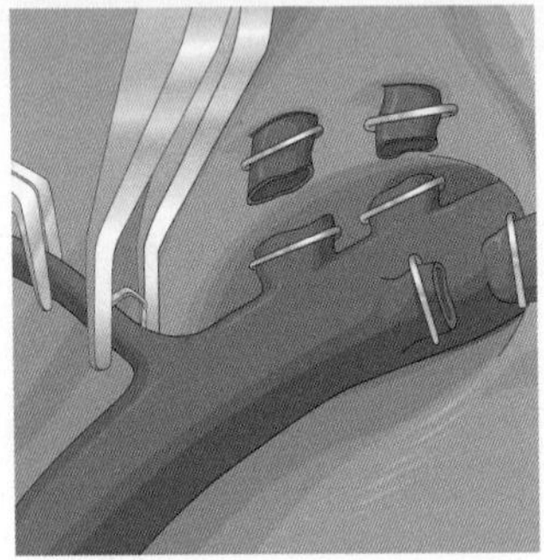

(그림) hemoclip

④ 수술 중 주요혈관에서부터의 대량의 출혈 시에는 스펀지나 vascular clamp 및 직접 손등을 이용하여 직접적으로 **압박**을 가해 출혈을 임시적으로 막아야 한다.

⑤ 혈관이 부분적으로 찢어졌을 경우는 경우에 따라서 더 나은 복구를 위해 **찢어진 부위를 더 확장**시키거나 **완전히** transsection시킬 수 있다.

⑥ 간 등의 외상환자에서 지혈이 되지 않으면 **일시적으로 거즈** packing 및 혈관조영술을 이용한 혈관색전을 시행하고 후에 second-look operation을 시행할 수 있다.

추가노트

☞ "tie"는 혈관을 그냥 묶는 것이고, "suture ligation"은 바늘로 혈관을 관통시켜 떨어지지 않게 한 뒤 혈관주위로 돌려 묶어두는 것이다.

5. 봉합사의 선택

1. 봉합사(Sutere material)

Suture Type	Monofilament	Multifilament
• Absorbable	• Catgut • Monocryl (polygecaprone) • PDS (polydioxanone) • Maxon (polypropylene)	• Vicryl (polyglactin) • Dexon (polyglycolic acid)
• Non-absorbable	• Ethilon (Nylon) • Prolene (polypropylene)	• Silk • Dacron(polyester)

2. 흡수성 봉합사

1) Chromic, Catgut collagen : tissue reaction이 강하다.

2) Polyglycolic and polyglactic acid (Dexon, Vicryl)

① 4~8주 정도 지속되고 다루기 쉽다.

② subcutaneous approximation에 가장 널리 사용됨

3) Polydiaxanone(PDS) : knotting & handling 어렵다(monofilament).

4) Dexon

① 장점 : hold knotting well, handle well, stronger, tissue reaction ↓

② 단점 : braided suture이므로 infection risk ↑

3. 비흡수성 봉합사

1) Silk

① 장점 : good handling and knotting (3번 정도)

② 단점 : tissue reactivity, infection rate ↑, durability ↓

2) Cotton

3) Dacron : braided, strength & durability ↑, knotting이 어렵다 (5번 정도)

4) Nylon : Nonabsorbable & monofilament → 감염된 창상에 사용

① 장점 : tissue reactivity, infection rate ↓

② 단점 : poor handling and knotting

5) Prolene (polypropylene) : 혈관문합에 이용, 감염된 창상에서 사용

추가노트

☞ 임시적 봉합
fascia만 봉합하고 피부는 봉합하지 않고 거즈를 넣은 뒤 수술을 끝낸다. 이때 내부적으로 suction을 설치하고 외부적으로 압박을 해서 dead space를 없앤다.

☞ 요즈음의 일시적 봉합법에는 vacuum suction을 이용한 봉합법이 도입되었고
adhesion reduction barriers(hyaluronic acid/carboxymethylcellulse 및 oxidized regenerated cellulose) 및 생체물질에서 면역유발물질을 제거하여 인공복벽으로 이용하는 방법(synthetic biomembranes) 등이 있다.

6. Staplers

① Skin staplers
② Ligating and dividing staplers(LDSs)
③ Gastrointestinal anastomosis (GIA) staplers
④ Thoracoabdominal (TA) staplers
⑤ End-to-end anastomosis (EEA) staplers
⑥ Laparoscopic hernia mesh tackers
⑦ Open hernia mesh staplers
⑧ Endo-GIA

봉합사 제거 시기 ★	
1) 눈꺼풀	2~3일
2) 얼굴	4~5일
3) 목 부위	3~5일
4) 두피	7일
5) Ant. trunk	7~10일
6) Post. trunk	10~14일
7) 사지	10~21일
8) 관절	14일

(그림) 다양한 staplers 1

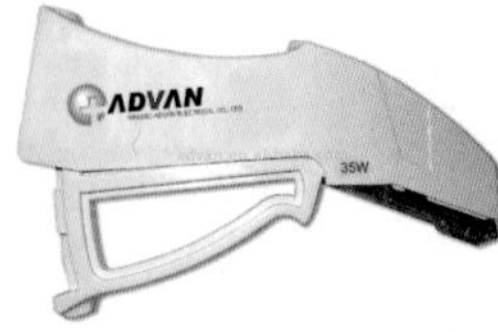

Skin stapler

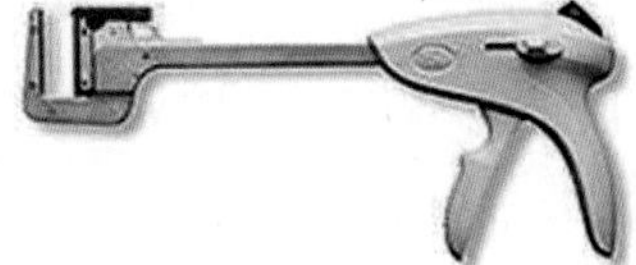
TA stapler

(그림) 다양한 staplers 2

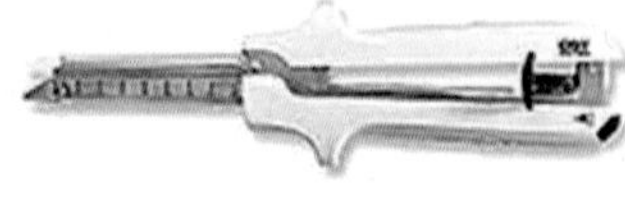
GIA stapler

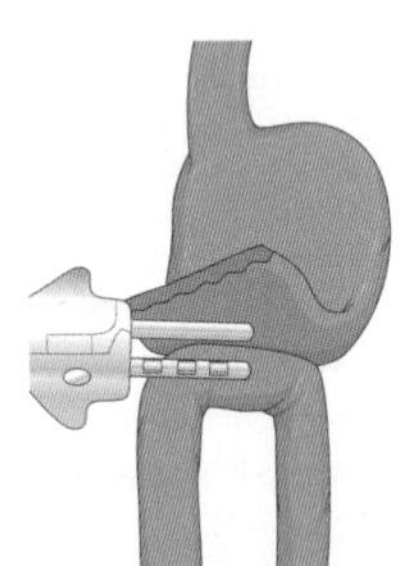
GIA stapler는 이와 같이 장절제와 절제된 단면의 sealing을 같이할 수 있는 장점이 있다.

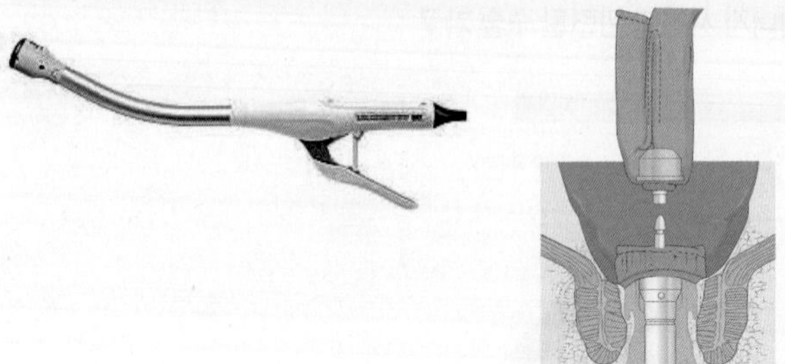

EEA stapler

EEA stapler는 이와 같이 장관 등의 양쪽 끝을 문합하는데 이용된다(End-to-end anastomosis).

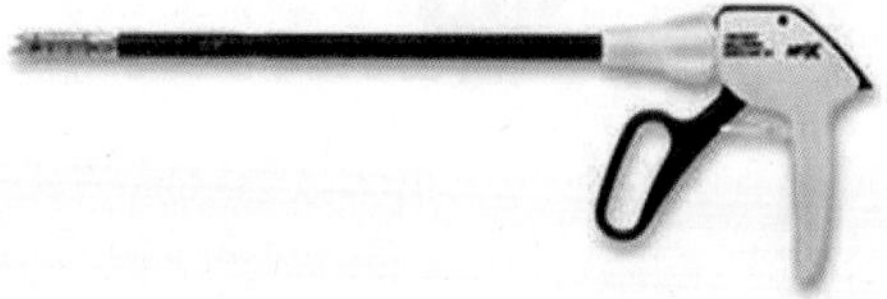

EndoGIA
복강경에서 **주요혈관분지**를 ligation및 transection할 수 있고 췌장 같은 고형장기와 위장관의 문합을 하는데 이용될 수도 있다.
흉강경에서는 손상된 폐의 일부를 절제하는 데에도 이용된다.

7. Surgical Adhesives

- 일종의 **접착제** 역할을 하는 것으로
  fistula, 혈관 천자 후 발생한 pseudoaneurysm을 막거나
  림프절절제술 후 림프조직 누출을 막거나
  위장관 및 췌담관 문합후 문합부위의 누출을 막기 위해 사용할 수 있다.

에너지 사용과 관련된 수술 기구

1. 전기 소작기 (Electrocautery)

1. 단극성 전기소작기 (Unipolar electrocautery)

(그림) 단극성 전기소작기 (Unipolar electrocautery)

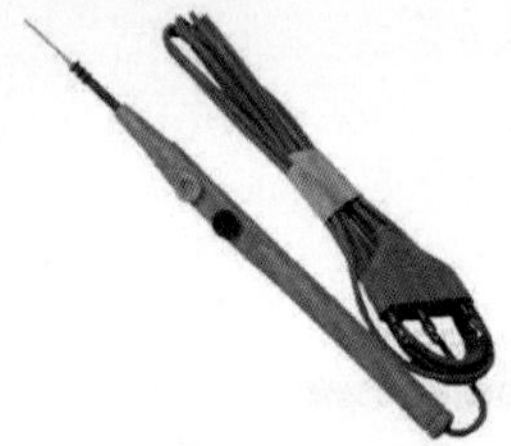

– 아래의 두 가지 방식을 지닌다.

절제방식(cutting mode)	응고방식 (coagulation mode)
• 일정한(constant) 파형의 전류가 생성된다. • 짧은 시간에 목표지점으로 많은 열이 전달되며 가측(lateral)으로 열의 전도가 적다. • 조직을 절제하는데 적합함	• 간헐적인(intermittent) 파형의 전류가 생성된다. • 목표지점으로 열의 전달은 적고 가측(lateral)로 전달되는 열의 양이 크다. • 조직을 지혈시키는데 적합함

 추가노트

☞ 전기소작기는 높은 주파수의 alternating current를 발생시키는 것으로 방식에 따라 unipolar & bipolar 두 가지가 있다. "unipolar"는 generator에서 생성된 전류가 applicator (Bovie)를 통해 환자로 들어오게 되며 환자 몸 자체를 통해 전류가 흐른 뒤 환자의 둔부 및 다리 등에 부착해 놓은 접지부(ground pad)를 통해 전류는 다시 기계로 들어오는 순환을 지닌다. "bipolar"의 경우는 접지부가 필요하지 않으며 applicator의 양 끝을 통해 전류가 바로 오고가는 짧은 회로를 지닌다.

☞ 이 두가지 방식을 혼합한 방식(blended mode)도 있다.

2. 양극성 전기소작기 (Bipolar electrocautery)

(그림) 양극성 전기소작기 (Bipolar electrocautery)

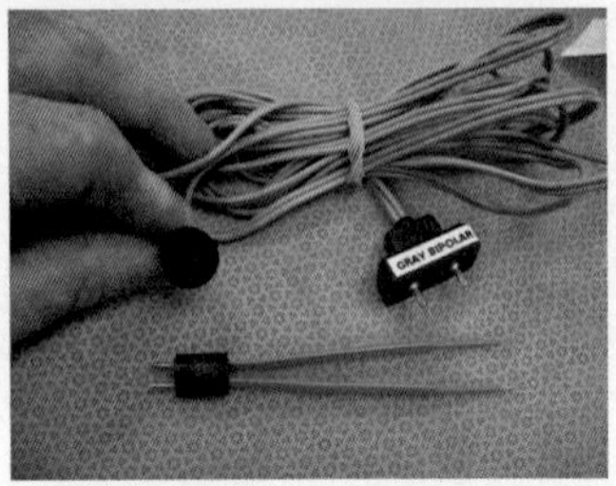

① forceps의 양 끝으로 잡은 조직으로만 열이 전달되므로 정확한 지혈이 가능하다.

② **양끝으로 압박하는 힘**도 전달되므로 **혈관을 응고**하는데 unipolar 전기소작기보다 효과가 좋다.

2. 레이저 (Lasers)

① 전자 에너지에 의해 열을 발생하여 단백변성(protein denaturation)및 응고괴사를 일으킨다. 주변조직은 비교적 손상을 주지 않는다.

② 에너지 침투 정도에 따라

Argon 〈 CO (carbon dioxide) laser 〈 Nd-YAG

Argon – 가장 얕다

Nd-YAG – 가장 깊다

3. Argon Beam Coagluato

(그림) Argon Beam Coagulator

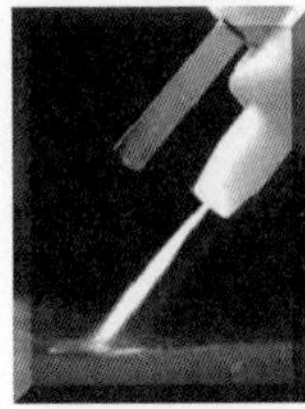

① monopolar electric circuit를 지닌다.

② high-flow의 아르곤 가스는 고온을 일으켜서 응고작용을 나타낸다.
열의 침투는 비교적 "superficial" 한데 가장 깊게는 6mm까지 침투한다.

③ 아르곤가스가 발사될 때 분출된 가스로 출혈하는 혈액을 치우기 때문에 좀더 좋은 시야를 제공하며 지혈도 훨씬 효과적일 수 있다.

④ **간**, 비장, 신장 등 **고형장기 실질**로부터의 출혈조절에 효과적이다.

4. Photodynamic Therapy

1. 작용원리

target-specific photosensitizer투여 (종양 등 특정부위에 침착됨)	→	병소부위로 파장에 특이한 광원에너지를 공급하면 photosensitizer가 활성화된다.	→	free-radicals이 생성되어 특정조직에 독성작용을 나타냄

(그림) Photodynamic therapy

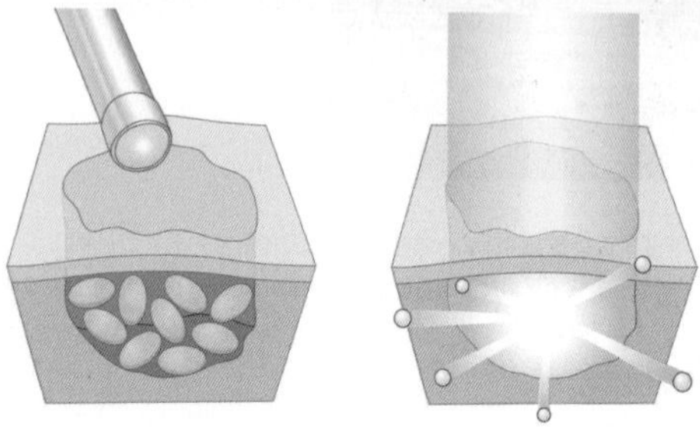

2. 응용

① **말기암 환자에서** palliative **목적**으로 사용되었으나 항암제에 반응하지 않은 종양 등으로 사용범위를 넓히고 있다.

② 초기의 NSCLC (non-small cell lung cancer), 췌장암, 피부의 평평세포암(squamous cell carcinoma) 및 기저세포암(basal cell carcinoma) 등

③ Barrett' s esophagus 및 Psoriasis같은 양성질환

5. High-frequency Sound Wave Techniques

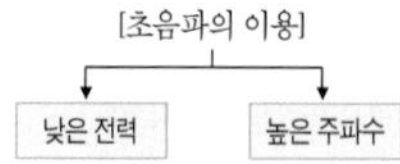

추가노트

☞ 초음파는 extracorporeal shock wave lithotripsy 같이 담석이나 요석을 깨뜨리는 데에도 이용된다.

1. Harmonic Scalpel

① "bipolar" 방식으로 주변조직에 손상을 거의 주지 않고, 열을 발생시켜 단백 변형(protein denaturation)을 통해 응고, 지혈 등의 작용을 한다.

② 보통 55,000회/초 진동하여 열을 발생시키며 **작은 혈관 응고**에도 이용된다. 복강경 수술뿐만 아니라 개복수술에서도 응용될 수 있다.

(그림) Harmonic Scalpel

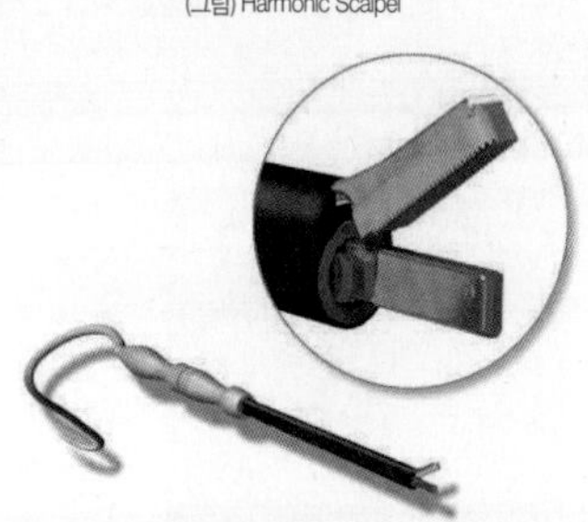

2. Ultrasonic Cavitation Devices (CUSA; Cavitron Ultrasonic Surgical Aspirator)

① 낮은 주파수의 초음파로 "<u>**섬유질(fiber)이 낮고 수분함량이 많은 조직**</u>"을 절제하는 데에 사용한다.
↓
간이나 췌장

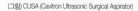

② 초음파기계에 "**흡입기**"가 연결되어 있어 좋은 시야 및 효과적인 절제효과를 지닌다.

(그림) CUSA (Cavitron Ultrasonic Surgical Aspirator)

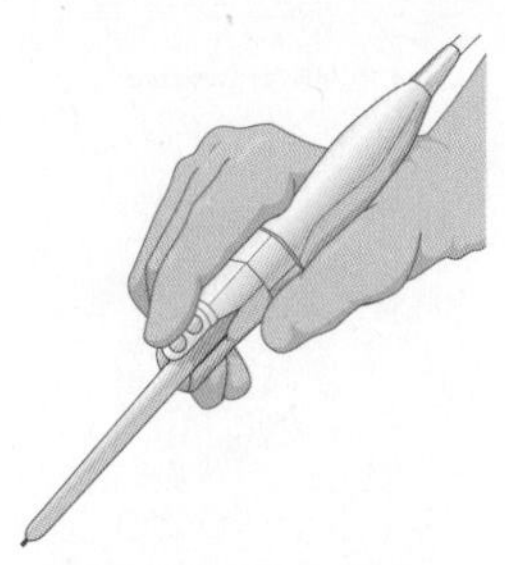

6. RFA (Radiofrequency ablation)

① electrode를 표적조직 내(혹은 위)에 넣고 **350-500 kHz의 고주파**의 교류를 공급하면 **100℃ 이상의 열을 발생**하여 단백변형 및 응고성 괴사 등을 일으킨다.

② **간실질** 질환에서 가장 흔히 이용되었으나 여러 **고형장기**들(폐, 콩팥, 유방, 갑상선 등)로 응용되었으며 양성 및 악성 질환 모두에 이용될 수 있다.

(그림) RFA (Radiofrequency ablation)

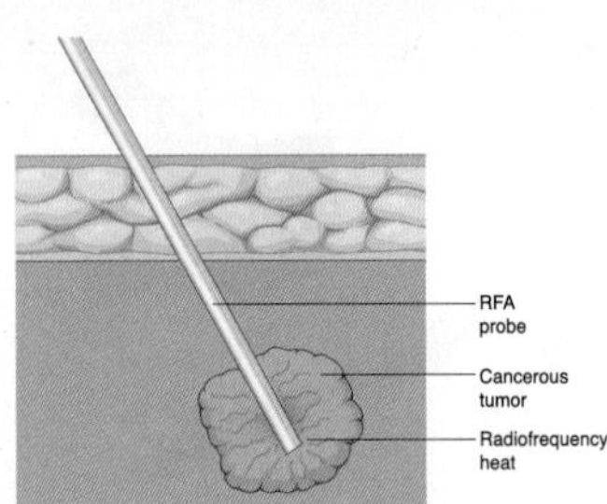

7. 냉동요법 (Cryoablation)

① 표적 조직 내(혹은 위)로 probe를 삽입하고, 액화질소 및 아르곤을 주입하여 **-35℃ 이하로 냉동**시킨다. 냉동 될 때의 세포 이하 구조물의 파괴, 해동 시의 손상 및 허혈 등으로 조직손상을 유발한다.

② 주요혈관 근처에 표적조직이 있는 경우 치료가 어렵다.
고비용, 전신마취의 필요성 및 출혈위험 등이 치료의 한계이다.

③ **절제불가한 일차성 혹은 이차성 간종양**에서 사용할 수 있다.

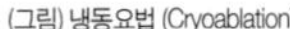
(그림) 냉동요법 (Cryoablation)

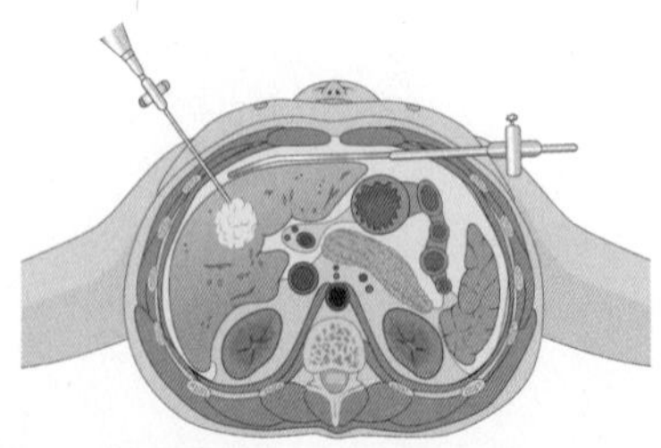

8. Microwave Ablation and Radiosurger

1. Microwave Ablation

① 표적 장기 내에 probe를 설치한 뒤 2450 MHz로 microwave를 발생시킨다.

→ 급속히 변하는 교류는 물과 같은 극성 분자의 운동을 유발하며 이러한 운동에너지가 열로 표출되어 응고성 괴사를 일으킨다.

② 응용

"간 병변" 에 이용되었으나 현재는 심장 리듬장애, 전립성비대증, 자궁내막출혈 등으로 영역이 확대되었다.

③ 단일 병변을 치료하기 위해 매우 작은 여러 개의 microprobe를 삽입해야 한다는 점이 한계점이다.

2. 방사선수술 (Radiotherapy)

① gamma knife가 대표적이며 뇌병변의 치료에 이용된다.

↓ 뇌종양, AVM(arteriovenous malformation), 간질

② 200개의 각각의 gamma radiation을 둥글게 배치하여 sterotactic 방식으로 뇌 병변의 치료에 이용한다. 치료시 환자 머리를 고정하여 뇌의 다른 부위의 손상을 없도록 하는 것이 중요하다.

(그림) gamma knife

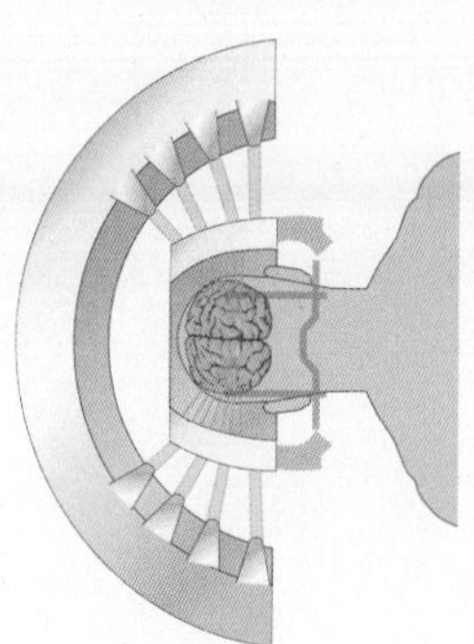

Power ★★★☆☆

06 외과적 감염

Surgical infections & choice of antibiotics

수술 후 감염의 흔한 원인

- SSIs (surgical site infection)
- central line associated bloodstream infections
- urinary tract infection
- pneumonia (HAP, VAP)

SSI (Surgical Site Infection)의 원인

- SSI : 수술 부위에 생기는 모든 수술 후 감염으로 피부, 피하층, 근육 및 장기 등에 다양하게 생길 수 있다.

(표) SSI의 위험인자

미생물 인자	국소 창상 인자	환자 인자★
• 먼 곳으로부터의 감염 (remote site infection) • 장기입원병원 • 최근의 입원 • 수술시간 • **창상의 정도** • 중환자실 환자 • 전에 항생제치료를 받은 경우 • 수술 전 면도 • **세균의 수, 악성도 및 항생제 내성**	• 술기(surgical technique) – 혈종/ seroma • 괴사 • 봉합 • 배액관 • 이물 (FB; Foreign body) • 부적절한 예방적 항생제 사용	• **고령 또는 신생아** • **면역억제** • **스테로이드** • **비만** • **당뇨** • **영양결핍** • **많은 동반질환** • **수혈** • **흡연** • **산소 불충분한 공급** • **저체온** • **혈당조절이 되지 않는 경우**

* 이 표는 한글교과서 기준. 원서교과서는 Patient factor, environmental factor, treatment factor

1. Bacterial Factors

① **원인균**

S.aureus (m/c) 〉 coagulase negative Staphylococcus, Enterococci, E. coli

※ 단, **clean-contaminated, contaminated procedure 후**에는 E.coli와 Enterobacteriaceae가 가장 흔한 SSI의 원인이다.

② 세균 **수** 및 **악성도**가 중요한 인자이다.

세균 수	악성도
• 보통 **10^5 CFU 이상**의 균의 오염이 있어야 감염을 일으킨다. 하지만 **β-hemolytic streptococci**는 적은 수의 균으로도 감염을 일으킬 수 있다.	• 독소 및 phagocytosis에 저항하는 능력으로 악성도를 나타낸다. • 보통 G(-)균은 **내독소**를 통해 악성도를 나타낸다. 하지만, 몇몇 **clostridia 및 streptococci는 강력한 외독소를 분비**하므로, **일반적인 다른 균의 감염의 경우 "5일 가량 지나야 발현"** 되는 반면 이들균에 의한 감염은 **"24시간내에도 발현"** 될 수 있다.

③ **창상 정도**

• **창상의 구분**

(표) 감염 위험도에 따른 Surgical Wound의 분류 ★

Clean	• 수술도중 염증소견 없었던 **감염없는** 수술창상. • 수술시 호흡기, 소화관, 생식관 및 감염된 비뇨관이 열리지 않은 경우	1-5% 감염률
Clean-contaminated	• 호흡기, 소화관 등이 오염없이 **감염이 조절 가능한 상태**로 열려 처리된 경우	3-11% 감염률
Contaminated	• 개방성, fresh, accidental wounds. 수술도중의 무균원칙이 크게 깨졌거나 소화관으로부터의 **대량누출**이 있는 경우 및 급성 비화농성 염증이 있는 절개선의 경우	10-17% 감염률
dirty	• 비활성조직을 지닌 수상 후 시간이 경과한 창상 시 • 임상적으로 저명한 감염이 있거나, 소화관천공이 있는 경우. 즉, **수술 전 이미 수술 후 감염을 일으키는 균이 수술창에 있음**을 의미한다.	27% 감염률

※ SSI의 위험인자 산출방법 (NNIS score)

위험인자
- 수술시간이 동일수술에 걸리는 평균시간보다 75 percentile보다 오래될 경우
- Contaminated 혹은 Dirty wound의 경우
- ASA III, IV, V

2. Local Wound Factors

- 국소방어기전을 방해하는 인자들 (phagocytic cell을 방해)

① Foreign body (suture, drain)

② 조직의 strangulation (too tight suture 때문)

③ Dead tissue, hematoma, seroma 존재 시

3. Patient Factors

① **소아 및 노령** : 창상감염이 흔함

② Surgical incision에 **혈류**가 감소하는 경우

: vascular occlusive states, hypovolemia, shock, vasoconstrictor의 사용

③ 조직의 **산소압**이 감소하는 경우:

blood flow 감소, systemic hypoxemia

④ 수술도중의 **저체온**

⑤ vascular reactivity를 감소 시키는 조건

: Uremia, 고령, Corticosteroid, 다른 약제 (CTx, 면역억제제), Cancer, Trauma

추가노트

☞ 창상정도를 통한 위험도 산출은 세균인자만을 고려했지만 이 scoring system은 모든 위험인자를 함께 고려한 것이다.

창상감염의 예방

1. Bacterial Contamination의 예방

• **환경인자**

① 2가지 중요한 오염인자

Exogenous	Endogenous
• 수술팀에 의한 수술의 연속성이 깨질 때	• 환자의 피부나 세균을 포함한 장관 등으로부터 오염 ☆

② 자외선 사용, Laminar flow를 이용한 환기, **수술방** 내의 **양압유지**

③ 수술실로의 잦은 출입을 제한하고, 수술 중의 과도한 행동 및 말을 제한한다.

• **환자에 대한 술전 준비**

① 장기 입원환자, 질환을 앓고 있는 사람

→ **피부**에 상주하는 균이 존재하므로 주의 (특히, groin, intertriginous areas)

② **면도** : electric clipper로 **수술직전★**에 시행할 것!

2. 수술팀 ★

• 수술팀에 의한 오염이 clean wound infection의 가장 중요한 원인 중의 하나임.

① scrub suit, cap, mask, light handle, head gear 이용 시 주의

② 손세척은 **첫 수술 시 5분간, 이후 3분간 시행한다.**

③ gowning, gloving, drapping시 가장 많이 technical break가 일어남

④ 오랜 수술동안 90%에서 수술용 장갑이 찢어진다. → 즉시 교환한다.

장갑을 두겹 착용하는 것이 좋다.

• Endogenous Contamination:

소화관, 호흡관 및 생식비뇨관의 내강이 열리게 될 때

→ wound protection하고, 문합에 사용된 기구를 모두 교환. 가운, 수술용 장갑도 교환.

4. 국소창상관련

• **국소손상을 줄이기 위해** 조직을 **부드럽게** 다루는 것이 가장 중요한 감염예방법이다.

• 모든 devitalized tissue와 foreign bodies는 traumatic wound에서 **제거**되어야 함.

완전제거가 안될 땐 창상을 열어놔야 함.

• contaminated wound엔 "monofilament"가 좋고, silk는 감염위험이 높으므로 큰혈관을 묶는데는 "prolene", "nylon"으로 대체한다.

• Hematoma, seroma, dead space 없도록 할 것.

• heavily contaminated wound나 foreign body와 devitalized tissue가 충분히 제거되지 못한 창상은 delayed primary closure시행 (5일 후) ★

5. 환자관련

• **영양상태의 교정** 영양결핍 및 저알부민혈증은 SSI위험을 높힌다
• **산소분압**을 높게 유지하는 것은 SSI위험을 낮춘다.
• **수술전** warming도 SSI를 낮춘다.
• 중증환자의 수술 전 인슐린을 통해 술전 **혈당**을 **80-110mg/dl**로 낮추는 것은 사망률을 낮추는 효과가 있다.

6. 예방적 항생제 【14】

• clean wound에서는 일반적으로 foreign body를 넣지 않는 한, 예방적 항생제를 사용하지 않음.

• Preop antibiotics : **수술 시작** ★ **직전**, 마취 induction시 IV로 주고, 수술이 4시간 이상 **지속되면 반복 투여**할 것 ★ (수술 시작 1시간 이전에 주는 것은 불필요) ★ 보통 **수술 12시간이내**까지만 주입함

• Topical agent와 Parenteral agents를 함께 사용하는 것은 한 가지만 사용하는 것보다 우수하지 않다(한 가지만 사용 시 parenteral이 좋으며 topical agents는 burn같은 large wound에 사용).

• **예방적 항생제** 사용의 주요 **적응증**

1. 고위험의 **위십이지장 수술**
2. 고위험의 **담관계 수술**
3. 결장 및 소장의 **절제 및 문합**수술
4. **하지** 및 복부대동맥의 혈관수술
5. 영구적 **인공구조물**을 장착하는 수술

추가노트

※ Drains의 설치

• 있을 때는 **closed suction drain** or fluid removal & dead space obliteration 시행함
open drain은 아직 감염이 되지 않은 곳에 사용하지 말 것.

• dead space를 봉합하는 것이 SSI를 낮춘다는 보고는 아직까지 없다. dead space가 큰 경우 "**closed-suction drain**"을 설치하는데 이것도 감염경로가 될 수 있다.
penrose배액관 같은 "**open drainage**"는 감염의 위험을 증가시키므로 저명하게 감염이 입증된 창상 외에는 사용하지 않는다.

외과감염의 진단 및 치료

• 내과적 감염에 비교해서 외과적 감염은 **"숙주의 방어능력이 떨어져 있으며"**, 병균은 mixed (aerobes & anaerobes)로서 주로 **내인성병균이다**(파괴된 epithelial defect를 통해 전염됨).

1. 연부조직 감염 (Superficial Abscess & Cellulitis) 【14】

• 적절한 배농이 이루어진 경우 대부분의 환자에서 항생제의 추가적 사용은 필요하지 않다. **따라서, 환자에서 abscess와 cellulitis의 감별이 중요하다.**

• 감염의 현저한 전신증상 (고열, tachycardia)이 있거나 발적이 절개부위로부터 5cm이상 퍼진 경우 항생제 사용을 추천한다

• 항생제 선택에 있어 MRSA를 고려해야한다.

• **abscess와 cellulitis의 감별이 필요**

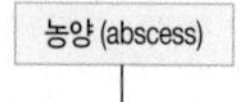

• **혈액공급 없는** necrotic center를 지닌다.
→ 이 부위는 iv antibiotics가 도달하지 못하므로 농양를 **직접적으로** drain & evacuation 해야 함

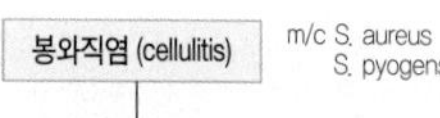

• 혈액공급에 이상 없는 연부조직 감염임
(임상증상 : swelling, heatness, local erythema, tenderness, fever)
→ **적절한 항생제치료만으로도 치료될 수 있다.**

2. Necrotizing Soft Tissue Infections

• 해부학적으로 괴사된 조직층이 있으나 주위의 염증반응에 의해 경계 지워지지 않으며, 그 위의 피부는 감염초기에는 정상으로 보인다.

추가노트

☞ 이외의 예방적 항생제 적응증
1) median sternotomy를 통한 심장 수술(혹은 시술)
2) 사지의 절단술
3) 자궁절제술
4) 제왕절개술
5) 구강 인후강(pharyngeal cavity)를 통한 수술
6) 머리뼈절개술(craniectomy)
7) 심한 오염 및 조직손상이 있는 사고상
8) 광범위한 근육상 및 혈류공급장애(clostridial infection위험이 높다)

Clostridial infection

- 근육을 침범(clostridial myonecrosis, gas gangrene) : CT로 확인 가능함 ★
- C. perfringens, C. novyi, C. septicum이 원인균
- 치료 : 침범된 조직을 절제한다 (상하지의 경우는 amputation).

Nonclostridial infection

- subcutaneous fascia를 침범(Necrotizing fasciitis)
- beta-hemolytic S. pyogens (단독균으로 가장 많다)
- 치료 : Wide Incision & Debridement (amputation 필요없다)

(표) Clostrial & nonclostridial infection 비교 ★

	가스괴저 Clostridial myonecrosis ★	괴사연조직감염 Nonclostridial necrotizing infection ★★
발적	• 보통 없다	• 있음
부종	• 경하거나 중등도	• 중등도 혹은 심함
삼출물	• Thin	• 구정물(dishwater) 혹은 화농성
백혈구	• 보통 없음	• 있음
세균	• GPR ± 다른 종	• 혼합균 ± GPR
진행되었을때의 징후	• 감각저하 구리색으로 변화 출혈성 물집 Dermal gangrene Crepitus	• 감각저하 얼룩출혈(ecchymoses) 물집 Dermal gangrene ± Crepitus
심부침범시	• **근육**〉피부	• **피하조직**±〈fascia±**근육**(흔치 않음)〉피부
조직소견	• 소량의 염증 근육괴사	• 급성염증 작은농양 근육은 비교적 손상없다.
생리	• **급격한** 빈맥, 저혈압, 혈액량부족 ± 혈관내 용혈	• 보통은 **심하지 않은** 빈맥, 저혈압 및 혈액량부족
치료	① 심폐소생술 ② Penicillin G +broad-spectrum항생제 ③ 독소생성을 막기 위한 Clindamycin ④ 광범위한 감염조직절제 종종 사지절단이 필요할 수 있다. ⑤ 고압산소요법이 도움이 될 수 있다.	① 심폐소생술 ② 3세대 cephalosporin 혹은 Fluoroquinolone +항혐기항생제 ★ ③ 독소생성을 막기위한 Clindamycin ④ Debridement 및 창상노출★, 조직제거량이 많지 않고, 사지절단은 거의 필요한 경우가 없다.

- soft tissue infection에 gas가 있으면 매우 위험한 징후

 추가노트

※gas가 있다면 anaerobic metabolism이 있게 되고 인간의 조직는 anaerobic condition에선 못살기 때문에, gas 있는 곳의 조직은 죽은 조직으로 외과적감염을 의미한다.

3. 복강 내 & 후복강 감염

• 대부분 percutaneous drainage를 포함한 surgical intervention이 필요.
  예외, 즉 내과적 치료가 가능한 경우들

> **신우신염**(pylenehritis), **아메바성 간농양**, **장염**(Shigella, Yersinia), **SBP**(Spontaneous bacterial peritonitis), **게실염** 중 일부 및 **담관염**의 일부

• 진단 전 항생제투여는 진단을 더욱 어렵게 하므로 확실한 진단 후 처치하도록 주의한다.
• 고령, 다른 동반 질환, 영양실조 시 사망률 증가.
• 진단 즉시 cardiorespiratory support, antibiotics, operation
  (대부분 복강내 감염은 3-5개의 mixed aerobic & anaerobic pathogens임)

4. 복강 내 혹은 후복강 내 감염에 대한 치료

• **목적** : 감염의 원인이 되거나 악화시키는 underlying anatomic problem의 교정
• **방법** : CT or sono-guided drainage (percutaneous)

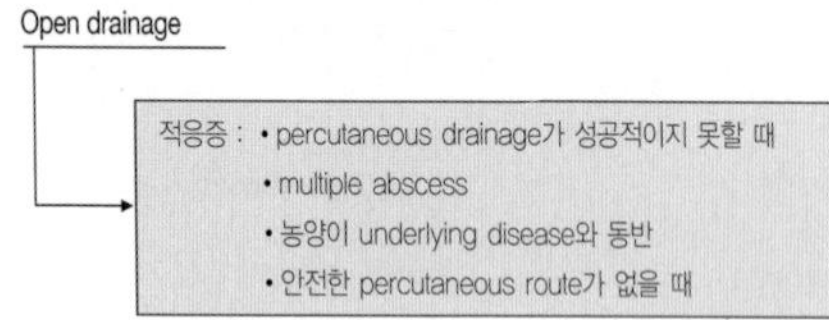

Open drainage
적응증 : • percutaneous drainage가 성공적이지 못할 때
• multiple abscess
• 농양이 underlying disease와 동반
• 안전한 percutaneous route가 없을 때

수술 후 발열

• postop fever의 원인

• postop **3일 이내**의 fever 시 대부분
• **무기폐**(Atelectasis)
  (→ CXR 촬영하여 진단★)

• non-surgical : UTI (Urinary tract infection), **폐렴**, IV catheter infection
• surgical : **창상**감염, **복강내** 감염

• POD 5일 이후의 발열 : **창상감염** 가능성 높다. ★

cf) **개복수술 후 '36시간 이내' 에 생기는 감염에 의한 fever의 원인들**

① **문합부 누출(leakage)**
환자의 활력징후의 심각한 변화를 초래한다.
② 창상에서의 **침윤성 연부조직 감염**
β hemolytic streptococci 혹은 Clostridial species (특히, C. perfringens)에 의함
창상 그람 도말검사에서 GPC 혹은 GPR 소견 보임
③ 창상 독성 쇽 증후군(Wound toxic shock syndrome) 드물다
독소를 분비하는 SA(S. aureus)에 의함

각각의 항미생물제(Specific Antimicrobials)

1. Penicillins

① **Antistaphylococcal penicillins**
→ Methicillin-susceptable staphylococcal species에 효과적

② **Acylureidopenicillines**
→ aerobic & facultative GNR에 효과적이다.

③ **Penicillin + β lactamase inhibitors clavulanic acid, sulbactam 혹은 tazobactam**
→ Broad G(-) activity (ex. **Pseudomonas**, Enterobacter, Citrobacter, Serratia)
methicillin-sensitive staphylococci 및 anaerobes

2. Cephalosporins

1세대	• methicillin-sensitive staphylococci 모든 streptococci Enterococci에 대해선 효과없다. • E. coli, Proteus mirabilis & Klebsiella에 효과적이므로 주로 예방적 항생제로 사용할 수 있다. Ex) Cefazolin 반감기가 8시간으로 길다.
2세대	• 1세대에 비해 **G(-)균**에 대한 효과를 높혔다. • 구분 **혐기균**에 대한 효과 → (O) Cefoxitin, Cefotetan / → (X) Cefamandole, Cefuroxime, Ceforanide, Cefonicid 반감기 → (짧다) Cefamandole, Cefoxitin / → (길다) Cefuroxime, Cefotetan, Ceforanide, Cefonicid

3세대	• GNR에 대한 효과를 높힘 • Streptococcal & Streptococcal activity는 감소됨 • 혐기균에 대한 효과가 적다. • 구분 Pseudomonas에 대한 항균작용 → (O) Cefoperazone, Ceftazidime, Cefepime Pseudomonas에 대한 항균작용 → (X) Cefotaxime, Ceftizoxime, Ceftriaxone • 이 3세대약제의 남용으로 VRE (Vancomycin resistant entercocci)가 증가할 수 있다.
4세대	• gram negative bacteria에 대한 향균범위가 더 넓고 anti-pseudomonal effect도 더 커짐 • ESBL 유도 가능성도 낮으며 safety profile이 좋은 편

3. Monobactams-Aztreonam

- Pseudomonas를 포함한 G(-)에 효과적이며 G(+)균 및 혐기균에 대해선 효과가 없다.
(aminoglycoside와 유사)
- 대부분의 Acinetobacter에 대해서도 효과가 없다.

4. Carbapenems - Imipenem & Meropenem

① 특성

- Broad spectrum의 효과를 지님
  └ MRSA를 제외한 모든 G(+)균, G(-)균(Pseudomonas포함) 및 혐기균

② 종류

• Imipenem	• 효소억제제인 cilastatin과의 복합체이며 cilastatin은 신독성을 지닌다.
• Meropenem	• 신경독성이 덜하다.
• Ertapenem	• 신경독성이 덜하다. • 반감기가 길어 하루에 한번 투여가 가능하다. • ESBL producing Enterobacteriaceae에는 매우 효과적이나 Pseudomonas, Acinetobacter, Enterobacter spp.에 효과적이지 못하다.

추가노트

☞ Carbapenems은 Enterococci에 대해선 modest activity만을 지닌다.
Carbapenems에 효과없는 G(−)균
→ Pseudomonas cepacia, S. maltophilia 및 일부 Proteus

5. (Fluoro)Quinolone

- Broad spectrum으로 Pseudomonas를 포함한 G(-) 및 많은 G(+)균에 대해 활성을 지닌다.
- 혐기균에 대해선 효과가 없다.
  예외) Moxifloxacin

6. Aminoglycoside

- G(-)균에 대해 broad한 효과를 보인다. 혐기균에 대해선 효과가 없다.
- 신장장애 및 7th 신경장애 (**청각 및 균형감각**)를 일으킬 수 있고 치료용량과 이렇게 부작용을 일으키는 농도차이가 낮으므로 요즈음에는 가급적 사용하지 않은 약제이다.

7. 항혐기성약제

① Clindamycin

- 혐기균 뿐만 아니라 G(+)균에도 효과적이다.

② Metronidazole

- 대부분의 혐기균에 효과적이고 원생동물감염에도 효과적이다.
- 3세대 Cephalosporin 이나 Fluoroquinolone과 함께 조합해서 사용할 수 있다.
- C. difficle Colitis치료에 효과적이다.

③ 기타 **항혐기항생제**

- 일부 2세대 Cepholosporin (**Cefoxin, Cefotetan**)
- **Penicillin + βlactamase inhibitors** 합성제, 예) amoxicillin + sulbactam
- **Carbapenems, Tigecycline** 및 **Moxifloxacin** 이 해당한다.

추가노트

☞ Quinolone제제중 Norfloxacin은 소변에서만 유용한 농도가 유지되며, Ciprofloxacin, Ofloxacin, Levofloxacin, Gatifloxacin 및 Moxifloxacin은 신체내에 골고루 효과를 보인다.

☞ 가장 좋지 않은 항생제조합은 Aztreonam + Metronidazole 이다.
G(+)균이 전혀 cover되지 않는다.

8. 기타 항생제들

1. Macrolides

① Erythromycin

- 중등도의 항혐기균 작용을 지닌다.
- 경구용 Erythromycin은 iv Aminglycoside와 함께 결장수술 전 장내세균수를 줄이는 목적으로 이용된다.
- G(+)균 및 Neisseria에도 효과를 지니므로 **Penicillin에 알러지인** 환자에서 대치제로 사용할 수 있다.
- Mycoplasma, Chlamydia, Legionella 및 Rickettsia 등에도 좋은 효과를 보인다.

② Clarithromycin, Azithromycin

- 항세균 스팩트럼을 늘린 제제로 **경구용**으로 이용된다.

2. Tetracyclines

- 높은 항혐기균 작용을 지닌다. easy G(-)균 및 많은 G(+)균에 대해 중등도의 효과를 나타낸다.
  → 감염시 이차항생제로 이용된다.
  → 모든 tetracyclin은 임산부와 8세 이하의 소아(due to dental toxicity)에서 금기이다.

3. Glycylcylines

- "Tigecycline" 이 있으며 G(+), **G(-)균 모두에 효과적**이다(단, Pseudomonas에는 효과가 없다).
- multidrug-resistant SA, S. pneumoniae, VRE 및 Vancomycin-resistant staphylococci에 효과적이다.

4. Oxazolidinones

- "Linazolid" 가 있으며 VRE, vancomycin-intermediate SA 등을 포함한 **거의 모든 G(+)균**에 효과가 있으며 많은 혐기성균에 효과적이다.

 추가노트

☞ Quinupristin/Dalfopristin은 Vancomycin-resistant E. faecium에 효과가 있고, E. faecalis에는 효과가 없다.

9. 항진균제

① Triazole	a. Fluconazole • Cryptococcus 및 대부분의 Candidia에 효과적 하지만 Candidia krusei 및 다른 아형은 치료되지 않는다. • 전신적인 Candida 감염 및 고위험환자에서 예방적으로 복용한다. b. Voriconazole • Fluconazole보다 너 넓은 스팩트럼을 지닌다. 즉, 모든 **Candidia 감염에 효과적**이다. • Aspergillus감염에도 효과적이다.
② Amphotericin B	• 넓은(broad) 활동도를 지니나 독성(ex. **신독성**)이 강하다. • Candida, Aspergillus 및 Histoplasma 등으로 인한 **"심각한(lethal) 감염"** 시 사용한다.
③ Caspofungin	• 다른 약에 반응하지 않는(refractory) Aspergillus 및 Candida에 의해 속발하는 전신적인 진균감염에 이용함

■ 수술 후 흔한 감염 ★

(1) UTI (특히 indwelling catheter시) m/c

(2) SSI (surgical site infection)

(3) lower respiratory tract infection, pneumonia
인공호흡기나 기관삽관 후 특히 많이 발생 (VAP), 사망의 m/c cause임

(4) antibiotic-associated diarrhea (C. difficile); C.difficile toxin에 대한 stool test

추가노트

※ 수술 후 fever의 원인(빈도순)

① UTI : non-surgical
② SSI : surgical
③ Respiratory infection: non-surgical

항생제 투약에서의 일반적인 원칙들

- 항생제를 사용함에도 2-3일 지나도 호전이 없을 때 우리는 '어떤 항생제로 바꾸어야 할까' 라는 질문을 하게 된다. 그러나 이 질문보다 더 적절한 것은 '왜 환자가 호전되지 않는가' 하는 질문이다. 이에 대해서는 먼저 다음을 생각해봐야한다.

① 첫 수술적 조치가 **적절** 했는지
② 첫 수술적 조치가 적절했지만 **합병증**이 발생했는지
③ 새로운 부위에 superinfection이 발생했는지
④ 적절한 항생제는 들어가지만 **용량이 부족**한지
⑤ 또 **다른 혹은 항생제**가 필요한지

- 항생제 투여후 반응이 좋은 sign은 다음과 같다.

① 환자의 **정신상태**가 호전되고,
② **장기능**이 돌아오며,
③ **자발적 이뇨**가 가능한 경우

- 언제 항생제를 끊을 것인가에 대한 정확한 지표은 없다. 항생제는 수술 후 파괴된 local defense mechanism을 지지하는 역할을 하는데 POD 3-5후★ **신생모세혈관이 나타나고, 적절한 inflammatory infiltrate가 나타나 local defense를 담당**하기 때문에 이때까지는 항생제를 투여해야 한다.

cf) Tetanus에 대한 예방

깨끗한 창상 시
↓
- 과거의 toxoid를 주입받은 기록이 믿을만하지 못한 경우, 10년간 booster injection을 하지 않은 경우
  Td 주입
  즉, TIG는 필요없다.

지저분한 창상 시
↓
- 마지막 booster injection으로부터 5년 이상 지난 Dirty wound의 경우 **Td** 주입함.
  (환자가 complete immunization series를 완료한 경우는 TIG는 필요없다)
- 환자가 complete immunization을 받은 적이 없다면 Td+**TIG**를 주입 (각각 다른 곳으로)
  cf) TIG는 C. tetani의 감염을 예방하는 것이 아니고 생성된 toxin를 비활성화 함.

Power ★★★★☆

07 외과적 합병증

Surgical Complications

창상에 관련된 합병증

1. Seroma

① **정의** : 절개선 아래로 liquefied fat, serum및 림프액이 고이는 것.

② **예방** : 예상되는 부위(i.e. skin flap 아래쪽 및 림프조직 절제후의 dead space)에 suction drain을 설치한다.

③ **치료**

먼저 주사기로 흡입한다.	→ (2회 이상 흡입해도 계속 발생하면)	절개하고 saline거즈로 packing한 뒤 나중에 다시 봉합한다(secondary intention).

추가노트

☞ 수술 전에 항응고제를 복용하는 환자들 중 **"수술 후 혈전(thrombosis)의 위험이 클 경우"** 의 약물요법

① warfarin의 경우 수술 3일 전에 끊는다.

② heparin의 대치한다.

i) **표준 heparin** 사용 시 **수술 4시간 전** 끊는다.

ii) LMWH(low molecular weight heparin) 사용 시 **수술 16-24시간 전** 끊는다.

③ **수술 2-3일 후** 다시 warfarin으로 **전환**한다.

2. 혈종 (hematoma) 【13】

① 원인

a. 수술조작의 잘못

b. 기저 응고질환이 있을 때
└ aspirin, NSAID 복용, **간기능장애** 등

② 조치

a. 절개선 아래로 부종 및 통증이 있으며, 검은 분출물이나 혈액이 있을 수 있다.

b. 큰 혈종은 그 자체가 지속적인 출혈을 조장할 수 있다.
(∵ fibrinolysis & clotting factor 소실)

c. **수술 후 바로** 혈종이 발견되면 : 다시 개복하여 혈종제거한다.

d. 작은 혈종의 경우 비수술적 치료를 할 수도 있다.
└ heat, immobilization & support

③ 예방

a. 응고를 방해하는 요인 제거 (**항응고제**는 최소 **수술 4-5일 전** 끊는다.)

b. 수술 시의 적절한 지혈 및 출혈이 예상될 때 closed suction drain을 설치하여 조기발견하도록 한다.

3. 급성창상부전 (Acute wound failure; Dehiscence) 【13】

① 정의

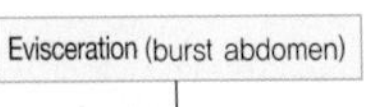
Evisceration (burst abdomen)

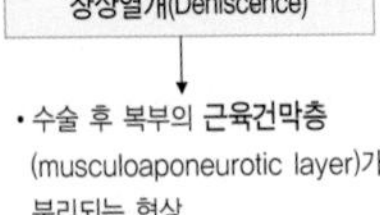
창상열개(Dehiscence)
• 수술 후 복부의 근육건막층
(musculoaponeurotic layer)가
분리되는 현상

• dehiscence가 완전하게 발생했을 때, **복강내 장기**가 창상밖으로 튀어 나옴

② 임상양상

a. 수술 후 7-10일에 가장 흔함 (수술 후 **1-20일** 발생)

b. **갑작스런 많은 양의 투명하고 연어색**(salmon-like color; serosanguinous) **수액**이 창상에서 나올 때 → 이때 forceps 등으로 창상을 탐색하면 벌어짐(dishiscence)을 발견할 수 있다.★

③ Wound dehiscence에 영향을 미치는 인자

(표) Factors Associated Wdith Wound Dehiscence ★★

1) fascial closure 시의 기술적인 문제 - edge에 너무 가깝게, 혹은 너무 멀게 봉합하거나 너무 많은 압력이 suture에 가해지는 경우	
2) 응급수술	7) 비만
3) 복강 내 감염	8) 만성적인 스테로이드의 복용
4) 고령	9) 영양결핍
5) 창상감염, 혈종 및 seroma	10) 방사선치료 및 항암치료
6) 복압이 증가되는 경우	11) 당뇨나 요독증(uremia)같은 전신질환 시

④ 치료

a. minor dehiscence는 비수술적으로 치료할 수도 있다.

b. Evisceration시 생리식염수 젖힌 거즈로 덮고 빨리 수술방으로...(동시에 항생제치료도 시작하자)

⑤ 예방

a. 꼼꼼하게 배를 닫는 것이 최선임

b. 위험인자가 있는 경우 "interrupted suture" 로 봉합한다.

4. Surgical site infection (SSI)

① 원인

a. Wound infection = Surgical Site Infection (SSI)

b. **수술 환자**에서 발생하는 m/c nosocomial, hospital-acquired infection (40%)

c. **빈도**

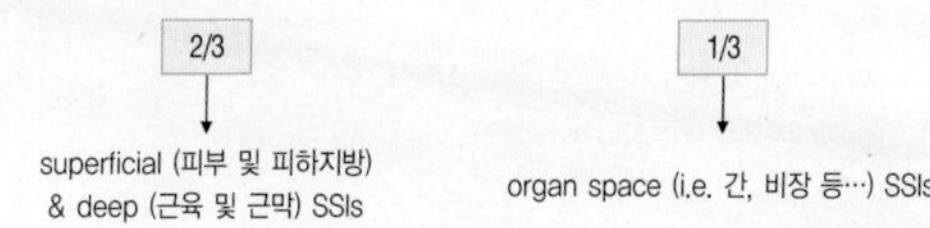

논란이 많지만 유방절제술 및 탈장교정술 같은 수술 후 1세대 cephalosporin사용은 도움이 된다.
즉, "수술을 시작하는 **절개(incision) 30분내로 투여**하는 것이 적절" 한데 환자가 **수술방에 들어오자마자** 항생제를 투여하면 수술을 준비하는데 대략 30분 내의 시간이 소요되므로 적절하다.

d. **균의 기원** (Bacterial Contanination 발생 부위)

- **복강 내 장관**이 열려서 여기에서의 균에 의한 오염 (m/c)
- **환자 피부**에 있는 flora
- **수술 방**에서의 감염원칙이 깨어져서 외과의 장비 등에 의한 감염

e. 수술 전 저녁 또는 직전 hair removal 하는 것은 SSI 발생을 모두 증가(5배, 2배) : 그래서 수술 전날 antimicrovial shower가 좋다.

(표) SSI로부터 동정된 병균

Pathogen	% of Isolates
Stapbylococcus (coagulase negative)	25.6
Enterococcus (group D)	11.5
Stapbylococcus aureus	8.7
Canadida albicans	6.5
Escbericbia cili	6.3
Pseudomonas aeruginosa	6.0

② **조치**

a. **징후** : rubor (redness), color (local heat), dolor (pain), tumor (swelling)이 POD # 5-6에 나타남

b. SSI가 의심되는 부위의 stapler를 제거하고 면봉 등으로 창상을 탐색(probing)하여 감염이 있으면 모두 배액될 수 있도록 창상을 벌리고 debridement한다. **이때 반드시 fascia가 온전한지 확인한다**(fascia가 온전하지 않고 열리면 → dehiscence에 해당함).

c. 창상을 눌렀을 때 **마찰음(crepitus)**이 들리고 지저분하고, **녹색**의 fascia의 괴사소견이 보일 때
→ **Necrotizing fascitis** (by Clostridium perfringens) 의심
빨리 수술방 가서 **Debridement & 광범위 항생제 치료!!!**

③ **예방**

a. **예방적 항생제★★★**
- **적응증** : "clean-contaminated surgey"
- 보통 위장관 수술 전엔 2세대 cephalosporin이 이용됨
- **용법**
  - **환자가 "수술방에 도착하자마자" 투여하는 것이 적절하며 수술도중 4시간마다 이어서 투여를 이어가며 수술 후 2회 투여한다.**(수술 후 2회 이상 투여시 내성균 및 pseudomembranous colitis 위험이 있다.)

b. **환자 위험인자 (patient factors) 조절**
- 예컨대 당뇨환자의 철저한 혈당조절, 비만환자의 체중조절, 금연 (수술전 30일 전)

추가노트

☞ 창상에서 동정되는 가장 흔한 균은 SA(staphylococcus aureus), CNS(coagulase-negative staphylococcus)이지만 많은 양의 위장관액이 노출된 수술 후의 창상에서는 Enterobacter 및 E. coli의 빈도가 높다.

cf) dirty 혹은 contaminated op시 항생제치료는 예방적이 아닌 치료목적이며 clean op시 항생제 치료에 대해선 논란이 많다.

c. **환경 위험인자 (Environmental factors) 조절**

- 수술 전날 저녁 antibiotic shower실시
- 장세척
  - 복강내 수술, 특히 **소장 및 대장 수술시** 이용되며 contaminated case의 경우 25%, clean-contaminated case의 경우 5%의 감염위험을 낮춘다.
  - 방법 : 비흡수성의 위세척액을 복용하고, neomycin 혹은 erythromycin 등의 경구용 비흡수성항생제를 복용한다.
- **담배 끊기(30일 전)★**, 수술 전 germicidal soap로 샤워(TPN은 오히려 morbidity만 증가시킨다.)

d. **치료 위험인자 (Treatment factors) 조절**- 수술 시 주의할 사항

1. **수술조직에 대한 적절한 handling**
2. **꼼꼼한 dissection, 지혈 및 debridement**
3. **복강내의 철저한 감염원 확인**
4. 수술장기로의 적절한 혈액공급 유지
5. FB (foreign body) 제거
6. 수술팀의 무균 원칙준수
7. 창상 농양부위의 배액 및 세척
8. 환자의 체온 유지 및 적절한 수액공급
9. 일차봉합을 할 것인지 젖은 거즈를 창상에 넣은 뒤 이차봉합을 할 것인지를 결정해야 한다.

(표) 수술 후 SSI의 위험인자

환자인자		환경인자	치료인자
• 복수	• 말초혈관질환	• 약제의 감염	• 배액관 (drains)
• 만성염증	• 술후 빈혈	• 부적절한 sterilization	• 응급수술 시
• 영양결핍	• 수술부위의 방사선조사	• 부적절한 환기	• 부적절한 항생제처치
• 비만	• 최근의 수술	• FB존재	• 수술전 입원
• 당뇨	• 감염의 과거력		• 장기 수술
• 고령	• 피부병변		
• 고콜레스테롤혈증	• 면역억제		
• 저산혈증			

추가노트

☞ SSIs를 줄일 수 있는 operative factors

- 효과적인 지혈
- 저체온증 방지
- 조직을 Gentle handling함
- devitalized tissue 제거
- inadvertent enterotomies 피함
- dead-space region을 줄인다.
- monofilament suture 이용
- closed-suction drain 사용

5. Chronic Wound

① **원인**

- **정의** : 적절한 창상관리를 함에도 불구, **술 후 30-90일 내** 치유가 안되는 창상

  ex. 면역상태가 저하된 환자 Crohn's disease, AIDS

  Steroid - **복용중인 환자** (iatrogenic cause 중 m/c)

  화학요법, 방사선요법을 받는 환자, 영양결핍 및 악성종양이 있는 경우

② **임상양상 및 치료**

a. chronic wound는 contaminated or dirty wound로 간주하고 처치한다.

b. nutritional, iatrogenic, underlying pathology를 제거하고 **surgical resection & primary closure** 한다!!!

③ **예방**

a. 이전 방사선치료를 받은 곳은 incision을 피한다.

b. **수술 전 영양 상태를 개선시킨다.**

c. 금연

(표) Surgical Wound Classification

Category	Criteria	Infection Rate
Clean	• 장관 (hollow viscus)가 열리지 않은 경우 • 일차 창상봉합 • 염증이 없을 때 • 무균처치(aseptic technique)가 적절하게 이루어진 경우 • 예정수술(Elective procedure)	1%~3%
Clean contaminated	• **장관이 열렸으나 감염에 대한 적절한 조치가 이루어진 경우** • 염증이 없을 때 • 일차 창상봉합 • **무균처치의 사소한 중단(minor break)만이 있은 경우** • 기계적 배액관(mechanical drain)이 이용된 경우 • 수술 전 장처치가 이루어진 경우	5%~8%
Contaminated	• **장관에서의 확연한 오염(spillage)이 이루어진 경우** • 확연한 염증 시 • 개방된 외상의 경우 • 무균처치의 중대한 중단(major break)가 이루어진 경우	20%~25%
Dirty	• 장관에서부터의 치료되지 않고 조절되지도 않은 오염이 발생한 경우 • 창상에서의 고름 • 개방된 화농성 창상 • 심한 염증 시	30%~40%

체온조절의 합병증

1. 저체온증

• 체온이 35도 이하로 감소 시의 영향

① 교감신경계의 항진 → 혈관수축 → peripheral organ으로의 perfusion 감소

② 심장허혈 및 심실성 부정맥

③ 혈소판기능저하 및 응고인자의 활성도 저하 → 출혈 위험

④ 대식세포기능저하 및 collagen축적의 감소 → wound healing 저하 및 감염위험

• 저체온증에 대한 대처

① 따뜻한 담요(banket) 및 forced-air warming device 사용

② 경정맥 수액을 warming device를 통해 공급함

③ 흡입마취가스의 온도 및 습도를 올린다.

④ 따뜻한 수액으로 복막세척(peritoneal lavage)을 한다

⑤ Rewarming infusion device with a arteriovenous system

⑥ 드물게는 cardiopulmonary bypass를 이용한다.

2. Malignant Hyperthermia

① 병인

malignant hyperthremia에 대한 감수성을 지닌 개인에서 전신마취 시에 나타날 수 있으며, MH에 대한 감수성은 가족력을 보일 수 있다(AD with variable penetration으로 유전).

즉 골격근 세포내의 근소포체(sarcoplasmic reticulum)에서 근육세포질(myoplasm)내로 **비정상적으로 많은 양의 칼슘을 분비**하게 된다. 이러한 현상이 "흡입마취제"**에 의해 강화**되어 분비된 칼슘에 의한 **근육강직** 및 과대사가 유발된다.

② 조치

1) **원인으로 생각되는 마취제**를 끊고 다른 마취제로 대치한다
2) 환자를 100%산소로 흡입시킨다.
3) 수술을 가급적 빨리 종결시킨다
4) Dantrolene (근이완제)을 반복투여한다.

추가노트

☞ 이외에도
상대적 이뇨(diuresis),간기능장애, 신경기능손상 및 산염기균형 유지 기능 등도 감소된다.

☞ 상당한 열이 머리를 통해 손실되기 때문에 수술 중 머리를 덮어주는 것이 체온유지에 도움이된다는 보고도 있다.

3. 수술 후 발열

① 원인

- **감염성원인인 경우 세균이나 독소 등에 유발되는 cytokine에 의해 발생한다.**
- 수술 후 2/3 환자에서 열이 있고 이 중 1/3이 감염성 원인의 발열이다.

※ 가장 흔한 감염성 발열을 일으키는 질환들

질환	원인 및 원인균	진단
폐렴	병원내에서 발생한 폐렴의 가장 흔한 원인은 위나 구인두(oropharynx) 물질의 **흡입**이다. **초기(4-5일내)** • E.coli, Klebsiella, Streptococcus pneumoniae, Hemophilus influenzae 및 SA(Staphylococcus aureus) **후기** • MRSA 혹은 Pseudomonas aeruginosa	CXR 및 객담배양검사시행 초기에 나타난 폐렴이 후기에 나타난 폐렴보다 예후가 좋다.
비뇨기계감염	주로 Foley catheter삽입과 관련된다. 원인균 → **E.coli** 가 가장 흔함	도관이 없을땐 10^5 CFU/ml 도관이 있을땐 10^3 CFU/ml
카테터 관련감염	Coagulase-negative SA, GNB 및 Candida	말초혈액에서 15 CFU및 IV catheter에서 10^2 CFU 시

② 시기별 원인 찾기

수술 후 2-3일 후의 열

무기폐 (atelectasis)

수술 후 5-8일 후의 열

"6 W" 를 환자의 증상과 연관지어 알아본다.

- wind : 폐
- wound : 창상감염
- water : 비뇨기계
- waste : 하부 위장관
- wander drug : 항생제 등
- walker : 혈전증

추가노트

☞ 수술 후 2-3일 후 발열의 원인은 대부분 비감염성인데 예외적으로 **창상의 clostridial 혹은 streptococcal infection의** 경우 수술 후 3일내 발열의 원인이 될 수 있다.

호흡기계 합병증

• 수술환자의 1/4-1/2 : 호흡기계 합병증 발생
수술 후 사망의 25% 호흡기계 합병증으로 인해서 발생함

■ 수술 후의 폐생리 변화

1. FRC (functional residual capacity) 감소 → 복부팽장, 통증, 비만, 흡연, 수액과다 등이 원인임
2. 수술 후 2일 동안 **VC(vival capacity)**가 심하게는 50%까지 감소한다
3. 마취제, 진통제 등으로 **respiratory drive가 감소**되어 있다.

■ 호흡부전의 종류

1형	2형
폐포차원에서 비정상적인 가스교환이 이루어지는 경우 • **PaO2가 낮고 PaCO2는 정상**이다. • V/Q mismatching(ventilation/perfusion)과 shunt가 원인이다. • **폐부종** 및 **패혈증** 등이 여기에 속한다.	• **PaO2가 낮고 PaCO2가 높다.** (즉 환자가 CO_2를 적절히 배출하지 못한다) • **과다한 진통제** 사용, **CO2생성 증가**, **호흡역학의 변화** 및 **ARDS**시 나타난다.

■ 수술전 검사

① **폐기능검사(PFT; Pulmonary function test)**

• 과다흡연자, 가정용 산소를 사용하는 경우, **한 계단을 오르기도 힘들어하는 경우**, 폐절제술을 시행받은 경우, 영양상태가 좋지 않은 **고령** 환자 및 천식으로 기관지확장제를 복용하는 환자

• **FEV1(Forced expiratory volume in 1 sec) :**
2 L이상인 경우 위험은 낮지만 예상치의 **50% 이하**인 경우 exertional dyspnea위험이 있다.

② ABGA

• 적혈구 증가증(polycythemia) 및 만성호흡성 산증이 있는 경우

• **PaO2가 60mmHg 이하 및 PaCO2가 45-50mmHg 이상 시 위험이 높다.**

추가노트

☞ 호흡기합병증은 수술 환자의 25%에 이르고, 수술환자 사망원인의 25%이다.
☞ major 수술의 경우 수술환자의 **Chest PA와 lateral film**을 촬영하여 나중변화에 대한 기초자료로 이용한다.

1. Atelectasis & Pneumonia ★

① **원인**

- Atelectasis : **가장 흔한 호흡기 합병증**
- alveolar segment의 collapse → pulmonary shunt
- pneumonia **위험**이 높아진다.

② **진단 및 치료**

a. **진단** : fever + leukocytosis, CXR ★★★상 infilteration + thick production → culture (+)

b. **치료**

원칙 환자가 **깊이 호흡**하며 **기침**하도록 한다★

- 이를 위해 적절히 **통증**조절을 한다.
- **수술 전**부터 incentive spirometer를 주어 **호흡연습**을 시킨다.
- 환자의 기침을 시킬 때 **베개를 배에 대고** 기침을 시키면 효과적이다.

2. 흡인성 폐렴 (Aspiration pneumonia, Aspiration pneumonitis)

① **원인**

1) 정상적인 연하(swallowing)생리의 변화 – 즉, **식도괄약근의 장애**, 후두반사장애 위장관운동성의 변화 등	• 고령환자 • NG tube를 지닌 경우 (즉 식도괄약근이 늘 열려있게 된다) • 마취제가 식도괄약근 압을 낮춘다. • 장마비 및 장폐색 환자 • 당뇨병성 위마비 • H2길항제 및 PPI를 복용하는 경우 위산도를 높혀 병균침투위험이 높으므로 흡입성폐렴위험도 높아진다.
2) 환자의 의식저하 – reflux위험이 증가하고 조기에 발견못하므로 폐렴으로 진행할 수 있다.	• 외상환자 • 중환자실 환자 (critically ill patients) • extubation 시 흡입위험이 높다.

추가노트

☞ 폐포허탈의 원인으로는 마취제, 복부절개, 수술후의 마약성진통제 사용 등이 있다.

☞ 무기폐는 수술후 **48시간내에 발생하는 가장 흔한 발열의 원인**이다.

☞ PCA (patient-controlled analgesia device) 및 경막외마취(Epidural anesthesia)가 이러한 통증조절에 도움을 주어 atelectasis빈도를 낮출 수 있다.

② **임상양상**

- 구토, 기침 등의 임상양상이 있을 수 있으나 증상이 없는 경우도 많다.
- chest film에서 upper lobes의 posterior segments 및 lower lobes의 apical segments의 침윤소견이 관찰된다.

③ **치료**

a. **예방**

- elective Op전에는 **저녁식사 후 6시간이상 금식** 및 **clear liquid섭취 후에는 4시간 금식**이 필요하다. 당뇨인 경우는 그 시간을 더 늘려야 한다.
- 수술후 과도한 마약성진통제 투약을 줄이고, ambulation을 시키며 식사시 주의를 준다.

b. **치료**

- 적절히 산소를 공급하며 필요 시 기관내 삽관을 시행한 후 흡입(suction)을 시행한다.
- **항생제 투약**
  - 적응증

i) **장폐색** 및 **위내용물의 colonization**이 의심되는 경우는 항생제 투약한다.
ii) 흡입후 **48시간**이 지나도 호전되지 않는 경우

→ "그람음성 균" 에 대한 적절한 항생제를 투약한다.

3. 폐부종, 급성 폐손상 및 ARDS

■ 폐부종

- 폐포 내에 수액이 차 있는 상태로 CHF 및 급성 심근경색 후 속발할 수 있다.
- **PCWP가 증가**되므로 급성 폐손상 및 ARDS와 구분할 수 있다.
- 치료 : **수액제한** 및 **이뇨제**

추가노트

☞ 용어의 구분

- Aspiration pneumonitis (Mendelson' s syndrome) : 역류된 위내용물로 인한 급성 폐손상
- Aspiration pneumonia : 병적세균이 함유된 구인두분비물(oropharyngeal secretion)을 흡입하여 생긴 폐렴

☞ 폐부종, 급성폐손상 및 ARDS는 **급성 호흡부전(Acute respiratory failure)**을 유발하는 원인이다.

■급성 폐손상 및 ARDS

<table>
<tr><th>급성 폐손상 (Acute lung inury)</th><th>ARDS</th></tr>
<tr><td colspan="2">1) 병인
폐포에 염증성 물질이 채워지고, 모세혈관과 폐포사이의 두께가 두꺼워지면서 발생한다.</td></tr>
<tr><td>2) 진단기준
PCWP가 18mmHg이하이면서
PaO_2/FiO_2비 〈 300
CXR에서 bilateral infiltration이 있다.</td><td>
PCWP가 18mmHg이하이면서
PaO_2/FiO_2비 〈 200
CXR에서 bilateral infiltration이 있다.</td></tr>
<tr><td colspan="2">3) 치료
a. 환자의 상태가 좋지 않을 때 기관내 삽관후 FIO_2 100%를 공급하고 FIO_2 60%로 낮추어간다.
b. TV을 낮게 맞추어 (6-8ml/kg, peak pressure 35 cmH2O) 압력으로 인한 폐손상 위험을 낮춘다.
c. 호흡수는 $PaCO_2$가 40mmHg가량 유지될 수 있도록 조절하고 I:E ratio는 1:2로 조절한다.
d. 초기엔 sedation 및 약제성 마비를 통해 환자를 안정시킬 필요가 있다.</td></tr>
</table>

(표) 인공호흡기를 weaning하는 기준

① 호흡수 〈 25 회/분
② PaO_2 〉 70mmHg (FiO_2 40%에서)
③ $PaCO_2$ 〈 45mmHg
④ Minute ventilation 8–9 L/min
⑤ TV (tidal volume) 5–6 mL/kg
⑥ Negative inspiratory force −25 cmH_2O

추가노트

☞ 즉, 급성폐손상이 더 심하면 ARDS라고 생각하면 무난

4. 폐색전증 및 정맥 혈전색전증(Pulmonary embolism and Venous thromboembolism)

① 원인

- 아래와 같은 다양한 위험인자를 지닌다.

(표) 정맥혈전색전증(Venous thromboembolism)의 위험인자

a. 일반적인 요인
- 고령
- 입원
- indwelling venous catheter
- 신경계질환 (마비 등)
- 심장질환 (심근병증, 심근경색, 심장판막질환으로 인한 심부전…)
- 급성 폐질환 (ARDS, 폐렴)
- COPD
- 정맥류(varicose vein)

b. 유전적인 혈전성향증 (Inherited thrombophilia)
- C단백 및 S단백결핍
- antithrombin III 결핍
- Dysfibrinogenemia
- Factor V Leiden 변이
- Prothrombin 유전자 변이
- Hyperhomocystinemia
- Anticardiolipin Ab
- PNH(Paroxysmal nocturnal hemoglobinemia)

c. 후천적 혈전성향증 (Acquired thrombophilia)
- 악성종양
- 염증성 장질환
- heparin에 의한 혈소판감소증
- 외상
- 대수술
- 임신 및 분만후
- 신증후군
- 베흐체트병
- SLE
- 정맥혈전증의 과거력

② 임상양상 및 진단

a. 임상양상

• 50% 이상의 DVT환자는 증상이 없다

• 폐색전증 시 아래의 증상이 나타날 수 있다.

(표) 폐색전증의 증상 및 징후

• Pleuritic chest pain	• 다리 촉진 시의 통증
• 갑작스런 **호흡곤란**	• 급성 우심실부전
• **빠른호흡** (tachypnea)	• 저산소증
• 객혈 (hemoptysis)	• S4 heart sound
• 빈맥 (tachycardia)	• 큰 두번째 pulmonary sound
• 다리의 부종	• Inspiratory crackle

b. 진단검사

• ABGA	• PCO_2<36mmHg, PO_2<60mmHg
• ECG	• RBBB, RAD, P-wave pulmonale
• D-dimer	• cross-linked fibrin blood clot의 분해산물로 급성 혈전색전증시 증가된다. • ELISA로 측정한다. • **음성결과 시 DVT가 아니라고 할 수 있지만** 양성 시 꼭 DVT라고 할 수 있지 않다. (즉, DVT외에도 D-dimer를 증가시키는 다른 요인들이 있다)
• CT angiography (= Spiral CT, Helical CT)★	• 높은 특이성(92%)과 민감도(86%)를 지닌다. • PE가 아닌 환자의 호흡기증상의 원인을 찾을 수 있다.
• **폐동맥촬영술** (Pulmonary angiography)	• Gold standard • 직접적으로 동맥가지를 조영하여 filling defect를 찾는다. • 매우 침습적인 검사이므로(invasive) 잘 사용하지 않는다.
• **심장초음파검사** (Echocardiography)	• 빠르고, 비침습적이며, bedside에서도 할 수 있는 장점이 있다. • PE의 결과로 발생한 우측심실부전 등을 발견할 수 있으며 다른 원인의 속을 감별할 수 있는 장점이 있다.
• **정맥 초음파검사**	• PE를 진단하는 간접적인 검사이다 • PE를 지닌 환자의 1/3에서 하지정맥의 DVT소견을 보인다.

추가노트

☞ CT angiography는 비교적 invasive검사라고 할 수 있으며 조영제를 사용하고 촬영 시 환자의 협조를 필요로 한다. 또한 subsegmental a.에 있는 색전은 발견을 못하는데 이 경우가 20%에 해당한다. 그리고 10%의 환자에서 확정적인 소견을 보이지 않는다는 단점이 있다.

☞ PE가 의심되는 환자로의 접근

1) 기본검사 : CXR, ECG, ABGA, D-dimer검사

2) 다리증상이 있으면 → 정맥 초음파검사 (양성 시 항응고요법을 시작한다)

다리증상이 없으면 → spiral CT (spiral CT에서 확정적인 결과를 얻지 못하면 폐혈관촬영술 시행)

매우 상태가 좋지 않으며 PE가 강하게 의심되는 환자의 경우

1) 환자의 활력징후가 안정적일 경우 → 일단 **항응고요법**을 시행하고 정맥초음파 → spiral CT 검사를 시행한다.

2) 환자의 활력징후가 불안정적일 때 → 일단 **항응고요법**을 시행하고 정맥초음파 → 심장초음파검사를 시행한다.

→ 심장초음파 양성이면 **혈전용해요법**을 시행하고 심장초음파 음성이면 **폐혈관촬영술**을 시행한다.

③ **치료약제들**

• Ultrafractionated heparin	• antithrombin III와 Xa인자의 항트롬빈효과를 높힌다. • SC 및 IV 투여 모두 가능하다. • partial thromboplastin time이 정상의 1.5–2배가 되도록 용량을 조절한다.
• LMWH	• 일차적으로 **Xa인자**를 비활성화시킨다. • **SC제제**로 이용된다. • 특별히 투여시 **monitoring하지 않는다.**
• Fondaparinux	• 합성 pentasaccharide항응고제로 • 선택적으로 **Xa인자**의 기능을 억제한다.
• Vitamin K **길항제**	• warfarin이 여기에 해당하며, onset이 늦으므로 heparin과 **2일 가량** overlap하여 복용한다. • **경구용 제제**이며 PT INR 2.5을 목표로 용량을 조절하고 **3개월** 이상 복용해야 한다. • vitamine **K를 필요로 하는 인자**(2, 7, 9, 10 **인자**)의 기능을 약화시켜 항응고기능을 나타낸다.
• **혈전용해제**	• streptokinase, urokinase **및 합성** tissue plasminoge activator**가 해당**되며 massive PE의 **치료**에 이용된다.

추가노트

☞ Heparin은 **새로운 혈전이 생성되는 것을 막고 혈전이 퍼지는 것을 방지**하는 기능이 있다. 임상적으로 Ultrafractionated heparin과 LMWH(low molecular weight heparin)이 있다.

☞ PE의 예방

1) Ultrafractionated heparin, LMWH 및 Fondaparinux 등을 수술 전 및 수술 중 예방적 목적으로 사용할 수 있다.
2) 압박스타킹(elastic stocking, graduated compression stocking), Intermittent pneumatic compression device 및 venous foot pump 등을 사용할 수 있다.
3) 항응고제 금기증 환자에선 IVC filter를 사용할 수 있다.

☞ Massive PE시 치료

1) Resiscitation, 산소공급 등으로 활력징후를 정상화시킨다.
2) 먼저 IV Ultrafractionated heparin을 투여한다.
3) 금기증이 아니면 **혈전용해요법**을 사용한다.

심장 합병증

1. 술후 고혈압

① 원인 : 부적절한 **진통제** 투여, **수액과다**, 대동맥폐쇄(Aortic occlusion), **저산증**, 두개강내 손상(Intracranial injury), Phoechromocytoma

② **조치**

- 위험한 이유는 MI, Hemorrhage, Vascular anastomosis의 disruption 등의 위험이 있기 때문임
- 술전 diastolic BP〉110 이면 조절해라.
- 치료: 작용이 빠르고, 반감기가 짧으며, 자율신경계 부작용이 적은 β-blocker나 α2 agonist (clonidipe)이 적합하다.

③ **예방**

- elective surgery전 원래 먹던 **항고혈압제제**를 **수술 당일날**도 복용케 함 (단, β-blocker는 제외)
- 술후 적절한 analgesia & sedation
- 보통은 6-8시간 정도만 지속되는 self-limited course를 지님

2. Perioperative Ischemia & Infarction

① **원인**

- Noncardiac surgery후 고령환자 사망의 주요원인이다.
- 수술 전후 AMI (Acute myocardial infarction) 사망률 : 50-90% (일반 AMI 사망률 : 12%)
  대부분 술후 **48시간 내** 사망
- Perioperative AMI시 shock이 가장 흔히 동반된다.
- 전에 AMI 과거력이 있는 환자에서 금번 수술 후 Reinfarction rate
  : time dependent!! (술후 3개월이내 발생: 27%, 6개월 후 : 5-8%)

② **임상양상 및 치료**

- 흉통은 AMI의 가장 흔한 증상이지만, 수술 후의 경우 "**30% 이하**" 에서만 나타난다. dyspnea, cyanosis, tachycardia, hypotension, shock
- **진단** : ECG & cardiac enzyme level(troponin level이 더 sensitive), nuclear imaging, coronary angiography
- **치료** : O_2 투여, antiPLT agents, Thrombolytics, systemic heparinization, βBlocker, IV Nitrate, CaCB, Diuretics & Antiarrhythmic agents
- reperfusion이 MI attack보다 **2-4시간** 이상 지연되면 myocyte death 발생

③ **예방**

- 수술 전 위험환자를 선별하여, 심기능을 최적화시킨다.

(표) Cardiac Risk Index System (CRIS)

Factors	Points
1. 병력	
• Age > 70	5
• Myocardial infarction < 6 months ago	10
• Aortic stenosis	3
2. 진찰 소견	
• S3 gallop jugular venous distention, congestive heart failure	11
• Bedridden	3
3. 검사실 소견	
• PO_2 < 60 mmHg	3
• PCO_2 > 50 mmHg	3
• Potassium < 3 mEq/dL	3
• Blood urea nitrogen > 50 mg/dL	3
• Creatinine > 3 mg/dL	3
4. 수술	
• Emergency	4
• Intrathoracic	3
• Intra-abdominal	3
• Aortic	3

	Incidence of Major Complications (%)				
	Baseline	I (0-5 pts)	II (6-12 pts)	III (13-25 pts)	IV (>26 pts)
Minor surgery	1	0.3	1	3	19
Major noncardiac surgery, age > 40	4	1	4	12	48
Aortic surgery, age > 40 with other characteristics	10	3	10	30	75

비뇨기계 합병증

1. Urinary Retention

① 증상 & 원인

- 소변이 찬 방광을 비우지 못한다.
  - 고령 환자
  - 수술인자 : 탈장수술, 직장암수술 후 - 마취인자 : 척추 마취 후
  - 기타 수액을 많이 공급한 경우

② 조치

- 수술 후 6~7시간 내 voiding 못하면 catheterization 시행
- 2번 이상 catheterization 필요시 foley catheter를 2-5일간 계속 유지한다.

③ 예방

- 술전 꼭 voiding 시켜라
- Phenoxybenzamine (α-adrenergic antagonist)

2. 급성신부전 (Acute Renal Failure)

① 원인

a. 종류

Oliguric RF	Nonoliguric RF
소변량 〈 480ml/day	소변량 〉 2000ml/day 혈액에서 독성물질이 걸러지지 않은 등장성 소변이 과량배출된다.

b. 원인

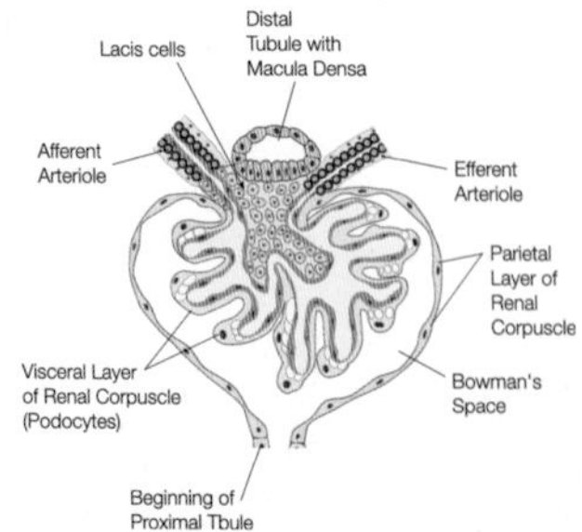

(그림) 정상적인 사구체의 perfusion은 afferent & efferent arterioles의 autoregulatory mechanism에 의해 결정된다. 이러한 기전에 이상이 생기면 ARF가 초래된다. 즉, afferent arteriole이 수축하거나 efferent arteriole이 확장되면 GFR이 감소된다.

추가노트

☞ 정상인은 배뇨하지 않고 **6-7시간이상 견디지 못한다.** 따라서 환자가 마지막 배뇨시간을 정확히 파악하고 그후 6-7시간이 지났음에도 배뇨하지 못하면 적절한 조치를 취해야 한다.

Prerenal	• 패혈증 약물: NSAIDs, ACEi • intravascular volume contraction : 저혈량, 출혈, 탈수, 색전증, third spacing, 심부전
Intrinsic Renal	• 신허혈 약물: aminoglycoside, amphotericin • 조영제 interstitial nephritis
Postrenal	• debris (ATN시의 cellular debris), crystals (uric acid, oxalate), 색소 (myoglobin, Hemoglobin) 등으로 인한 tubular obstruction • Ureteral obstruction 등

② **임상양상 및 치료**

a. **치료원칙**

신질환이 있는 환자등 **위험요소**가 있는 환자를 미리 주의	저혈량, 저혈압 및 신장기능을 악화시키는 **약제를 피한다.**	꼭 투여가 필요한 약제는 환자의 신기능에 맞게 **용량을 조절**한다.

b. **치료지침**

• 아래표를 이용하여 신부전 원인을 감별한다.

(표) ARF의 진단

Parameter	Prerenal	Renal	Postrenal
Urine osmolality	>500 mOsm/L	= Plasma	Variable
Urinary sodium	<20 mOsm/L	>50 mOsm/L	>50 mOsm/L
Fractional excretion of sodium	<1%	>3%	Variable
Urine/plasma creatnine	>40	<20	<20
Urine/plasma urea	>8	<3	Variable
Urine osmolality/plasma osmolality	<1.5	>1.5	Variable

추가노트

☞ **조영제로 인한 신부전**

• 조영제 투여 후 48시간 후 tubular damage가 발생한다.

• **당뇨, 저혈량증 및 이미 신부전이 있는 경우** 발생가능성이 매우 높다

• 대부분 self-limited하며 가역적이다.

• 치료 및 예방

- 적절한 hydration 및 free radical scavenger (N-acetylcysteine)으로 선처방한다.
- 독성이 낮은 조영제를 이용한다(gadolinium).

☞ crushing injury와 관련된 둔상(blunt trauma) 시

• 혈액 내에 hematin및 myoglobin치가 높으며 이러한 물질들이 renal tubular injury를 일으킨다.

☞ prerenal RF의 경우(ex.위장관을 통한 수액소실) BUN의 상승이 Cr상승보다 크게 나나타서 BUN/Cr 비가 20을 넘는다.

• spot urine test도 도움이 된다.

• Hyaline cast	→	hypoperfusion
• Granular cast	→	ATN (acute tubular necrosis)
• Lipoid cast	→	NSAIDs 혹은 조영제로 인한 신부전
• WBC, RBC casts	→	Pyelonephritis

c. **치료방향**

신장으로의 hypoperfusion 원인이 **저혈량성인지 심부전인지** 결정해야 한다.

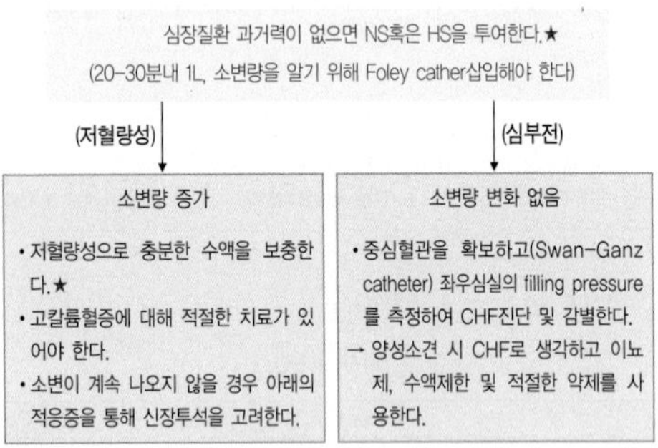

심장질환 과거력이 없으면 NS혹은 HS을 투여한다.★
(20-30분내 1L, 소변량을 알기 위해 Foley cather삽입해야 한다)

(저혈량성) ↓

소변량 증가

• 저혈량성으로 충분한 수액을 보충한다.★
• 고칼륨혈증에 대해 적절한 치료가 있어야 한다.
• 소변이 계속 나오지 않을 경우 아래의 적응증을 통해 신장투석을 고려한다.

(심부전) ↓

소변량 변화 없음

• 중심혈관을 확보하고(Swan-Ganz catheter) 좌우심실의 filling pressure를 측정하여 CHF진단 및 감별한다.
→ 양성소견 시 CHF로 생각하고 이뇨제, 수액제한 및 적절한 약제를 사용한다.

(표) 신장투석의 적응증

1) serum K+ 〉 5.5mEq/L
2) BUN 〉 80-90 mg/dl
3) 지속적인 **대사성 산증**
4) **급성 수액과다**
5) **요독증 증상** (심막염, 뇌증 및 식욕부진)
6) 독소를 제거할 목적으로
7) 출혈을 유발하는 혈소판 기능장애
8) 고칼슘혈증과 동반된 고인혈증

추가노트

☞ 신장초음파를 통해 신장크기를 측정하여 신부전의 원인이 급성인지 만성인지 감별할 수 있다.
즉 CRF는 신장크기의 수축이 있다. 신장초음파를 통해 신장크기를 측정하여 신부전의 원인이 급성인지 만성인지 감별할 수 있다. 즉 **CRF는 신장크기의 수축이 있다.**

내분비계 이상

1. 부신 부전 (Adrenal insufficiency)

① 원인

a. 만성	일차성: 자가면역성(Addison's disease)질환 이차성: <u>오랫동안 스테로이드 복용</u>(m/c) ㄴ HPA(Hypothalamic-Pituitary-Adrenal) axis억제하여 부신의 위축 유발함
b. 급성	• 만성적으로 복용하던 스테로이드를 갑자기 중단한 경우 • 부신의 절제술 및 패혈증 등으로 인한 파괴 • pituitary gl. 손상 • **중증환자 및 패혈증 환자에서**

② 임상양상

a. 일반적인 소견:

- 피로, 허약, 식욕부진, 체중감소, 기립성 어지럼증, 복통, 설사, 우울증, 성욕감퇴
- 검사실소견:
  저나트륨혈증, 고칼륨혈증 산증, 저혈당 혹은 고혈당, 정적혈성 빈혈(normocytic anemia), 호산구증가증(eosinophilia), 림프구증가증(lymphocytosis)

b. 일차성 및 이차성 증상

일차성	이차성
• ACTH증가로 인한 증상: **피부 및 점막의 과다색소침착** (hyperpigmentation)	• 증상의 발현순서 초기 **신경학적, 안과적증상** ㄴ 두통, 시각장애 → HPA axis disease (**뇌하수체저하증**) ㄴ 저부신증, ACTH치 감소 다른 호르몬결핍현상 (창백, androgen에 의한 체모감소 oligomenorrhea, 요붕증 갑상선기능저하증)

③ 진단

a. 선별검사

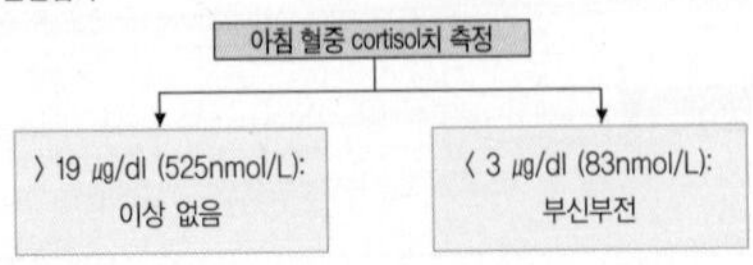

b. 감별검사

ACTH치 측정	rapid ACTH 자극검사	Metyrapone test
• 〉100 pg/ml(22nmol/L) → 일차성 • 이외에도 알도스테론의 감소 및 renin의 증가소견도 있다.	• ACTH 주입 후 cortisol측정 → 정상적으론 cortisol의 일정한 증가가 있어야 한다. (일차성시는 증가하지 않고, 이차성 시엔 약간만 증가하거나 증가하지 않는다)	• 경구 metyrapone복용 → 혈중 11-deoxycortisol의 불충분한 증가 및 낮은 cortisol 농도 (〈8 g/dL) → 이차성

c. 급성 부신부전의 진단

• 의심되는 상황 :

> 만성 부신 부전소견이 있는 환자에서 수액을 보충함에도 호전이 없는 **저혈압** 및 감염부위를 알 수 없는 **염증반응**이 나타날 때

• 검사실소견

- saline을 보충해도 호전없는 저나트륨혈증이 있고 그 결과 섬망, 혼수 및 경련 등을 할 수 있다.
- 저혈당 및 신부전
- ECG : 낮은 전압이며 높은 높은 T wave를 지닌다.
- 진단을 위해 cortisol, ACTH를 측정하고, short ACTH 자극검사를 시행한다.

④ 치료

a. 중증환자에서의 예방

• hydrocortisone (100mg; stress dose)를 마취시작 시 주입한다.

• **"소수술"** 인 경우 수술 후 **유지용량**만 필요하고 **"대수술"** 인 경우는 stress dose(100mg)을 안정화될 때까지 8시간마다 보충한 뒤 유지용량으로 tapering한다.

추가노트

☞ 이러한 검사 이후 일차성 이차성 병변의 위치를 알기 위해 brain MRI(→ 이차성 질환시) 및 복부 CT(→ 일차성 질환시) 검사를 할 수 있다.

b. 증상이 있는 환자의 치료

- hydrocortisone 혹은 cortisone으로 치료한다.
- 일차성인 경우는 aldosterone대체제인 fludrocortisone도 투여한다.
- 수술 전 3 주 이상 20mg 이상의 prednisone을 매일 복용한 환자 및 쿠싱 증후군 환자가 수술을 받을 경우 HPA 억제가 있는 것으로 간주하고 여기에 맞게 투약해야 한다.
- 급성부전의 경우 수액의 보충(saline infusion) 및 높은 용량의 hydrocortisone 혹은 methylprednisolone 보충이 필요하다.

(표) hydrocortisone과 비교 시의 상대적인 스테로이드 효능

Glucocorticoid Activity	Mineralocorticoid Activity	
Short Acting		
Hydrocortisone	1	1
Cortisone	0.8	0.8
Intermediate Acting		
Prednisone	4	0.25
Prednisolone	4	0.25
Methylprednisolone	5	Trace
Triamcinolone	5	Trace
Long Acting		
Dexamethasone	20	Trace

2. Hyperthyroid Crisis

① 원인

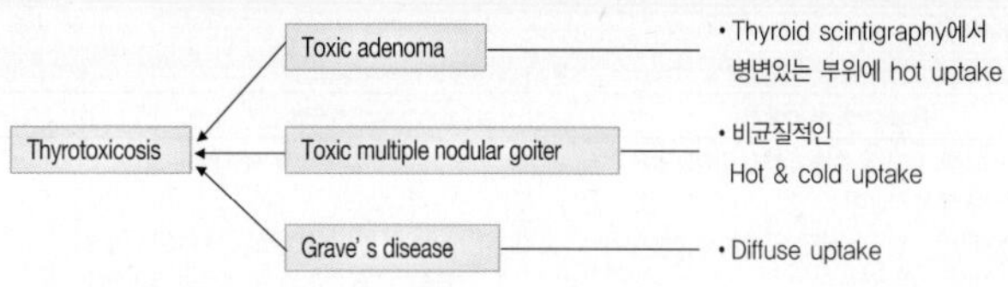

② **임상양상**

a. **갑상선기능항진증 증상**

: 신경과민(nervousness), 피로, 촉진(palpation), 더위를 참지 못함(heat intolerance), 체중감소, Atrial fibrillation, 안과증상 (눈꺼풀 함몰, 안구주위 부종, 눈돌출)

→ 다양한 임상양상으로 나타나나 "**심혈관계 증상**" 이 가장 중요하다.

③ **Thyroid crisis의 치료**

a. **응급조치**

1) 악화인자를 찾는다.

2) 보존적 처치 :

- 산소 및 수액공급, 진정(chlorpromazine)
- Heparin – venous thromboembolism 예방
- Dexamethasone

  : 스테로이드 공급은 T4 → T3로의 peripheral conversion을 억제하고 생리적 필요량을 충족시키는 효과가 있다.

3) 열 : 열에 대한 해열제 및 cooling

4) 심부전 : Digoxin 및 이뇨제 : 예방 목적으로는 주지 않는다.

5) **β차단 : propranolol을 투여하여 심박수를 100회 이하로 낮춘다.**

항갑상선제제 **PTU** (propylthouracil) 혹은 **Methimazole**	⟶ 4시간 후	Lugol's solution

6) 24-48시간 후에도 호전이 없으면 혈장교환등을 시행할 수 있다.
Euthyroid 상태가 되면 secondary crisis를 막기 위해 definite Tx를 시작해야한다.

b. **Definite Tx**

Radioactive Iodine	수술
• 고령의 환자 및 수술에 대한 위험이 높은 환자에게 적합하다.	• 갑상선 전절제 및 부분절제술이 있다.
• 금기증 : 소아, 임산부 및 큰 toxic adenoma 환자에서	• 수술 전 항갑상선제제 및 iodine을 7일 동안 복용하여 euthyroid상태로 수술해야 한다.

추가노트

☞ 24-48시간 후에도 호전이 없으면 혈장교환 등을 시행할 수 있다.
일단 euthyroidism상태가 되면 이차적인 위기를 막기 위한 definite Tx를 시작해야 한다.

3. SIADH (Syndrome of Inappropriate Antidiuretic Hormone Secretion)

① 원인 및 진단

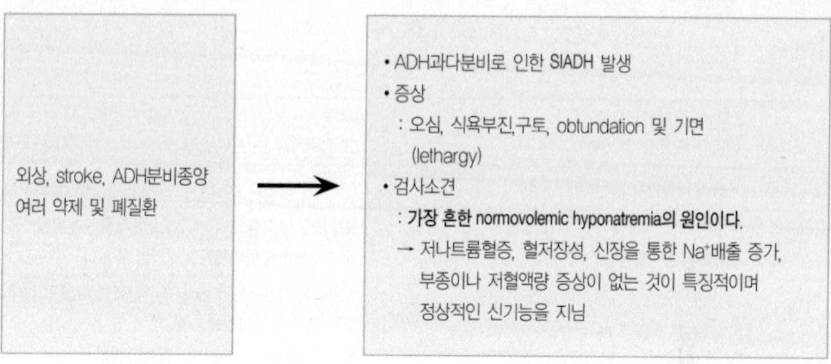

외상, stroke, ADH분비종양
여러 약제 및 폐질환
• ADH과다분비로 인한 SIADH 발생
• 증상
: 오심, 식욕부진,구토, obtundation 및 기면 (lethargy)
• 검사소견
: **가장 흔한** normovolemic hyponatremia**의 원인이다.**
→ 저나트륨혈증, 혈저장성, 신장을 통한 Na^+배출 증가, 부종이나 저혈액량 증상이 없는 것이 특징적이며 정상적인 신기능을 지님

② 치료

a. "**수액을 제한**" 한다.

b. **저나트륨혈증**의 교정

- NS나 3% Saline용액을 통해 저나트륨혈증을 교정한다.
  (〈0.5mmol/L/hr의 속도로 Na^+125mg/dL를 목표로 한다)
- 경우에 따라 이뇨제(furosemide)가 도움이 된다.

c. 궁극적으로는 SIADH를 발생하게 한 **근본원인**을 교정한다.

추가노트

☞ ADH를 분비시키는 요인으로는 **저혈량, 오심, 저혈당 및 여러 약제**(ACE inhibitor, dopamine 및 NSAIDs) 등이 있다.

위장관 합병증

1. 장마비 및 초기 수술 후 장폐색

① **원인★**

	이차성 장마비 (adynamic or paralytic ileus)	장폐색 (Mechanical ileus)
원인	• **여러 악화인자**로 인해 장운동성이 떨어진다.	• 장내, 혹은 장외 원인들에 의해 장이 막히는 경우
임상양상	• 전반적인 복부불편감이 있으나 **예리한 경련통은 없다.**	• **복부청진 시 고음도의 tinkling 소리가 들리며 발열, 빈맥, 저혈량증 및패혈증이 나타날 수 있다.**
복부사진	• 전반적으로 소장전체가 늘어나 보이며, 결장 및 직장에 공기음영이 나타난다. air fluid level이 나타날 수 있다.	• 소장확장 및 air fluid level이 관찰되고 폐쇄근위부로 두꺼워진 **valvulae coniventes**가 보일 수 있으며 **폐쇄원위부로는 공기음영이 적거나 없다.**
CT소견		• **폐쇄 이행부(transition point)**가 나타날 수 있다.
치료	• 악화인자 교정	• 수술적 교정 부분폐쇄 시 **7-14일**정도 보존적 치료로 기다려보고 호전이 없으면 수술할 수 있다.

2. 급성 Abdominal Compartment Syndrome (ACS)

① **원인**

다발성 외상	외상이 없는 경우
장마비 많은 양의 수액공급 및 수혈	복수 후복막 출혈, 췌장염 파열된 AAA수술, 간이식술 후

추가노트

☞ 개복수술후 장회복 순서 : **소장** > 위 > 결장

☞ 일차성 혹은 수술 후 장마비는 수술 직후 악화 인자없이 발생하고 2-4일 내로 호전된다.
이는 생리적인 적응과정일 수 있으므로 여기서는 이차성 장마비와 장폐색에 대해서만 알아보자.

☞ 이차성 장마비의 원인이 되는 인자들

1) **췌장염**	5) 수술이 길어진 경우
2) **복강 내 감염**	6) 약제 (마약성 진통제 및 항정신약물)
3) 후복막 출혈 및 염증	7) 폐렴
4) 전해질 불균형	8) 장의 염증

☞ 장폐쇄시 CT검사가 매우 유용한데 이는 폐쇄의 부분을 알 수 있을 뿐만 아니라 다른 원인(ex. 장허혈, 농양 및 췌장염) 등에 대해서도 유용한 정보를 제공하기 때문이다.

☞ AAA= Abdominal aortic aneurysm

② 영향

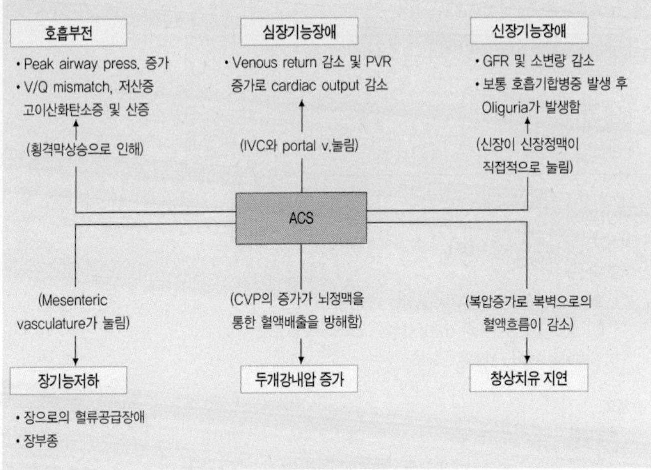

③ 치료

Three-way Foley catheter를 이용하여 방광내압을 측정하여, 복강내압 (IAP;intraabdominal pressure)을 추정한다.

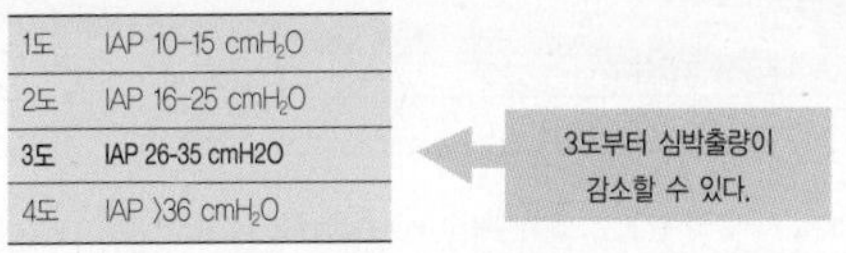

1도	IAP 10–15 cmH_2O
2도	IAP 16–25 cmH_2O
3도	**IAP 26-35 cmH2O**
4도	IAP 〉36 cmH_2O

- 수술적 처치의 결정은 IAP 뿐만 아니라 장기부전 정도를 고려해서 결정한다.
- 보통 IAP가 **15-20 mmH2O** 이상 시 장기부전이 동반된다.
- 보통 **3도** 이상의 ACS에서 호흡 및 신부전증상이 발생하면 수술을 고려한다.
- 갑작스런 decompression은 환자상태를 악화시킬 수 있으므로 충분한 preload를 보충한 뒤 decompression 한다.

3. 수술 후 위장관 출혈

① 스트레스성 erosion과 관련된 위험인자

① **외상 및 화상 : 다발성 외상, 두부 손상 및 주요 화상**
② **응고장애**
③ **심한 패혈 및 SIRS** (systemicinflammator response syndrome)
④ Cardiac bypass
⑤ 두개강내 수술

② **임상양상 및 진단**

- 적절한 병력청취가 중요하다.
- 출혈양상

  a. **밝은 RBC** → 결장 및 원위 소장 원인

  (단, 빠른 출혈시 부위와 상관없이 밝은 RBC양상으로 보일 수 있다)

  b. **Melanotic stool** → **위출혈** 가능성

③ **치료**

a. **예방대상:**

호흡부전 및 응고장애가 있는 경우 위 산도를 **pH 4이상**으로 유지해야 한다.

(by H2길항제, PPI 등으로)

b. **일반적인 원칙**

• 적절한 **수액보충**
• **응고관련요소**를 정검하여 필요시 보충한다. (ex. PT INR이 연장되면 vitamine K와 FFP를 보충한다)
• **악화인자**를 찾아서 치료한다.
• **수혈** - 적응증 : Hb<6g/dl, 급성출혈> 30%, ischemia 위험 시 VO_2가 감소되고 O_2 extraction ratio>50%시
• **출혈부위**를 찾아 치료한다. - 먼저 NG tube를 삽관하여 위십이장출혈여부를 감별한다. → 출혈소견있으면 세척을 시행한다.

추가노트

☞ 위장관 출혈 시

1) 위출혈 원인: 소화성 위궤양, 스트레스성 erosion, Mallory-Weiss tear, 위정맥류 등
2) 소장원인: 동정맥기형, 문합부 출혈 등
3) 대장원인: 문합부 출혈, 게실증, 동정맥 기형 및 정맥류

• 지혈방법들
  – 내시경적 지혈
  – 혈관촬영술(Visceral angiography)
    : 급성 출혈 시 혹은 내시경실패시 적응이 된다. Embolization 등으로 지혈을 시도할 수 있다.
  – 수술적 치료

4. 스토마 합병증 (Stomal complication)

- 장루를 지닌 환자에서 발생하는 합병증입니다.

(그림) stoma의 예

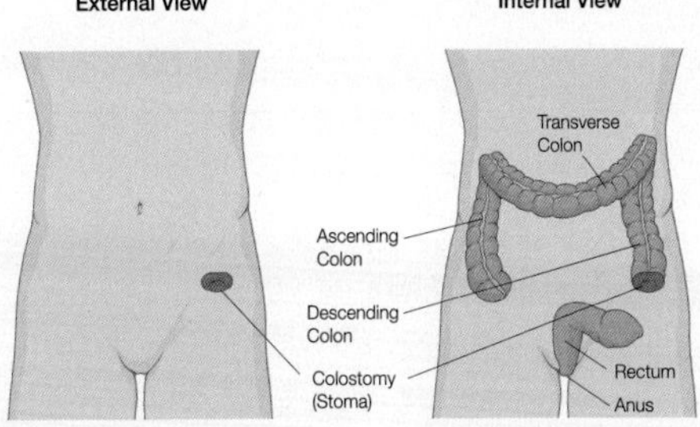

① 합병증의 종류

위치	조기합병증 (수술후 30일내)	후기합병증
스토마	• 위치가 좋지 않은 경우 • 함몰(retraction) • 허혈성 괴사 • 박리(detachment) • 농양형성	• 탈출(prolapse) • 협착(stenosis) • 탈장 (parastomal hernia) • 누형성(fistula formation) • 가스 및 악취가 나는 경우
스토마주위 피부	• 찰상 (Excoriation) • 피부염(Dermatitis)	• 정맥류(parastomal varices) • 피부병(dermatosis) • 염증성 장질환의 피부발현 • cancer
전신	• 나오는 양이 많은 경우 (high output)	• 장 패색 • 닫히지 않는 경우(nonclosure)

(그림) stoma합병증의 예

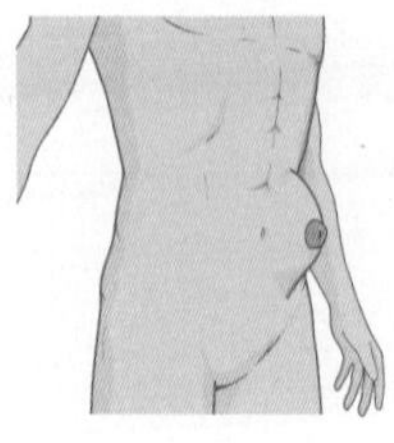

탈장 (parastomal hernia)

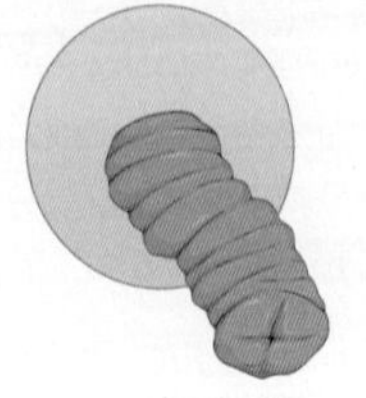

탈출(prolapse)

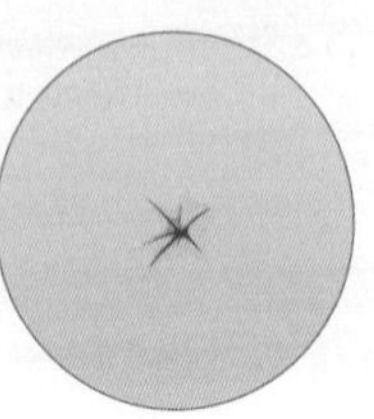

함몰(retraction)

② **예방** - 적절한 술기가 중요하다.

1. 복강에 개구부 만들기

1) **2cm가량**의 직경으로 둥글게 피부를 절제한다.
2) 스토마를 지탱하기 위해 **피하지방**은 **제거하지 말아야** 한다.
3) 스토마는 힘을 받을 수 있도록 **배곧은근(rectum muscle)을 통과**해서 위치해야 한다.
4) fascia는 **손가락 두개**가 통과할 정도로 뚫어야 한다.

2. 스토마 (stoma)

1) 스토마를 만들 병이 없는, **정상적인 장**을 선택한다.
2) 스토마에 장력이 가지 않도록 적절히 장을 **가동화**시킨다.
3) 장으로의 **혈액공급**이 손상되면 안된다.
4) **소장장막(serosa)**는 장간막으로부터 **5cm이상 denudation되면 안된다.**

3. Maturation

1) end stoma혹은 loop ileostomy의 afferent limb은 수술 시 바로 개구시킨다(primary maturation).
2) maturation시 봉합과정에서 피부를 횡행절단하면 안된다.

4. 기타

1) 장간막(mesentery)과 복막(peritoneum)을 닫아준다.
2) 장간막/장을 **fasical ring**에 고정한다.
3) **루프형** 스토마시 **지지구조물**(supportive rod)을 사용한다.

The formation of a stoma

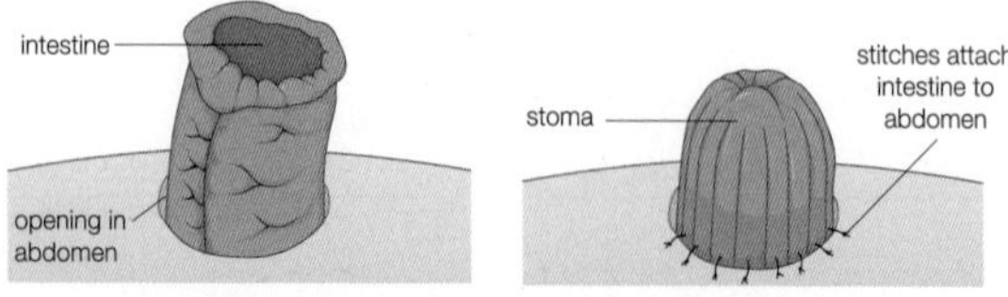

이러한 술기는 학생들은 참고만 하시길…. (애써서 외우지 마세요)

5. Clostrium difficile Colitis

① 원인

보통 **"장기간 항생제 치료를 받은 환자"** 에서 상대적으로 Clostridium difficile이 endogenous 혹은 exogenous 하게 감염된 후 과다 증식되어 장염을 유발한다.

(표) Clostridium difficile장염과 관련된 위험인자

1) 환자 관련인자	• 고령 • 신장질환 • 만성폐쇄성 폐질환	• 면역결핍 • 기저 악성질환 • 기저 장질환
2) 치료관련인자	• 수술전 장세척 • **항생제 투여** • 면역억제요법	• 수술 • 장기입원
3) 병원관련인자	• 중환자실 환자	• 간병인 및 장기 입원 환자

② 임상양상

a. 특징적으로 **수분성 설사(watery diarrhea)**가 나타난다.

b. 진단:

- ELISA검사를 통해 독소 A, B를 검출한다.
- 대장경 검사에선 비특이적 장염~pseudomembranous colitis 소견을 보일 수 있다.

③ 치료

a. **원인이 되는 항생제투여를 중단**한다.

b. **Vancomycin (경구 혹은 관장) 및 Metronidazole(경구 혹은 경정맥) 2주 투여**

추가노트

☞ Clostridium difficile은 G(+) 혐기균으로 포자(spore)를 형성하는 간균이며 독소 A, B를 분비하여 독성을 나타낸다.

☞ Clostridium difficile 결장염에서 더 진행된 형태가 Pseudomembranous colitis이며 더 악화되면 Toxic megacolon소견을 보일 수 있다.

6. 문합부 누출(Anastomotic leak)

① 누출과 관련된 인자

(표) 문합부 누출과 관련된 인자들

Definite factors	Implicated factors
1) 수술술기적인 면 (위험인자)	
• 문합부위로의 혈액공급이 부적절할 때	• 기계적 장세척
• 문합부로 높은 압력(tension)이 가해질 때	• 배액관
• 압력을 견디기 위해 촘촘한	• 진행된 악성병변
(Air-tight 혹은water-tight) 문합을 하지 않은 경우	• 쇽 및 응고장애
2) 누출이 많은 문합 위치	
• 췌장-소장 문합	• 응급수술
• 결장-직장 문합	• 영양결핍
: 특히, 문합부가 peritoneal reflection의	• 비만
위 아래일 경우	• 성별
	• 수혈
3) 국소인자	• 흡연
• 패혈증 위험이 높은 경우	• 스테로이드 복용
• 수액이 고인 경우	• Neoadjuvant Tx
4) 장과 관련된 인자	
• 방사선 치료	• 비타민C, 철, 아연, cysteine결핍
• distal lumen의 기능마비(compromised distal lumen)	• stapler 관련인자
• Crohn's disease	

② 예방

문합을 만들때의 원칙들

a. 적절한 **시야를 확보**하고, **조직을 부드럽게 handling**하며, **무균원칙**을 지키고 **조심스럽게** dissection한다.
b. 문합할 부위를 충분히 가동화시켜서(mobilization), 압력없는 문합(tension-free anastomosis)이 되도록 한다.
c. 문합부 봉합시 **일정한 간격**으로 시행하여 힘이 분산되도록 한다.
d. 문합할 양쪽 lumen의 **크기를 적절하게 맞춘다.**
e. 문합부위로의 **충분한 혈액공급**이 이루어지도록 한다.

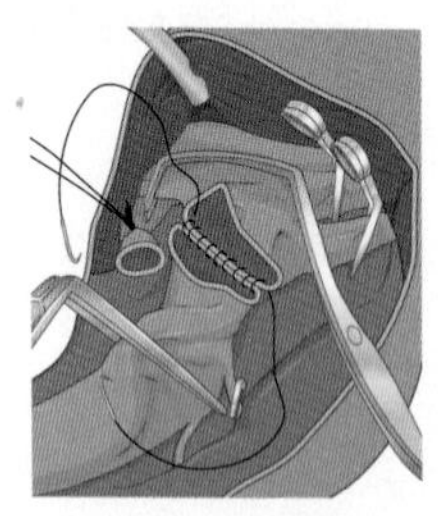

 추가노트

☞ 췌장-소장문합의 경우,
end-to-side / duct-to-mucosa pancreaticojejunostomy가
end-to-end / invaginating pancreaticojejunostomy보다 누출이 낮은 것으로 알려져 있다.

☞ 문합부 누출은 **패혈증, 장루** 등을 형성하게 하며 재수술율을 높이고 **영구적인** stoma를 남기며 종양 수술의 경우에는 재발율도 향상시키며 높은 사망률을 지닌다.

③ **누출 시의 치료**

- 보존적 치료
  - 적절한 수액의 공급
  - 금식
  - 장폐색증상시 NG tube삽입
- 재수술
  a. 적응증
  전반적인 복막염, 복강 내 출혈, 장허혈이 의심될 때 및 eviceration시
  b. 수술방법
  - **절대로 누출부분을 봉합하지 않는다** (100% 재발한다).
  - 심한 복막염이 동반된 경우는 문합부위를 제거하고 복강세척 후 복부창상을 닫지 않고 1-2일 후 second-look operation을 시행한다.
  - **결장**의 경우 누출부위 **"근위부"** 의 결장을 **colostomy**로 복강 밖으로 빼고, **"원위부"** 는 복강 밖으로 뺄 수도 있고 closure 할 수도 있다 (직장의 경우 원위부는 closure한다).
    → 그 후 나중에 다시 재문합을 한다.
  - **담관 및 췌장**에서의 누출의 경우 **충분한 배액**이 이루워지도록 하고 기다린다.
    시간이 지나도 막히지 않으면 수술이 필요하다.

7. 장루 (Intestinal fistula)

① 원인 및 종류

- 정의 : 두 개의 상피화된 표면을 지닌 조직이 연결되는 경우임.
  (단 이 둘 중 하나가 hollow organ이어야 한다)
- 대부분 **수술 후** iatrogenic하게 발생한다.

② **임상양상**

a. 양에 따른 구분

Low output	<200mL/24hr
Moderate output	200-500 mL/24hr
High output	>500 mL/24hr

 추가노트

☞ 수술했던 문합부위의 breakdown, dehiscence, 배액관을 따라서 수술부위를 따라 조직이 파괴되면서도 발생할 수 있다. **크론씨 병, 방사선성 장염, 장의 원위부 폐쇄 복부농양 및 복막염등이 악화인자로 작용할 수 있다.**

b. 부위에 따른 양상

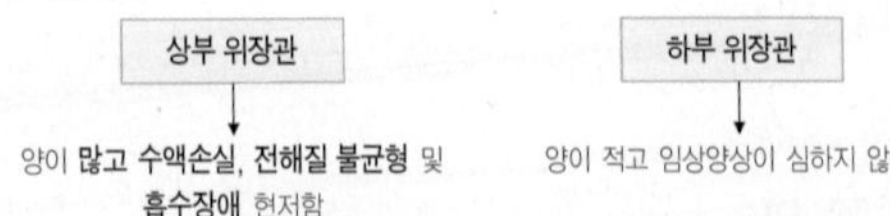
상부 위장관
양이 **많고 수액손실, 전해질 불균형** 및 **흡수장애** 현저함
하부 위장관
양이 적고 임상양상이 심하지 않음

③ **영향인자**

(표) External intestinal fistulas에 영향을 미치는 인자

인자	양호한 인자	좋지 않은 인자 ★★★
fistula의 해부학적 구조	• 긴 경우 〉2cm, 단일 tract • 다른 fistula 없음 • lateral fistula • 상피화되지 않은 tract • origin(공장, 결장, 십이지장 stump, 췌담관 • 주변에 large abscess 없음	• 짧은 경우 〈2cm, 여러 개의 tracts • internal fistula와 연관 • **end** fistula • 상피화된 tract • origin이 lateral duodenum, stomach, ileum인 경우 • 주변의 large abscess
장상태	• 소장질환이 없을 때 • 장 원위 폐쇄가 없을 때 • 장의 defect 크기〈1cm	• **"소장질환"**이 동반된 경우 (크론씨병, 방사선성장염 등) • **장 원위폐쇄**가 있는 경우 • 장의 defect 크기〉1cm
복벽상태	• 이상없음	• 파괴됨 (fistula가 절개선에 생긴 경우) 장질환 및 종양으로 침윤된 경우 • FB (mesh등)
환자상태	• 양호	• **영양결핍** • **패혈증**
output of fistula	• no influence	• **influence**일 경우

④ **치료**

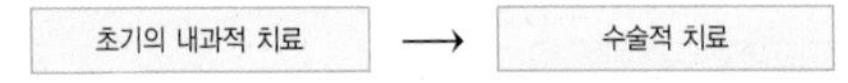
초기의 내과적 치료
수술적 치료

(40-80%에서 spontaneous closure된다)

- 충분한 **수액 보충** 및 **전해질 교정**
- **경구식이 중지**시킴
- **영양요법**
- **Somatostatin**으로 분비를 억제함
- **H2길항제** 및 **PPI**로 분비를 줄임
- **피부보호**
- **패혈증**에 대한 대처

- **단순** fistula는 첫 수술 **12주 후** 수술
- **복합** fistula의 경우 **6-12달 후** 수술

8. 췌장루 (Pancreatic fistula)

① **임상양상**

췌장수술 후 췌장쪽으로 삽입한 배액관에서 배액되는 양이 증가하면서, 배액에서 실시한 amylase치가 높은 경우

② **치료**

a. 일반적인 보존요법은 일반 장루의 치료와 동일하다.

b. **Octreotide는 fistula의** 양과 지속시간을 줄이는데 효과적이다.

c. **ERCP를 통해 stent를 설치**하여 췌액의 natural drainage를 원활히해서 fistula의 양을 줄일 수 있다.

d. 이렇게 함에도 효과가 없으면 수술을 고려한다.

간담도계 합병증

1. 담관손상

① **수술 도중 손상 발견 시**

→ **즉각적으로 손상**을 복구한다(복강경 수술 시에 시야확보가 어려울 땐 개복수술로 전환한다).

a. CBD가 **부분적**으로 손상되었을 때 → **T관 삽입 후** 손상부분을 복구한다.

b. 거의 **circumferential transection** 되었을 때

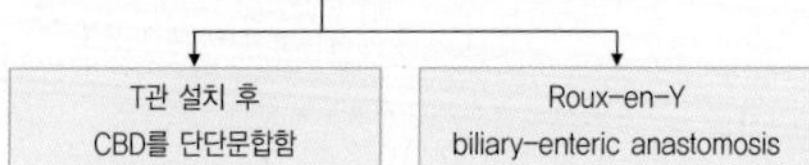

② **수술 후 조기에 발견된 경우**

a. biloma가 **적절히 배액**되도록 한다.

b. 적절한 해부학 구조를 따라 배액될 수 있도록 **ERCP를 시행하여 sphincterotomy를 시행하거나 CBD내 stent를 설치**한다.

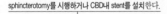

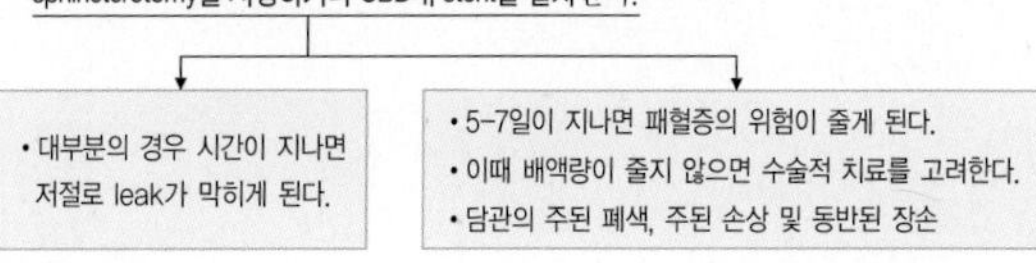

• 대부분의 경우 시간이 지나면
저절로 leak가 막히게 된다.
• 5-7일이 지나면 패혈증의 위험이 줄게 된다.
• 이때 배액량이 줄지 않으면 수술적 치료를 고려한다.
• 담관의 주된 폐색, 주된 손상 및 동반된 장손

추가노트

☞ 담관손상은

복강경하 담낭절제술 후 0.4-0.7%발생하며 개복 담낭절제술 후에는 0.2%에서 발생한다.

- 초기에는 주로 "담즙누출(bile leak)"이 발생하고 후기에는 주로 "담관 협착"이 발생한다.

☞ 담관손상이 의심될 때 진단검사

1) 핵의학 영상검사
2) CT촬영
3) 담관조영술
by ERCP 혹은 PTC(Percutaneous transhepatic cholangiography)

Power ☆☆☆☆☆

08 고령에서의 수술

Surgery in the Eldery

AGING & SURGERY

• 기대수명의 증가와 함께 고령 환자 역시 증가하고 있다.

• 고령환자의 수술에서 고려할 사항

1) 질환의 패턴, 양상, 자연사

2) 수술의 결정 : short-term mortality나 morbidity 외에도
수술 후 기능의 감소나 loss of independence 등을 반드시 고려

3) 완화요법 (Palliative care)

• 여기서 나이란, chronologic age(생활연령) 뿐만 아니라
① 나이와 관련된 생리적 기능감소 ② 심리적 측면 ③ 동반질환 증가와도 관련된 것임을 기억

생리적 기능감소

1. 심혈관계

• 80세 이상 심장 기능 이상의 50% 이상이 diastolic dysfunction
(systolic function은 나이가 들어도 변함없다)

• Myocardium, conducting pathways, valves & vasculature of heart & great vessel에 형태학적 변화가 나타난다.

① 심근	• 형태학적 변화 • Myocyte수 감소, collagen & elastic content 증가
② 전도계	• sinus node의 autonomic tissue의 90% 이상이 지방 및 결합조직으로 대치됨
③ 판막	• sclerosis, calcification of Aortic valve- 기능의 변화를 유발하지 않는다. • 4 valvular annuli가 점차적으로 확대됨 → multivalvular regurgitation
④ 혈관계	• rigidity 증가, 확장성 감소 → systolic BP 증가

- Cardiac output 유지비결

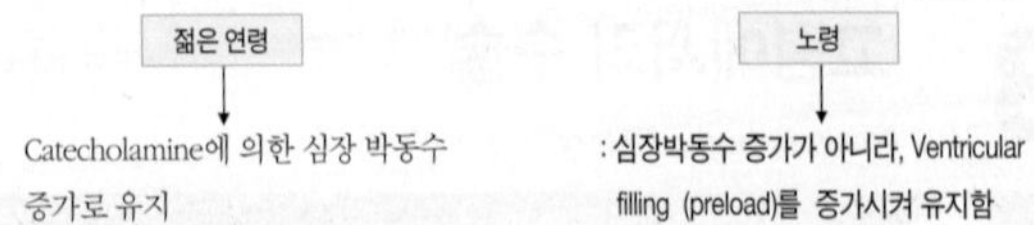
젊은 연령
Catecholamine에 의한 심장 박동수 증가로 유지
노령
: 심장박동수 증가가 아니라, Ventricular filling (preload)를 증가시켜 유지함

- β차단제: β차단제는 심장질환이 수술에 좋지 않은 영향을 미치는 것을 막을 수 있다.

2. 호흡기

- 나이에 따른 주요 호흡기계 변화들

① **흉벽의 compliance 감소** : kyphosis, vertebral collapse에 기인함
② **Maximal inspiratory & expiratory force 감소** (50% 이상)
③ **동맥 산소 분압 감소** (매년 0.3-0.4mmHg씩 감소) 동맥 **이산화탄소 분압은 변하지 않음** : Metabolism 감소로 인한 CO_2생성저하로 인해
④ **FVC** (14-30cc/yr), **FEV1** (23-32cc/yr)씩 **감소** **TLC** (Total lung capacity)는 **변화없다 : RV 증가, VC 감소 때문**
⑤ Hypoxia와 Hypercapnia에 대한 ventilatory response가 각각 50%, 40%씩 감소 : chemoreceptor 기능저하 때문
⑥ 정상적인 airway protective mechanism의 변화: ciliary dysfunction, 흡인(Aspiration) 위험 증가

3. 신장기능

※ 기능적으로 80세가 되면 GFR이 45%로 감소한다.

① Renal cortex 기능 감소
- 40%의 nephron의 경화성 변화
- glomeruli의 sclerosis → renal blood flow의 50% 감소하게 된다.
- 혈청 크리아티닌 (seram creatinine) 변함없이 유지된다. ★

② Renal tubular function 저하 → 수액 및 전해질 균형 유지능력 저하

③ 하부 비뇨기계 변화
- **여성** : Estrogen 감소, tissue responsiveness 감소 → Urethral sphincter 변화
  → 요실금(Urinary incontinence)
- **남성** : 전립선 비대 → Bladder emptying 장애

4. 간담도계

- 담석 및 담석과 관련된 합병증 빈도 증가 추세
- **담도질환 : 노인환자 복부수술의 m/c indication ★**
- 간
  - 간세포수 감소, 전체 무게 및 크기 감소
  - 보상적인 세포크기 감소 및 담도의 증식
  - 간혈류의 기능적 감소 (35~50%가량)
  - 간기능 변화: 합성기능은 유지, 약물대사 및 감수성에 변화(※)

5. 면역계

- 면역력 저하로 인해, 감염위험 및 종양발생 증가.
- **Neutrophil 감소는 나타나지 않는다.**
  (노인환자에서 주요 감염 시 WBC수가 정상일지라도, Immature form 증가로 **shift-to-left** 되어 있음)
- Thymus gland 퇴화 → naive T cell 감소, memory T cell 증가
- 일부 B cell 장애
- Immunoglobine mixture의 변화 : **Ig M 감소, Ig G &A 증가**
- Inflammatory cytokines, autoantibody의 증가

6. 혈당항상성유지

- Glucose indlerance: 인슐린 분비 감소, 인슐린 저항성 증가로 인함
- Beta cell 기능 감소

추가노트

☞ 고령환자에서 GFR이 감소되지만 혈청 크리아티닌(Cr)치가 일정하게 유지되는 이유는 나이가 들면 lean body mass가 감소되어 **크리아티닌 생성자체가 감소**되기 때문이다.

$$\text{Cr clearance} = \frac{(140-\text{나이}) \times \text{체중}}{72 \times \text{혈청Cr}}$$

※ Warfarin : Hepatocyte에 직접 작용 → 노인환자에선 감량해야 함

수술 전 평가

• Comorbid condition

심혈관계질환 : 가장 흔하고, 수술 전후 합병증 및 사망을 초래하는 원인

Pulmonary Cx : Exercise tolerance, & Functional capacity 등을 통해 예측가능

(표) 간단한 수술 전 평가

1. **전신상태 평가** (function)	① **ASA분류** ② 일상활동도 평가 (**ADLs**; Activities of daily living) ③ **METs** (metabolic equivalents)로 평가한 운동능력 평가
2. **인지능력 평가** (cognition)	① 간단한 인지능력 평가 (Mini-Cog. : 3가지 명칭을 다시 기억해내기 + 시계 그리기) ② MMSE (Folstein's Mini Mental Status Examination)
3. **영양상태 평가** (nutrition)	① 위험인자 분석 ② SGA (Subjective Global Assessment) ③ 간단한 영양평가 ④ **혈청 알부민치 및 BMI(body mass index)**

1. Functional Status

① **ASA functional classification : 수술 후 morbidity를 예측하는 가장 좋은 인자** (젊은 환자와 고령의 환자의 차이가 거의 없음 = 실제 연령보다 coexisting disease가 중요함을 의미)

(표) ASA classification

	mortality rate (%)
1도: **정상적인 건강** 환자	0.06 ~ 0.08
2도: **가벼운** 전신질환만 있는 경우	0.27 ~ 0.4
3도: **심한** 전신질환이 있는 경우	1.8 ~ 4.3
4도: **생명을 위협**하는 심한 전신질환이 있는 경우	7.8 ~ 23
5도: 수술과 관계없이 24시간 이상의 생존이 어려운 환자	9.4 ~ 51
6도: 뇌사판정되어 장기이식의 donor가 될 환자	-

② **ADLS (alility to perform the activities of daily livirgs)**

: 일상생활 (ex. 식사, 배변, 이동 등)을 수행하는 능력으로, 수술 후 사망률 및 이환율과 연관있다.

③ **운동 내성검사(Exercise tolerance test)**

: 노인환자에서 술후 심폐 합병증을 예측하는 가장 민감한 방법

④ METs (Metabolic Equivanents)

- postOP cardiac events & long term risk 증가와 연관
- 1 MET는 3.5 mL/kg/min으로 70kg, 40세 남성이 휴식시 소모되는 기초 산소 소모량이다.
- 계단으로 층계를 오를 수 있을 때 및 짧은 거리를 달릴 수 있을 때가 4 METs에 해당한다. 4 METs 이상의 환자들은 수술 전후 심장 위험 등이 증가한다.

2. 인지능력 평가 (Cognitive Status)

1. 술전 인지능력상태 : negative outcome의 위험인자로서 중요성

ex) Preoperative dementia : postOP delirium의major risk factor

2. 측정방법

- Mini-Cog : 임상상황에서 간단히 사용하기에 좋다. (인지기능 손상 가능성 평가)

= 3가지 항목의 이름을 대도록 한 후 회상하도록, 단순한 시계 그리기

3. Delirium: 고령의 수술 환자에서 가장 흔한 인지 및 주의력 장애

ETIOLOGY OF DELIRIUM	
D	ementia
E	lectrolytes
L	ungs, liver, heart, kidney, brain
I	nfection
R	x
I	njury, pain, stress
U	nfamiliar environment
M	etabolic

추가노트

cf) Delirium을 일으키는 흔한 인자들

① 술전인지장애
② Poor functional status
③ 투약
④ 고령
⑤ 알코올 섭취

※ 마취방법(및 경로)과는 무관하다.

3. 영양상태

- **영양결핍** : 폐렴, 창상치료의 지연 및 다른 수술 후 합병증과 관련됨
- 수술 후 영양과 관련된 합병증을 예측하는 방법들
  ① 혈청 알부민 : **surgical outcome을 예측**하는 가장 좋은 예측 인자
  ② **SGA** (Subjective Global Accessment)
  피하 지방층의 감소, muscle wasting, 체중 감소 등을 통해 영양상태를 평가하는 방법

특별한 고려사항

■ 내분비계 수술

1. Breast

- **노령에서 유방암빈도 증가 (peak: 75세)**
- 역학: 나이는 유방암의 major risk factor
- 임상양상: 젊은 환자군과 비슷하며, 고령에서 새롭게 생긴 mass는 악성인 경향이 있다.
- Screening: 유방이 덜 치밀해지면서 자가검진이나 선별검사가 용이해진다.
  고령에서 선별검사의 실시여부는 life expectancy를 고려하여야 한다.
- 병리와 치료: 고령에서의 유방암은 조직학적으로 더 양호한 편이나 더 진행된 상태로 발견되거나 definitive한 치료를 받지 않는 경향이 있다.
- 수술: 고령에서도 국소 유방암 치료의 gold standard
- 방사선치료
- 항암화학요법: Estrogen receptor positive 유방암에서 adjuvant endocrine Tx.
  폐경 이후의 환자에서는 tamoxifen 외에도 aromatase inhibitor를 사용
  고령의 환자에서도 adjuvant CTx.를 하는 것을 적극적으로 고려해야 한다.

2. Thyroid

- **갑상선 결절**의 빈도도 나이가 들수록 증가
  ① **sporadic papillary Ca**
  : bell-shaped distribution으로 60세 이상에서는 감소하는 경향이 있다.
  ② **Follicular Ca** : 나이가 들수록 death risk 증가 (2.2배/20yr)
- 나이는 생존에 있어서 negative prognostic factor임 (즉, 고령일수록 사망률이 높다)

3. 부갑상선

- 노인 외래환자에서 hypercalcemia의 가장 흔한 원인은 primary hyperparathyroidism
- 전체합병증 빈도는 감소하지만 **Asymptomatic hyperparathyroidism의 빈도는 증가 추세임**

■ 상부위장관계 수술

1. 식도

① 나이가 들수록 식도의 운동기능이 감소

② GERD: LES의 resting pressure는 정상이며 빠르게 relax되지만
sphincter가 빠르게 contraction하는 것에 실패 (prolonged decreased tone)
sliding hiatal hernia의 빈도 증가
→ GERD 증가

③ 연하곤란은 고령의 환자에서 중요한 문제

④ 식도암: 식도암수술에서의 합병증 발생 빈도의 차이는 없어보이나
고령환자에서 사망율 증가나 생존율 감소를 보임(주로 cardiopulmonary complication과 동반질환으로 인함)

2. 위

① Antral-fundic juction의 점차적으로 위로 올라간다.
& Fasting achlorhydria (25-80%) 나타남(엽산, 철분, vit. B12의 흡수에 교란).

고령에서의 소화성 궤양의 주요 원인
→ NSAIDs복용 / H. pylori감염

나이가 들수록 증가함

② Peptic ulcer disease 빈도증가
※ 천공된 궤양에서 수술사망률을 높히는 위험인자

a. **동반질환**이 있을 때
b. **술전 쇼크**가 있을 때
c. 천공 후 **48시간 이상** 시간 경과

즉, 나이는 심각한 위험인자가 아니다.

③ 고령에서의 위암

a. 나이에 따라 발생률 증가 (대부분 50-70대)
b. Diffuse type 〈 Intestinal type
c. 더 근위부에 호발 - TG가 필요한 경우가 13-34%
d. 절제율 및 임파선전이는 젊은 층과 비교시 큰 차이 없다.

■ 간담도계 수술

1. 간

① **간암 : 원발암보다 전이암이 20배 많다.**

② **절제 후 생존율** : 젊은 층과 노인층 사이에 별차이 없다. (35%/5yr)

2. 담도질환

① 나이가 들수록 ① **고령**에서의 급성복통의 **가장 흔한 원인**
   모든 노인의 복부수술의 1/3차지

② **Gallstone은 나이가 들수록 증가함**

- HMG CoA acitivity 증가
- 7 α hydroxylase acitivity 감소

- 그 정확한 기전은 unknown
  (CCK는 담낭을 비우는 주된 자극으로
  나이가 들수록 CCK에 대한 GB의 sensitivity가 감소
  ↔ 보상적으로 CCK생산 증가 ⇨ 정상적인 담낭수축 유지)

■ 하부위장관계 수술

1. 소장폐색

① 대부분 extrinsic bowel wall lesion에 의해 발생
   (adhesion 〉 incarcerated hernia 〉 neoplasm 〉 inflammatory bowel disease)

② 노인환자에선 luminal obstruction에 의한 소장폐색이 많다.
   phytobezoar, large concretions of poorly digested fruits & vegetables, gallstones

③ strangulation risk가 더 높다.

2. 충수돌기염

① 대략 5-10%의 case가 고령에서 발생, 최근 빈도증가 추세

② **24시간 이상 수술이 지연**되는 경우가 젊은 환자의 3배

③ **천공된 채 발견되는 경우가 50%이상**
   : 이유 = 임상양상이 서서히 진행하고 비전형적인 특성 때문에 진단이 늦어짐
   - 만약 **perforation & periappendiceal abscess가 의심 시 ★**
     → **수술 전에 CT scan**을 시행하자! (∵ perforated Cancer 가능성)

3. 대장직장암

① 결장직장암의 발생률은 나이 증가와 직접적으로 연관

② 고령은 poor prognostic factor

③ USPSFT의 권고안: 50세에는 screening을 시작하고, 75세까지 시행할 것을 권고 (☞참고)

④ operative mortality는,

a. 응급수술의 필요성

b. 동반질환의 여부에 영향을 받는다.

⑤ 고령일수록 우측 결장암의 빈도가 증가한다(∴고령의 환자에서는 colonoscopy가 더 좋은 screening tool 일 수 있다).

■ 탈장

① 남자가 4-8배 더 많다 (70세 이상 환자에서 65%는 inguinal, 20%는 femoral, 10%는 ventral hernia).

② 대부분의 groin hernia가 남자에서, 전체 femoral hernia의 80%가 여자에서 발생한다.

③ 고령에서의 hernia repair의 약 15-30%가 응급수술로 이뤄진다(incarceration 등).

■ 외상

① 노인사망의 5번째 많은 이유이다.

② 80세 이하는 교통사고, 80세 이상에선 낙하사고가 많다.

■ 이식

① "**신장이식**"의 경우 60세 이상의 환자가 다른 환자와 비교에서 환자 및 이식편 생존에 차이가 없었다. "**간이식**"의 경우에는 고령은 좋지 않은 예후인자이지만 나이와 관계없이 환자가 좋은 건강상태에 있으면 위험인자가 되지 않았다.

② 일반적으로 고령에서는 **급성 및 만성 거부반응의 빈도가 줄어든다.**
이는 환자의 "**면역능력이 저하**" 된다는 의미로 결과적으로 고령의 환자에서는 **이식 후 감염 및 악성종양의 위험이 증가**하게 된다.

추가노트

☞ 대장결장암의 선별검사

매년 대장잠혈검사(fecal occult blood test)와 5년마다의 S자결장경검사(flexible sigmoidoscopy)를 시행하며 대장잠혈검사 양성 혹은 S자결장경검사상 adenomatous polyp이 발견되면 전체 대장경검사를 시행한다.

★☆☆☆☆

Power

09 마취 원리

Anesthesiology principles

약물 사용 원칙들

■ 흡입마취제

※ 호흡마취제의 두 가지 중요한 특징

① Blood/gas (B/G) solubility coefficient

- 흡입마취제의 혈액에 의한 uptake를 측정한 것이다.
- 용해도가 낮을수록(ex. nitrous oxide, desflurane) 빠른 마취유도 및 빠른 각성도를 지닌다.

② MAC (minimum alveolar concentration)

- 50%의 환자에서 수술 시 환자의 피부에 절개선을 가했을 때 환자가 움직이지 않도록 하기 위한 농도
- 마취제의 강도를 나타낸다.
- MAC가 높을수록 강도는 감소된다.

1. Nitrous Oxide

① 호흡기계 및 혈역학적인 영향이 적다.

② 신속한 마취유도 및 각성이 가능하다

③ closed gas spaces로 빠르게 확산되므로 이러한 상황에서 사용하면 안된다.

추가노트

☞ closed gas space
기흉, 소장폐색, 중이(middle ear)수술, 망막수술

2. Halothane

① 가장 강력한 흡입 마취제임

② 심장기능저하, 심장근육의 카테콜라민에 대한 민감도 증가 및 무엇보다도 드물지만 **"전격성 간염"** 을 유발할 수 있으므로 요즈음은 거의 이용되지 않는다.

3. Enflurane

① halothane의 대치제로 개발되었음

② 대사산물인 fluoride가 특히 비만환자에서 경미한 신장장애를 일으킨다. 경련이 있는 환자에서는 금기이다.

4. Isoflurane

① halothane을 빠르게 대체하고 **가장 흔히 사용되는 흡입마취제**이다.

② **"빈맥"** 을 유발하여 심장의 산소소모량을 증가시킬 수 **관상동맥질환 환자에겐 조심**해야 한다.

③ 톡쏘는 듯한 (pungent) 냄새가 나므로 마취유도에는 부적합히다.

5. Sevoflurane

① 낮은 용해도를 지니므로 **급속한 마취유도 및 각성이 가능**하다.

② **흡입하기에 편한 냄새**이므로 **소아**의 마취에 적합하다.

③ **외래환자**의 마취, **마스크 마취**, **기관지경련 환자**의 유지 등에 적합하다.

④ 심혈관계의 부작용이 적다.

6. Desflurane

① Sevoflurane과 마찬가지로 급속한 마취유도 및 각성이 가능하다. 하지만, 톡 쏘는 듯한 냄새로 마취유도에는 부적합히다.

② 농도를 갑자기 증가시키면 빈맥 및 고혈압이 유발될 수 있다.

(표) 흡입마취제의 비교

마취제	강도	마취유도 및 각성의 속도	호흡마취유도로서의 적합도	카테콜라민에 대한 민감도	대사 (%)
Nitrous oxide	약함	매우 빠름	단독으론 부족함	없음	적다
Diethyl ether	강함	매우 느림	적합	없음	10
Halothane	강함	중간	적합	높음	20+
Enflurane	강함	중간	부적합	중간	〈10
Isoflurane	강함	중간	부적합	적다	〈2
Sevoflurane	강함	빠름	적합	적다	〈5
Desflurane	강함	빠름	부적합	적다	0.02

■ 경정맥 마취제

마취를 유도하는 방법은 흡입 마취제를 이용할 수도 있고 경정맥 마취제를 이용할 수도 있다. 경정맥 마취제는 대부분의 성인환자 및 청소년 마취에 이용되는데 이는 빠르고, 환자를 편안하게 하며 대부분의 경우에서 안전하기 때문이다.

1. 마취유도 약제

1. Thiopental

① 가장 오래된 경정맥 마취유도제로 신속하고 깔끔하지만 몇 가지 주의가 필요한 임상 상황으로 인해 잘 사용되지 않는다.

② 저혈량의 환자 및 CHF 환자에선 thiopental로 인한 혈관확장 및 심장기능저하로 인해 **심한 저혈압**이 유발되므로 용량을 줄여서 처방해야 한다.

③ **기관지경련(bronchospasm)**이 발생할 수 있다.

2. Ketamine

① **혈압 및 심박동수를 증가**시키며 **기관지확장**을 유발할 수 있는 유일한 경정맥 마취제이다.

② 출혈성 쇽환자에서는 교감신경 긴장을 유발하여 심장기능을 저하시키므로 부적합하다.

③ **"심한 저혈량(hypovolemia)" 환자**에서 매우 적합하다(오히려 혈압을 증가시킬 수 있으므로).

④ propofol과 함께 천식환자에 적합하다.

⑤ 깊은 기억상실효과(amnesia) 및 체성진통(somatic analgesia) 효과를 지녀 **짧거나 표면에서 이뤄지는 수술**에서 **단독으로 사용**되나, 근육이완이나 내장통증에 효과가 없기 때문에 복부수술에서는 유용하지 않다.

⑥ **관상동맥질환** 환자에선 ketamine이 빈맥 및 고혈압을 유발하여 심근허혈을 일으키므로 **사용하지 말아야 한다.**

추가노트

☞ 경정맥 마취제의 용도
마취를 유도할 때 및 여러 약과 혼합하여 이용된다.

⑦ ICP(intracranial pressure)가 상승되어있는 환자에선 ICP를 더 높힐 수 있다.

⑧ **각성시 섬망(delirium)**을 일으킬 수 있으며 추가적으로 benzodiazepines을 처방할 수 있다.

3. Propofol

① 마취유도가 빠르고 깰 때 구역(nausea)없이 깨끗하게 각성할 수 있다.

② **주사 시 통증**이 있고 **혈압이 떨어질 수 있다**(관상동맥질환이 있는 환자처럼 저혈압에 취약한 환자에서 주의해서 사용해야)

③ 탁월한 **기관지확장** 기능이 있다.

4. Etomidate

① 혈역학적인 변화가 적다.

→ 심혈관계 질환이 있는 환자에게 적합하다.

② 주입시 통증이 있고, 비정상적인 근육의 움직임(myoclonus)가 있다.

5. Midazolam

① 심혈관계의 부작용이 적다.

→ 심혈관계 수술시 이용된다.

② onset이 빠르고 적은 량으로도 **기억상실(amnesia)**을 유발할 수 있다.

(표) 경정맥마취제의 비교

마취제	용량 (mg/kg)	특성	부작용	주의해야 하는 상황	상대적 적응증
Thiopental	2–5	저렴함 고용량 주입 후 각성이 느리다.	저혈압	저혈량 심장기능 저하	많은 환자에서 마취유도에 적합하다
Ketamine	1–2	각성시 선망(delirium) 발생할 수 있으며 이때는 benzodiazepines처방한다. 마취유도보다 낮은 용량으로 주입 시 강력한 진통효과도 있다.	고혈압 빈맥	관상동맥질환 심한 저혈량	천식환자에서 쇽환자에서
Propofol	1–2	주입시 통증이 있다. 기관지확장을 일으킴 수술후 오심, 구토의 빈도가 낮다.	저혈압	관상동맥질환 저혈량	외래에서의 마취 천식환자의 마취
Etomidate	0.1–0.3	심혈관적으로 안정적이다. 주입시 통증유발함 마취유도시 자발운동을 허용한다.	부신기능저하	저혈량	심수축력 저하환자 의 마취유도 쇽환자의 마취유도
Midazolam	0.15–0.3	비교적 혈역학적으로 안정적이다. 강력한 기억상실기능(ammesia)이 있다.	Opioid와 함께 주입 시 호흡저하가 더 심해짐	저혈량	심수축력 저하 환자의 마취유도 (보통 opioid와 함께 쓴다)

2. 아편 유사체(Opioid)

① 진통효과가 크고, 심장기능저하가 적다.

② 호흡기 억제기능이 있고 및 최면(hypnosis) 및 기억상실(amnesia)효과가 일정하지 않은 것이 단점이다.

③ opioid가 마취에 쓰이는 이유는,

a. 호흡기 마취제의 **MAC를 줄이고**

b. 기관내 삽관 및 피부절개 등과 관련된 **고혈압 및 빈맥 등을 낮추고**

c. **각성 시 진통작용**이 있으며 **깨끗한 각성**이 가능하게 한다.

d. **최면** 및 **기억상실기능**도 있어 완전한 마취를 가능하게 한다.

④ Fentalyl, Morphine, Hydromorphone 및 Meperidine 등이 있다.

 추가노트

☞ "Fentanyl" 은 morphine보다 100–150배 강력하고 작용시간이 짧고 onset이 빠르기 때문에 마취의 유지에 적합하다.

3. 신경근 차단제(Neuromuscular Blockers)

신경차단제에는 두 가지 종류가 있다.

1. Depoloarizing agents

- Neuromuscular junction에 있는 cholinergic receptor에 작용하여 agonistic effect를 나타낸다. 즉, 초기에는 **"근육 연축**(fasciculation)"을 나타낸뒤 근이완작용을 나타낸다.

- "Succinylcholine" 이 유일한 depolarizing agent로 onset이 **빠르고 작용기간이 짧아**(5분) 기관내 삽관 시 많이 이용된다.

- 단점으론 **고칼륨혈증**, 일부환자에선 **악성고열증**(malignant hyperthermia), 서맥(소아에서)

2. Nonpolarizing agents

- Acetylcholine과 수용체부위를 **경쟁**한다. (즉,결합을 방해하는 것이지 succinylcholine같이 결합하여 효과–depolarization–를 나타내는 것은 아니다)

[적응증]

a. succinylcholine금기증

b. 기관내삽관이 쉬울 것으로 예상되는 환자

c. **수술시 시야확보를 위해 근이완이 필요할 때**

[수술이 끝날 때의 근신경기능의 회복]

a. Anticholinesterase(Neostigmine 혹은 Edrophonium)을 투여

b. 이러한 Anticholinesterase의 부작용을 길항하기 위해 Atropine 혹은 glycopyrrolate투여

(표) 신경근차단제의 지속시간 비교

	지속시간
d-Tubocuraine	길다
Pancuronium	길다
Vecuronium	중등도
Cisatracurium	중등도
Mivacurium	짧다
Rocuronium	중등도

수술 전 검사

1. 기도를 확인한다.

2. 심혈관계를 확인한다.

• 술후 심근허혈을 일으킬 수 있는 4가지 예측인자들

> ① 불안정한 **관상동맥 증후군**
> (ex. 최근의 MI 및 Unstable angina)
> ② 보상되지 않는 CHF
> ③ 심각한 **부정맥**
> ④ 심한 **심장판막질환**

• 심혈관질환의 병력, 운동 내성(exercise tolerance), 수술의 종류 등이 중요하다.

3. 폐질환

4. 신장 및 간질환

• 투석이 필요하면 **수술 전 18-24시간**에 시행하여 투석 후의 수분 및 전해질 변동을 피한다.
• 만성신부전 환자는 빈혈, 전해질불분형, 응고장애 및 심혈관질환이 동반될 수 있으니 확인하자.
• 만성간질환 환자는 마취제로 사용되는 약물대사에도 영향을 줄 수 있다.

5. 영양 및 내분비질환

① **영양상태** : 술후 stress response와 창상치유에 중요
② **당뇨환자가 수술을 받을 경우** ★

> a. 속효성 인슐린을 **장시간작용 인슐린**으로 교체한다.
> b. 수술당일 **아침**에는 **인슐린의 용량을 줄여서** 공급한다.
> c. **금식환자**에게는 **포도당 수액과 인슐린을 함께** 공급한다.
> d. 2형 당뇨에서는 수술당일 경구용 제제를 끊는 것을 권고한다.
> e. **Metformin**은 수술 전후의 **젖당산증(lactic acidosis)**의 위험으로 인해 **끊는다**.

6. 만성적인 Glucocorticoid 투약여부 확인

7. 환자의 Physical Status 평가

마취법의 선택

■ 마취법의 선택

1. **부위마취 (Regional anesthesia)가 위험한 경우**
   ① Postdural puncture Headache
   ② 국소적인 마취제의 독성
   ③ 말초신경손상
   ④ 부적절하게 시행한 부위마취 결과 다시 전신마취를 해야 하거나 과도한 sedation이 필요할 수 있다.

2. **전신마취의 합병증**

① Hypoxemia (→ CNS 손상 유발) ② 저혈압 ③ Cardiac arrest ④ gastric content의 aspiration (→ Pulmonary damage) ⑤ 치아손상

부위마취

1. 국소마취제 ★★

① 작용기전
신경섬유에서 용량에 따른 Na^+흐름의 차단

② 영향을 미치는 인자

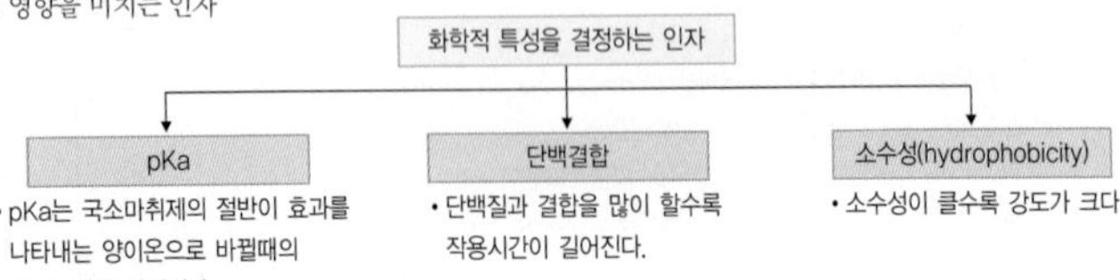
화학적 특성을 결정하는 인자
pKa
단백결합
소수성(hydrophobicity)
• pKa는 국소마취제의 절반이 효과를 나타내는 양이온으로 바뀔때의 산도(pH)를 가리킨다.
• pKa가 낮을 때 좀더 빠른 작용 onset을 지닌다.
• 보통 이용되는 국소마취제는 높은 pKa를 지니는데 이는 산성환경(염증이 심할 때) 국소마취효과가 떨어짐을 의미한다.★
• 단백질과 결합을 많이 할수록 작용시간이 길어진다.
• 소수성이 클수록 강도가 크다.

추가노트

☞ 마취제의 농도와 효과는 비례한다. ★

(표) 주요 국소마취제의 특징

국소마취제	종류	Onset속도 (분)	작용기간(분)	최대용량 (axillary block시)
Lidocaine	Aminoamide	10-20	60-180	5 mg/kg
Mepivacaine	Aminoamide	10-20	60-180	5 mg/ke
Bupivacaine	Aminoamide	15-30	180-360	3 mg/kg
Ropivacaine	Aminoamide	15-30	180-360	3 mg/kg
Chloroprocaine	Aminoester	10-20	30-50	Not generally used

3. **부작용**

① **중추신경계 부작용 (BBB를 잘 통과함★)**

마비, 혀나 입술의 저리는 느낌, 금속성 미각(metallic taste), light-headedness, 이명(tinnitus), 시각장애 말 어눌해짐(slurred speech), 지남력장애, 경련

② **심혈관계 이상**

4. **부작용을 줄이는 법**

① 국소마취제를 **주입하기 전에 흡입(aspiration)**을 하여 혈관으로 잘못 주입되지 않도록 한다(가장 중요).

② **최대안전 허용용량**을 미리 파악하여 맞추어 주입한다.

③ **Epi를 추가**한다. ★

└ **흡수를 지연**시키며, 수술부위의 **출혈을 감소**시키고 급속한 흡수로 인한 **독성반응을 낮춘다.**

④ 조직의 허혈을 유발하여 괴사 등을 일으키므로 **종말동맥을 가진 장기**

즉, 손가락, 발가락, 귀, 코, 음경 등에서는 **주의**해야 한다.★

5. **부작용 시 조치**

① <u>**산소를 공급하고, airway를 확보한다**</u>

② 경련이 멈추지 않으면 benzodiazepine (ex. midazolam) 혹은 thiopental을 추가한다.

2. 척추마취 (Spinal Anesthesia)

(그림) 척추마취

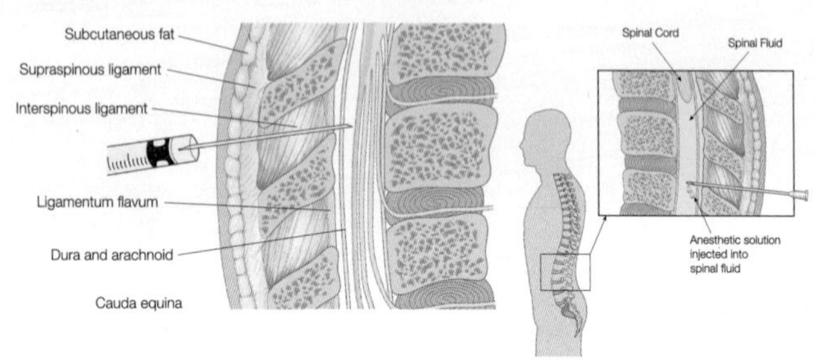

① 비뇨기계, 하복부, 회음부 및 하지 수술에 이용됨

② 국소마취제(±opiates)를 **거미막밑 공간(subarachnoid space)**에 주입한다.

→ block 보다 아래쪽으로 감각 및 운동차단을 유발한다.

③ 대부분의 경우 **단독 1회 투여**를 하는데 이 경우 지속시간이 길지 않기 때문에 수술시간이 긴 경우에는 부적합하다.

④ **합병증** ★

저혈압, 서맥, post-dural puncture headache, 일시적인 신경뿌리병증(radicular neuropathy), 요통, 요폐(urinary retention), 감염, Epidural hematoma, 위쪽(cephalad)으로 마취되어 심호흡계이상을 초래하는 경우
→ 저혈압은 **교감신경절단**으로 발생하는 것으로 발생시 **수액량을 늘리고**, ephedrine같은 **강심제를 주입한다**.

⑤ **절대 금기증**

→ **패혈증, 세균혈증, 주사부위의 감염, 심한 저혈량, 응고장애, 항응고제 치료 중인 경우, ICP의 증가, 환자의 거부**

추가노트

☞ 일부 고령 환자의 경우 경피외 마취(Epidural anesthesia)에 이용하는 굵은 카테터를 이용하여 titration 및 추가용량을 줄 수 있다.
(이 방법을 젊은 환자에게 사용할 경우는 post-dural puncture headache의 빈도가 높다)

☞ Post-dural pucture headache는 여성, 젊은 연령 및 굵은 바늘을 사용했을 때 빈도가 높다.

☞ 격막하 마취과 비교 시
① onset이 빠르고
② 수술 시 더 예측 가능하고
③ 요통이 적은 것이 장점이다.

3. 격막외 마취 (Epidural Anesthesia)

(그림) 격막외 마취 (Epidural Anesthesia)

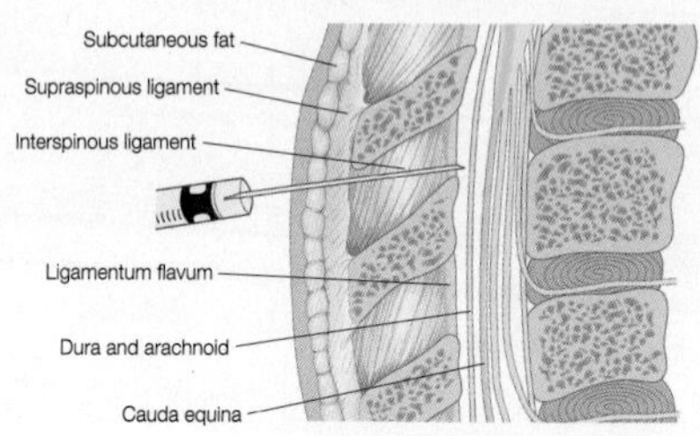

① 복부수술, 흉곽수술, 하지수술 등에 이용된다.

② **"경막외 공간(Epidural space)"**으로 마취제를 주입하여 국소마취효과를 나타낸다.

③ 바늘로 epidural space를 찾은 뒤 **"카테터를 설치"**한다.

추가노트

☞ Spinal anesthesia는 말초신경차단인 반면, Epidural anesthesia는 국소 침윤(local infiltration)에 속한다.

☞ 경막외 마취에서 설치된 카테터의 유용성

① 마취제를 controlled fashion으로 주입할 수 있다.

② **반복된 주입**이 가능하다 – 더 긴 procedure에 사용 가능

③ 수술 후 수 일 동안 **수술 후 통증** 조절목적으로 이용할 수 있다.

☞ 항응고제를 복용하는 환자에서는 카테터를 제거 시 spinal hematoma이 발생할 수 있으므로 마취과의사와 함께 조심해서 처치해야 한다.

☞ Spinal hematoma의 임상양상

① 요통

② 하지의 감각 및 운동장애

③ 방광 및 장기능 이상

Power ★★★★★

10 외상

Management of Acute Trauma

초기의 조치

■ 초기 조치에서의 우선 순위

※ 먼저 life-threatening problem을 조절한 뒤, brain injury 여부를 알아보아야 한다.

■ 외상환자에서의 A, B, C, D

1. AIRWAY ★

1. 구강내 debris 등을 제거하고 Head-tilt & Chin-lift maneuver시행한다.
   경추 손상 의심 시 Jaw thrust maneuver를 시행한다
2. Endotracheal ventilation이 필요한 경우 ★

① airway adequacy가 의심스러울 때
② profound shock
③ 심한 **두부손상** 시

3. surgical airway의 적응증

① 심한 maxillofacial trauma
② 경부손상으로 인한 anatomic distortion 시
③ 혈액, 분비물, 부종 등으로 vocal cord가 보이지 않을 때
④ bag vavle mask로 산소포화도가 유지 안될 때

→ 응급의 상황인 경우 먼저 Needle cricothyroidotomy를 시행한 후 Tracheostomy를 시행하라.

2. BREATHING

• respiratory drive가 떨어져있거나 호흡곤란 심한 흉곽손상이 있는 경우, 기계호흡이 필요하다.

3. CIRCULATION

① 먼저 출혈이 있으면 지혈함.
② Fluid resuscitation
성인은 1,000ml bolus of lactated Ringer solution, 소아는 20cc/kg의 속도로 주입해야 한다.
→ 여기에 반응이 없으면 second bolus 주입.

4. DISABILITY

① 신경학적 손상정도를 판정한다.

② GCS (Glasgow Coma Scale) : **범위** → 3~15

- Eye opening (1-4), Best verbal response (1-5), Best motor response (1-6)
- Mild≥13, Moderate : 9-12, Severe≤8

(표) Glasgow Coma Scale

눈을 뜨는 여부	• 반응이 없음	1
	• 통증에 반응	2
	• 소리에 반응	3
	• 자발적으로 눈을 뜸	4
언어반응	• 반응없음	1
	• 이해못할 소리를 냄	2
	• 부적절한 단어를 사용함	3
	• disorientated, inappropriate content	4
	• 지남력이 있고 적절함	5
행동반응	• 반응없음	1
	• 비정상적인 extension (decerebrate posturing)	2
	• 비정상적인 flexion (decorticated posturing)	3
	• Withdrawal	4
	• 통증부위를 지적한다	5
	• 지시에 따른 행동 가능	6
전체 점수		3–15

특별부위손상에 대한 조치들

■ 두부손상

1. 손상종류

- 1° injury : 외상으로 인한 일차적인 해부학적 생리학적 변화
- 2° injury : 1차 손상의 연장으로 local swelling, hypoperfusion, hypoxemia 등으로 인해 발생함

  → Head injury에 대한 접근은 이러한 **2차 손상을 예방**하는 것이다.

2. 우선 순위

① 심한 두부손상환자들에게 있어서 일단 airway를 확보해야 하는데, 이럴 경우 spinal cord injury가 10% 동반됨을 기억하자!

② 외과적으로 치료가능한지의 여부가 중요하며, **조기 CT촬영**을 통해 알 수 있다.

③ GCS가 8점 이하이며 lateralizing neurologic finding이 있는 경우 고위험군에 속하며, hemodynamically stable 할 때 빨리 CT를 시행하자.

※ **예후 판정**

Mild	GCS≥13	3%가 craniotomy 필요
Moderate	9 ≤ GCS ≤ 12	9%가 craniotomy 필요
Severe	GCS가 ≤ 8	19%가 craniotomy를 필요

3. **치료 방향**

• 치료는 다음의 두 가지 목표를 지닌다.

① 일반적인 supportive care

→ 심폐기능 확보, 감염치료, 조기의 경구영양요법 시행

② cerebral perfusion을 극대화시킨다.

• ICP를 20cmH_2O 이하로 맞춘다.
• 적절하게 Hyperventilation 하여 $PaCO_2$를 30-35mmHg으로 유지한다.
• Mannitol 로 osmotic diuresis 유발한다.
(serum Osmolarity를 315-305mOsm/L를 목표)
• 심한 두부손상 및 비조절성 ICP의 경우 Barbiturates 사용

■ 경부 손상 ★

• 중요한 vascular & aerodigestive structure는 anterior triangle내에, platysma m. 내부에 있음(즉, SCM m.앞의 **손상**의 경우 위험하지만, SCM m. 뒤쪽의 경우 비교적 안전하다)

platysma m.를 통과하지 않는 손상은 'superficial' 로 간주할 수 있지만 platysma m.를 **통과한 손상의 경우**는 further evaluation을 요한다.★

① **진단** : 먼저 Airway를 확보한 뒤, 경부주요혈관의 손상이 있는지 알아본다.

SCM을 경계로 나뉘는 Ant. & Post. anatomic triangles

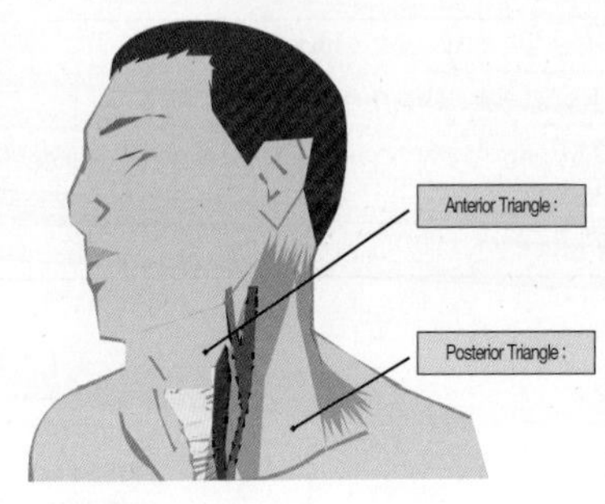

- 주요구조물들이 위치함
- "심각한 손상"을 유발할 수 있음

- 심각한 손상을 유발하지는 않음 (비교적 안전하다)
- 목뼈(cervival spine)혹은 척수손상가능성을 생각해야 함

1. 손상범위 파악

① 앞뒤 경계는 SCM m경계로 나뉘며,

② 위아래 경계는 아래의 구조물을 통해 나누며

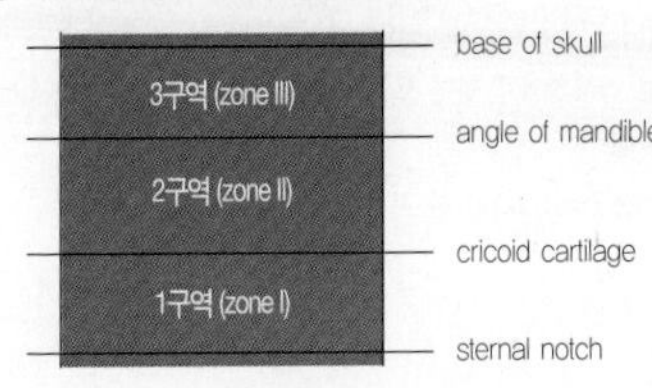

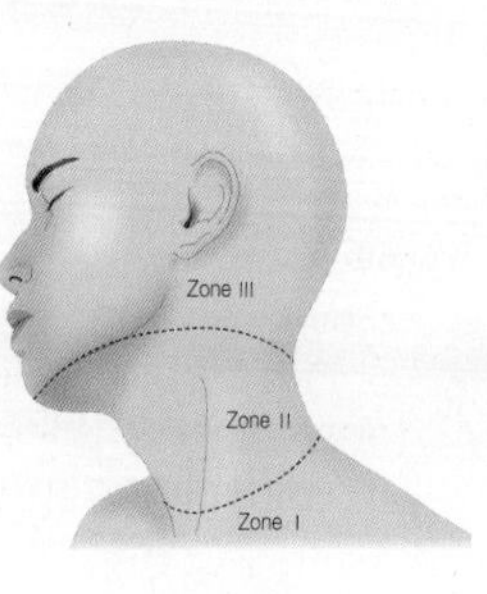

③ 깊이에 따른 구분을 platysma(넓은 목근) 근육★을 경계로 한다.

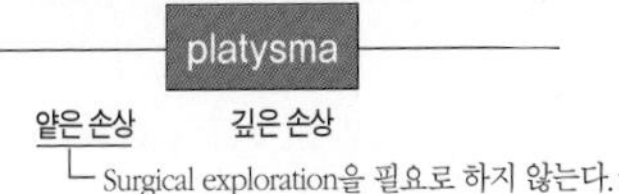

얕은 손상　　깊은 손상

└ Surgical exploration을 필요로 하지 않는다.★

2. 증상 및 조치

① 수술적 조치가 필요한 임상적 징후들

• **경부수술(Neck exptoration) 적응증 ★**

① 혈관	• 혈종이 커지는 경우, 밖으로의 출혈, carotid pulse 감소
② 기도	• Strider, 목소리가 쉬거나 변화될 때, 객혈(Hemoptysis), **피하 공기(air)**
③ 소화기	• 삼킴곤란(dysphagia)/연하통(odynophagia), 피하 공기, 입인두(oropharynx)에 혈액이 있을 때
④ 신경학적 증상	• 국소화된 신경학적 결손, 두부손상과 관련없는 의식변화 시

② 치료순서

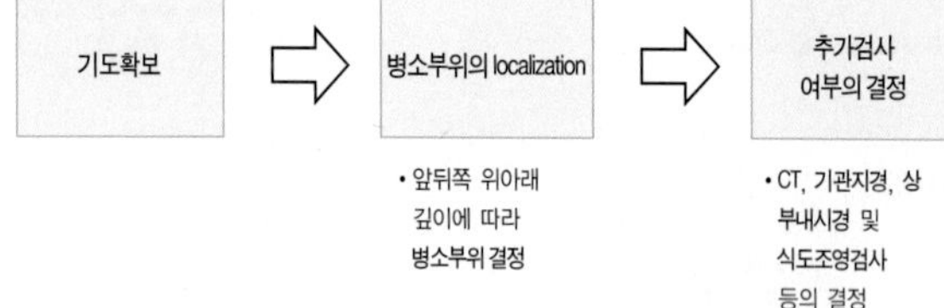

• 앞뒤쪽 위아래 깊이에 따라 병소부위 결정

• CT, 기관지경, 상부내시경 및 식도조영검사 등의 결정

③ 치료

- Vascular or Aerodigestive tract injury가 의심되는 경우 Surgical exploration 요함
- 1구역, 3구역에서 손상의 경우 **위험도가 낮고**, 검사결과 음성인 경우는 observation 함
- aerodigestive tract의 연속성이 의심스러울 때
  → direct Laryngoscopy, Bronchoscopy or Esophagoscopy를 시행한다.

(그림) Zone I, II & III

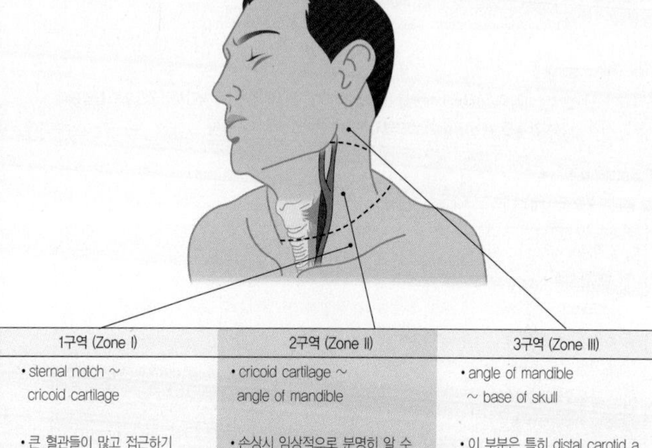

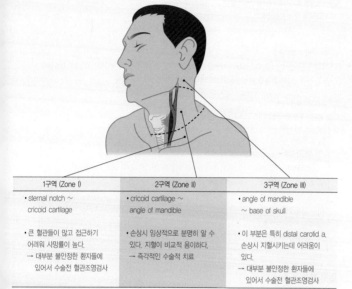

1구역 (Zone I)	2구역 (Zone II)	3구역 (Zone III)
• sternal notch ~ cricoid cartilage	• cricoid cartilage ~ angle of mandible	• angle of mandible ~ base of skull
• 큰 혈관들이 많고 접근하기 어려워 사망률이 높다. → 대부분 불안정한 환자들에 있어서 수술전 혈관조영검사	• 손상시 임상적으로 분명히 알 수 있다. 지혈이 비교적 용이하다. → 즉각적인 수술적 치료	• 이 부분은 특히 distal carotid a. 손상시 지혈시키는데 어려움이 있다. → 대부분 불안정한 환자들에 있어서 수술전 혈관조영검사

• **경부노출 방법**

: Unilateral injury시 **SCM의 앞면**을 따른 경사진 절개선이 시야가 좋다.

• Airway Injuries시

: 창상에서의 **기포**가 보이면 가능성을 의심해야 한다.

: 기도손상시 → debridement후 **일차봉합**을 시행한다.

■ 흉부손상 (Thorcic Trauma)

1. 흉부손상후 조기사망 (수 시간 내)의 원인
   : 기도폐쇄, 주요 호흡문제
   (tension pneumothorax, massive hemothorax & cardiac temponade)

2. Tube Thoracostomy
   - 성인에선 large-bore (32-36Fr) chest tube를 "midaxillary line"의 5th 혹은 6th 늑간사이공간으로 삽입한다.
   - 뽑는 시기 → 24시간 동안 air leakage가 없으면서 100cc 이하로 drainage 될 때

3. Thoracotomy
   ① 응급개흉술 (Emergent thoracotomy)의 적응증★

① **심장마비** (Cardiac arrest) ② **과도한 혈흉** (Massive Hemothorax) **1,500cc**이상의 blood가 나오며, 처음 3시간 동안에 **200-300cc/hr**로 dainage 될 때 ③ **앞쪽흉벽의 관통손상** 및 **Cardiac tamponade** 시 ④ 흉곽의 **큰 개방창상** 시 ⑤ **주된 흉부혈관손상** 시 ⑥ **주된 기도기관지 손상** 시 ⑦ **식도천공** 시

특정 부위의 손상

1. Flail Chest ★

① 정의
   3개 이상의 연속적인 ribs에서 **2군데 이상의 골절**이 있을 때 흉벽의 불안정성을 유발하는 상태

② 흔히 Closed head injury가 **동반**되어 사망률이 높다.

③ Paradoxical chest wall motion으로 인해 **호흡노력이 증가**하며, 그 결과 **호흡부전**이 발생할 수 있다.
   → 호흡부전 시 통증조절 이루어질 때까지 PEEP을 이용한 인공호흡기를 사용할 수 있다.

2. 기흉 (Pneumothorax) ★★★

① **임상양상**

: 수상쪽 호흡음 감소, 타진 시 hyperresonance

② **긴장성 기흉 (Tension Pneumothorax)★★★**

- **특징★**

- Complete lung collapse - Tracheal deviation - Mediastinal shift으로 심장으로의 venous return 감소 - 저혈압 및 호흡곤란★

- 보통 positive ventilation하에서 폐실질손상이 있는 환자에서 발생한다.
- **임상양상** : 호흡곤란, 빠른 호흡, 저혈압, 발한 & **경정맥 확장**
  → **"생명을 위협하는 초응급상황임!"**
  → **확진하는데 CXR은 필요치 않다! (시간에 지체하면 안된다)**
- **치료**
  Large-bore needle을 midclavicular line의 2nd **늑간사이공간** 으로 삽입하여 응급으로 감압한 후 tube thoracostomy 시행한다. ★

3. 혈흉 (Hemothorax)

① CXR상 supine position에서 [200cc] 이상이면 발견될 수 있지만 diffuse haziness로 나타나며 때로는 전혀 보이지 않을 때도 있다.

② Pleural space로 3L까지 혈액이 찰 수 있다.

③ **치료**

- [36Fr tube]를 삽입한다.
- 그럼에도 지속적으로 출혈하는 경우 Emergency Thoracotomy 시행함.

주로 **전신동맥** (Intercostal or internal mammary aa) 및 정맥 혹은 **주요 폐혈관** 및 **심장기원 혈관**으로 이런 경우 **자가수혈** (autotransfusion)이 필요할 수 있다.

추가노트

cf) Thoracostomy → 흉강삽관술, 가슴관삽입술
Thoracotomy → 개흉술, 가슴절개술

4. 심장압전 (Pericardiac temponade)

1. Beck' s triad (30~40% 환자에서) ★

① **심장음 감소** (Muffled heart tone) ② **경정맥의 확장** (Distended neck vein) ③ **저혈압** (Hypotension)

2. **치료** : 심장막천자 (Pericardiocentesis)

5. Diaphragmatic Injuries

1. 주로 **관통손상**에 의함
2. **의심해야 하는 상황들**
   ① 흉부손상이 없는 복부손상 후 **호흡곤란** 발생 시
   ② upright chest film에서 visceral herniation 발생 시
3. **치료**
   ① **일차봉합** (interrupted horizontal sutures) 시행함
   ② 급성 손상 → **"개복술"**. 만성 손상 → 개복 및 개흉, 어떤 접급법도 상관없다.

■ 복부손상 (Abdominal Trauma)

· 진단 ★★

1. DPL (Diagnostic Peritoneal Lavage)

① DPL은 **둔상 후의 저혈압 혹은 치료에 반응하지 않은 환자에게 있어서** 복강 내 손상을 **입증**하는데 있어서 빠르고 가장 민감한 방법이다.★

② Positive DPL ★

① **10ml**의 gross blood있거나 **bloody** lavage effluent 소견 시 ② **RBC** >100,000mm², **WBC** > 500mm² ③ **Amylase** >175 IU/dL ④ **bile, bacteria** 및 **food fiber**가 보일 때

③ 단점인즉, hollow viscus injuries를 **진단하는데 정확도가 떨어진다** 는 점이다.★

추가노트

☞ **"급성"** 가로막손상의 경우는 동반된 복강 내 장기손상을 확인해야 하므로 개복해야 하지만, **"만성"** 가로막손상의 경우는 가로막손상 후 오랫동안 생활을 해왔으므로 동반된 복강 내 장기 손상이 없다고 생각해도 무방하다. 따라서 개복을 하든 개흉을 하든 어떤 수술적 접근법도 상관없다.

☞ **DPL로 발견되지 않는 것들**
횡격막 손상, 후복막혈종, 신장, 췌장, 십이지장 손상, 심하지 않은 소장 손상 및 extraperitoneal bladder injury

☞ **False positive**
: 골반골절, 후복막에서 복강 내로 출혈하는 경우, 복벽출혈

(표) DPL의 적응증 및 금기증 ★

적응증
① 부합한 이학적 검사소견 (Equivocal physical examination) ② 예상못한 **쇽 혹은 저혈압** ③ **감각 및 의식의 변화** (closed head injury, 약제성) ④ 복강 밖의 원인으로 전신마취를 한 경우 ⑤ 척수 손상시
금기증
① **시험적 개복술의 확실한 적응증 시** ② 상대적 금기증 • 전에 시험적 개복술을 시행받은 환자, 임신 및 비만

2. Ultrasound or FAST(Focused Assessment with Sonography for Trauma)

① free intraperitoneal fluid 찾는데 유용

② 혈복강을 진단하는데 있어서 DPL과 정확도가 동일

③ Hemodynamically unstable patients의 경우 **ER에서 바로 시행**할 수 있어 유용

④ 안정적인 환자의 경우 US에서 특이소견 없을 때 더 이상의 검사가 필요하지 않다.

3. Abdominal CT

① **안정적인 복부둔상 시 가장 흔히 사용하는 검사** ★

후복막 손상의 진단에도 유용하다.

② 가장 중요한 단점은 이 역시 **hollow viscus 손상을 진단하는데 어려움이 있다**는 점이다.

(표) Abdominal CT의 적응증

적응증
① **둔상** ② **혈역학적으로 "안정적" 일 때** ③ 이학적 검사를 통해 정보를 얻지 못했을 때 ④ **십이지장 및 췌장손상이 의심되는 병인(mechanism)시**
금기증
① **확실한 시험적 개복술의 적응증시** ② **혈역학적으로 불안정할 때** ③ **환자의 agitation (검사의 어려움)** ④ **조영제에 대한 allergy**

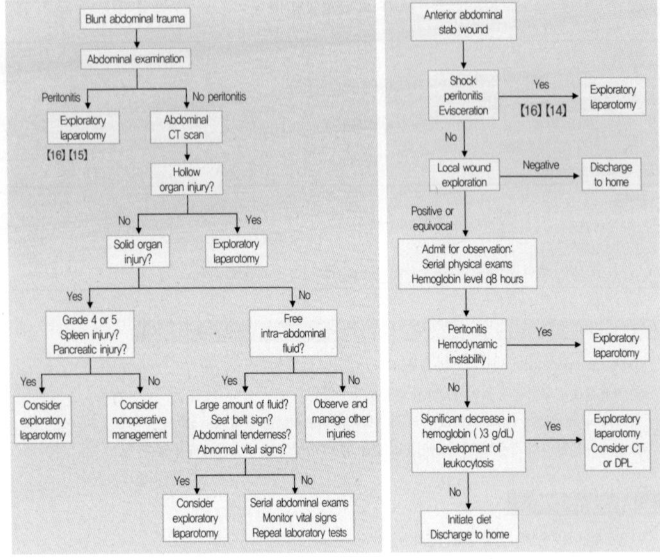
Blunt abdominal trauma
Abdominal examination
Peritonitis
No peritonitis
Exploratory laparotomy
【16】【15】
Abdominal CT scan
Hollow organ injury?
No
Yes
Solid organ injury?
Exploratory laparotomy
Yes
No
Grade 4 or 5 Spleen injury? Pancreatic injury?
Free intra-abdominal fluid?
Yes
No
Consider exploratory laparotomy
Consider nonoperative management
Yes
No
Large amount of fluid? Seat belt sign? Abdominal tenderness? Abnormal vital signs?
Observe and manage other injuries
Yes
No
Consider exploratory laparotomy
Serial abdominal exams Monitor vital signs Repeat laboratory tests
Anterior abdominal stab wound
Shock peritonitis Evisceration
Yes
【16】【14】
Exploratory laparotomy
No
Local wound exploration
Negative
Discharge to home
Positive or equivocal
Admit for observation: Serial physical exams Hemoglobin level q8 hours
Peritonitis Hemodynamic instability
Yes
Exploratory laparotomy
No
Significant decrease in hemoglobin ( )3 g/dL) Development of leukocytosis
Yes
Exploratory laparotomy Consider CT or DPL
No
Initiate diet Discharge to home

• Specific injuries

1. 위장 손상 (Gastric Injuries)

① 늑골에 의해 보호되기 때문에 blunt injury〈〈penetrating injury

② **진단** : NG tube에서 bloody aspiration시 의심

③ **치료** : 대부분의 penetrating wound의 경우 **wound edge를 debridement 한 뒤 layer를 맞추어서 일차봉합을 시행한다.** 손상이 심할 경우 위절제도 고려하라.

2. 십이지장 손상 (Duodenal Injury) ★

① 다른 고형장기 및 주요 혈관과 인접해 있기 때문에 대부분 **다른 복강 내 손상**과 동반됨.
진단이 어려워 수상 후 **12시간** 정도 진단이 늦어진다.

② **진단**

a. **Hyperamylasemia** : **6시간**마다 시행함.
십이지장손상환자의 **50%**의 환자에서만 증가함.
→ 즉, 진단적 가치가 있는 것은 아니지만 증가시 가능성을 생각해야 함.

b. **X-ray**
mild **scoliosis**, Rt. psoas shadow 소실, duodenal bulb내 **가스음영이 보이지 않음**, 신장 주변으로의 **Retroperitoneal air** ★

c. **확진** : **gastrografin UGIS, oral & IV contrast CT**
→ 조영제의 Extravasation은 개복술의 절대적응증

추가노트

cf) DPL은 retroperitoneal injury (ex.Duodenal injury)에 있어서 좋은 검사가 아님.

③ **치료**

손상	정의	치료
1도	• 부분적 열상	**"6시간"** 이내 → 단순봉합
2도	• 손상부위가 십이지장 경계의 50% 이하시	6시간이상 경과시 → 단순봉합 + **십이지장감압술**
3도	• D2에서 손상부위가 50-75%시 • D2이외의 부위에서의 50% 이상의 열상	일차봉합후 Pyloric exclusion 혹은 Roux-en-Y duodenojejunostomy 시행
4도	• D2에서 손상부위가 75% 이상이며 • **"Ampulla 혹은 원위 담관손상이 동반"** 되어 있을 때	3도 열상에 준하는 치료 + 담관복원술
5도	• 췌십이지장의 massive disruption • 십이지장으로의 혈관손상	췌십이지장절제술 (Pancreaticoduodenectomy)

Roux-en-Y duodenojejunostomy

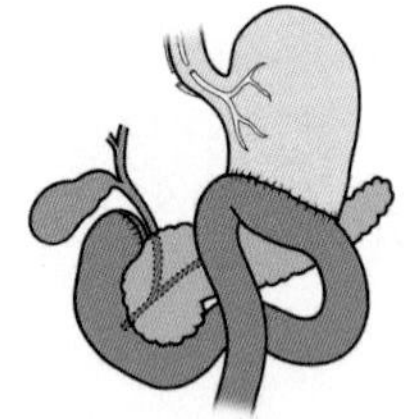

Pyloric exclusion

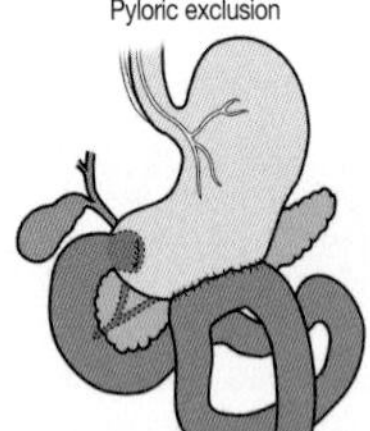

※ **십이지장 혈종 (Duodenal Hematoma)** ★

a. **진단** : **조영검사**에서 **Coil spring or stacked coin sign**★ 나타남

b. **치료** : 10-15일 후 저절로 치유될 수 있다.

→ 치료의 원칙은 **"보존적 치료"** 임 ★ **(즉, 장연동운동이 다시 나타날 때까지 NG suction을 시행한다)**

개복은 지속적인 십이지장 폐쇄시 시행한다.

c. **합병증** : **Duodenal fistula** (5-15%; 역시 보존적 치료), **Abscess**

추가노트

• 즉, D2 (십이지장 2nd portion)은 ampulla of Vater가 위치하는 중요한 부분이므로 3도와 4도로 손상정도를 나눈다.

• 십이지장 감압술

① pylorus를 지나서 L튜브를 위치시키는 방법

② 튜브를 이용한 jejunostomy 혹은 duodenostomy

• 담관복원술

① 보통은 CBD손상을 일차봉합한 뒤 십이지장까지 이어지는 긴 T tube를 삽입한다.

② 일차봉합이 안되면, CBD와 소장을 연결한다.

3. 췌장손상 (Pancreatic Injury)

① penetrating injury가 많았지만, 최근 교통사고 등으로 blunt injury 증가함

② **사망률은 15-30%로 이는 "주요 복부 혈관 손상"과 관련된다.**

후기사망률 : 폐혈증, 다발성장기부전

③ **진단**

- 병력 (injury mechanism 생각!)
- Serum & urinary amylase

  : 진단적 가치는 없지만 지속적으로 증가한 경우는 가능성 있음.
- Abd. CT

  출혈성 물질, 지방 및 수액이 췌장주위로 침윤되어 **"췌장주위 thickening"** 발생

※ "췌관의 손상여부"가 수술 후 경과에서 가장 중요한 인자이다.★

④ **치료**

- 손상 부위가 SMV (Superior mesenteric vessels)의 오른쪽인지 왼쪽인지에 따라 proximal& distal 구분

췌장 근위부 손상 (Proximal injury)	췌장 원위부 손상 (Distal injury)
• 췌장손상치료 ± 심이지장 손상 치료 (심이지장손상치료와 동일) └ debridement & drainage 췌장루 빈도가 40%로 높으므로 적절한 배액이 중요하다. • 심하면 췌십이장절제술 시행	• Distal pancreatectomy with/without splenectomy • pancreatic contusion이 있으면 부위에 상관없이 배액(drainage)해야 한다.

⑤ **술후 합병증** : 췌장루 혹은 농양이 : 35-40%에서 발생함

4. 소장손상 (Small Intestine Injuries)

① 소장은 **관통상 (penetrating) 후 가장 흔한 손상 부위이다.**

② **진단** : 단순촬영상 free air보일수 있지만 흔치 않고, DPL도 신빙성이 적다.

CT도 false negative가 많다. 시험적 개복으로 진단되는 경우가 많다.

③ **치료** : 작은 경우 단순봉합만으로 가능할 수 있고 심할 경우 장절제가 필요하다.

④ **술후 합병증**

: 농양, 문합부 누출(leakage), 장루(fistula), **짧은창자증후군**(short bowel syndrome)

a. **회장절제**가 공장절제시보다 심하다.
b. "**ileocecal valve**"의 보존여부가 단장증후군에서 대단히 중요한 이는 IC valve가 보존되어 있는 경우 소장 내 체류시간을 연장시켜, 영양분이 장점막에 충분히 노출되도록 하기 때문
c. 치료 : 수액공급,고단위영양요법 (TPN, Vit B12, cholestyramine, H2 blocker)

5. 결장 손상 (Colon Injury)

① **관통손상이 대부분**

② 손상 2시간 내 치료 시 감염합병증을 현저하게 줄인다.

③ **진단** : DPL, Triple contrast (oral, IV & rectal) CT 및 직장수지검사 (DRE; digital rectal exam.)

④ **치료** ★

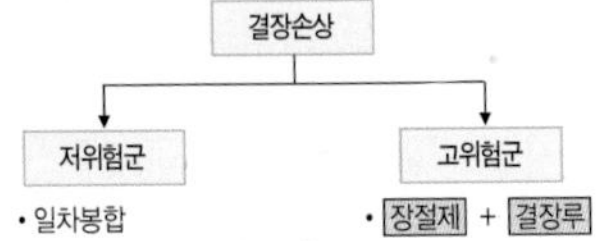

☞ 일차봉합(저위험군)의 적응증★★
① 조기진단 (4-6시간 내)★
② 장기간의 쇼이나 저혈압이 없을 때
③ 복강 내에 심각한 감염이 없을 때
④ 대장 혈관손상이 없을 때
⑤ 수혈양 < 6U 이내시
⑥ 복벽을 닫을 때 mesh가 필요하지 않을 경우

• **낮은 위험** 시 : primary closure of resection & anastomosis

높은 위험 시 : 장절제 및 대장루 (colostomy)

→ "**우측대장**"의 광범위한 관통손상은 Rt. hemicolectomy (c primary anastomosis)가 적합하며, "**좌측대장**"의 광범위한 손상의 경우는 resection c proximal end colostomy 가 적합하다.

추가노트

☞ 복부둔상 시 "**peritoneal sign**"이 있거나 "**혈역학적으로 불안정**"한 경우는 시험적 개복술을 시행해야 한다.
소장 손상의 경우(hollow viscus injury)는 초기에 진찰소견이 특이하지 않으며 적절한 진단을 위한 검사방법이 없기 때문에 "**흔히 늦게 발견**"되는 경우가 많으며 이 경우 환자의 사망률 및 이환율을 높이므로 초기에 의심하고 진단을 늦추지 않는 것이 중요하다.

6. 직장손상 (Rectal Injury)

① 진단

a. DRE (Digital Rectal Exam.) → blood or injury 만져짐

b. Anoscopy & rigid proctosigmoidoscopy

② 치료

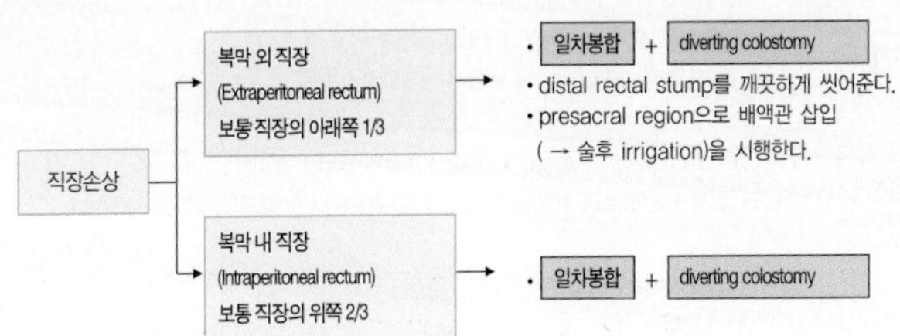
직장손상
복막 외 직장
(Extraperitoneal rectum)
보통 직장의 아래쪽 1/3
• 일차봉합 + diverting colostomy
• distal rectal stump를 깨끗하게 씻어준다.
• presacral region으로 배액관 삽입
(→ 술후 irrigation)을 시행한다.
복막 내 직장
(Intraperitoneal rectum)
보통 직장의 위쪽 2/3
• 일차봉합 + diverting colostomy

7. 간손상 (Liver Injury)

① 간손상의 종류

- 간의 작은 열상 (laceration)의 경우 개복 시 이미 출혈이 멈추어져 있는 경우가 50% 이상임
  → 대부분의 간손상은 drainage가 필요없다.
- 사망률은 8-10%인데. 간 단독손상 시 3%이나 동반된 손상이 있을 경우 24%까지 증가한다.
- 간피막 찢어짐(tearing), 비출혈성 열상, 간의 fracture, 간엽 파괴 및 간혈관 손상 등 다양한 손상이 발생할 수 있다.

INJURY GRADE	INJURY TYPE	DESCRIPTION OF INJURY
I	Hematoma	Subcapsu lar, 〈10% surface area
	Laceration	Capsular tear, 〈1 cm parenchymal depth
II	Hematoma	Subcapsular, 10% to 50% surface area; intraparenchymal, 〈10 cm in diameter
	Laceration	Capsular tear, 1 to 3 cm parenchymal depth, 〈10 cm in length
III	Hematoma	Subcapsular, 〉50% surface area of ruptured subcapsular or parenchymal hematoma; intraparenchymal hematoma〉 10 cm or expanding
	Laceration	〉3 cm parenchymal depth
IV	Laceration	Parenchymal disruption involving 25% to 75% hepatic lobe or 1 to 3 Couinaud segments
V	Laceration	Parenchymal disruption involving 〉75% of hepatic lobe or 〉3 Couinaud segments within a single lobe
	Vascular	Juxtahepatic venous injuries (i.e., retrohepatic vena cava/central major hepatic veins)
VI	Vascular	Hepatic avulsion

② 수술적 치료(특히, 지혈방법들)

- 간손상치료의 3대원칙은

> ① 지혈
> ② devitalized tissue 제거
> ③ 적절한 drainage 시행이다.

간손상 시 특히 지혈에 어려움이 많으므로 많은 지혈방법들이 논의되어 왔다.

국소치료

- 단순봉합 및 지혈제 사용

⇩

Tractomy

- 간창상(wound)을 더 확대시켜서 출혈하는 혈관으로 접근해서 그 혈관을 결찰하고 biliary radicals도 따로 결찰한다.
- 합병증으로 생기는 간농양 및 hemobilia를 막을 수 있다.
- 특히 간 깊은 부위로부터의 출혈시 적절하게 이용될 수 있다.

⇩

Pringle's maneuver

- vascular clamp나 vessel loop를 이용하여 portal triad를 clamp한다.
  → 이렇게 간으로의 혈류를 차단한 다음, 확보된 시야하에서 지혈을 시행한다.

⇩

- Pringle's maneuver후에
  ① 지혈되는 경우 : 출혈은 PV(portal v.)이나 HA(hepatic a.)의 분지에서부터 발생하는 것임
  ② 지혈이 안되는 경우 : 출혈은 **간정맥**이나 간뒤쪽에 있는 vena cava에서부터 발생하는 것임
- Pringle's maneuver에서 clamping하는 시간은 steroid의 사용으로 **1시간**까지 연장할 수 있다.

(일시적인) 거즈 packing

- 출혈이 심한 부위로 거즈를 대어 지혈시킨뒤 2-3일 후에 재개복하여 거즈를 제거한다. 합병증으로 복강내 농양은 15% 미만에서 발생한다.
- Packing은 major vessel을 침범하지 않은 간실질의 지혈에 효과적이지만, 간정맥, 간뒤쪽 vena cava 및 동맥성 출혈을 지혈하는데는 효과적이지 못하다.
- 간손상 시 간절제를 시행하기도 하지만, 많은 경우 적절하지 못하다.

⑤ **비수술적 치료 ★** 적응증: 혈역학적으로 안정된 환자(가장 중요한 인자) 【16】【13】

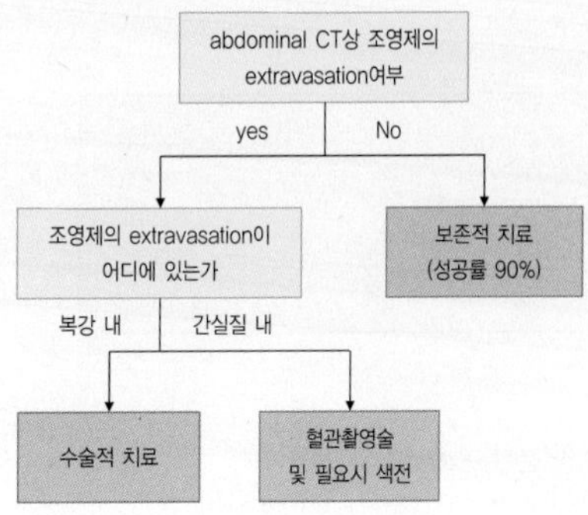

- 보존적인 치료를 할 때 Hct F/U하여 감소하면 → CT 를 다시 찍는다.
- 보존적 치료는 ICU에서 지속적으로 모니터링을 통해 치료한다.

8. Porta Hepatis 손상

① **특징**

- 사망률 50%, 주변조직들과 함께 손상을 입은 경우 사망률은 80%까지 상승한다.
  └ 간, 십이지장, 위, 대장 및 주요 혈관들
- **술후 합병증** : Biliary fistula, 문맥혈전증(portal vein thrombosis), 간허혈

② **CBD 손상시의 치료**

- 담관 경계의 50% 이하 손상 : 일차 봉합 및 T관 삽입법
- 50% 이상의 담관손상 시 : 담관 소장 문합법
  - Biliary fistula의 우려로 인해 "closed-suction drain"을 항상 설치해야 한다.

9. 비장손상 (Spleen Injury) ★★★★

- 비장은 **복부둔상 시 가장 흔히 손상되는 장기**임 ★

① 비수술적 치료의 적응증★

a. 혈역학적으로 안정적일 때
b. 복부**진찰**에서 특이소견 없을 때
c. 다른 확실한 **개복적응증이 없을 때**
d. 출혈을 일으키는 다른 위험인자가 없을 때(응고장애, 간부전, 항응고제 사용, 응고인자결핍 등)
e. **1~3도** 비장손상 시

※ 혈관조영검사를 통한 선별적인 색전술
: "**조영제의** extravasation" 이 있거나 "**가성동맥류**(pseudoaneurysm)" 가 발견되는 경우, angiography를 통한 선별적인 색전술 (selective embolization)을 시행한다.

② 수술적 치료

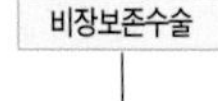

- 각종 지혈제 및 봉합을 통해 지혈을 시도한다.
- **비장실질의 50% 이하 열상 및 비장문(hilum)을 침범**하지 않은 경우는 부분절제를 시도할 수 있다.

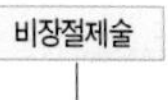

- 비장문(hilum)이나 비장의 중심부의 손상은 비장절제술을 시행해야 한다.
- 비장절제 후, S.pneumonia, N.meningitidis, H.influenza와 같은 encapsulated bacteria들에 대한 예방접종을 시행해야 한다.

※ 경과관찰 중 Hct 감소하거나, 저혈압, 지속적인 장마비 시 repeat CT 시행한다.

추가노트

☞ OPSI(Overwhelming postsplenectomy infection)

① 정의:
비장절제후 발생하는 전격성 감염으로 12-18시간 만에 가벼운 발열,구토 등의 증상으로 시작해서 사망에 이를 수 있다(전체사망률 50-80%).
② 빈도 : 소아 0.6%, 성인 0.3%
③ 원인균 : Pneumococci >> E.coli, Hemophilus influenzae, Meningococci 등
④ 임상양상 : 쇽, 전해질장애, 저혈당 및 DIC
⑤ 예방 : 비장절제술 후 **퇴원 전** "polyvalent pneumococcal vaccination" 해야 한다.

☞ 최근에는
① 55세이상의 환자
② 복강 내 큰 혈종이 있는 경우 및
③ 4-5도 비장손상도 비수술적으로 치료할 수 있다는 보고들이 있다.

③ **수술** : 전 비장절제술(total splenectomy) 혹은 비장보존수술(splenic salvage procedure)

10. 비뇨기 외상 (Urinary tract injury)

① **요도손상 (Urethral injury)이 비뇨생식기 외상 중 m/c.**
이때 요도협착으로 배뇨장애 유발

② **증상** : Gross hematuria (m/c), 배뇨불능

③ **진단**

a. **역행성 요도 조영술(Retrograde Urethrocystogram)** ★
: bladder catheterization전에 요도손상여부를 알기 위해

b. Cystogram : foley catheter 삽입 후 250-300cc 조영제 주입
: 방광파열로 인한 extravasation여부를 알아 봄.
cf) 요도손상 시 IVP(Intravenous pyelogram)로 대치한다.

c. CT
비뇨기계를 평가하는데 IVP만큼 효과적이며 동반된 복강 내 및 후복강손상을 알 수 있는 장점이 있다.

④ **치료** : • blunt trauma에 의해 발생한 비뇨기 외상 환자 중 혈역학적으로 안정된 대부분의 경우는 비수술적 치료(보존적 치료)로 충분하다.
• 수술적 치료 : 필요시 일시적으로 urinary diversion 시행한다.

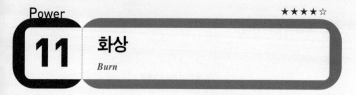

BURN UNIT ★

- 화상센터로 이송하는 기준 (= Criteria of major burn) ★

① **10%** TBSA 이상의 partial-thickness burn
② **얼굴, 손, 발, 생식기, 회음부, 주요관절 화상**
③ any **full**-thickness burn
④ **전기** 화상
⑤ **화학적** 화상(Chemical burn)
⑥ **호흡** 화상(Inhalation burn)
⑦ 이미 **내과적 질환**을 지니고 있는 환자
⑧ **동반된 외상** (fracture 등)
⑨ **소아** (아동에 대한 전문가나 전문시설이 없는 경우)
⑩ 사회적, 정서적, 혹은 장기간의 **재활치료**가 필요한 경우

화상의 병태생리

■ 국소변화

(그림) 화상으로 인한 손상영역

응고영역(zone of coagulatin)은 비가역적으로 손상받은 영역이다.

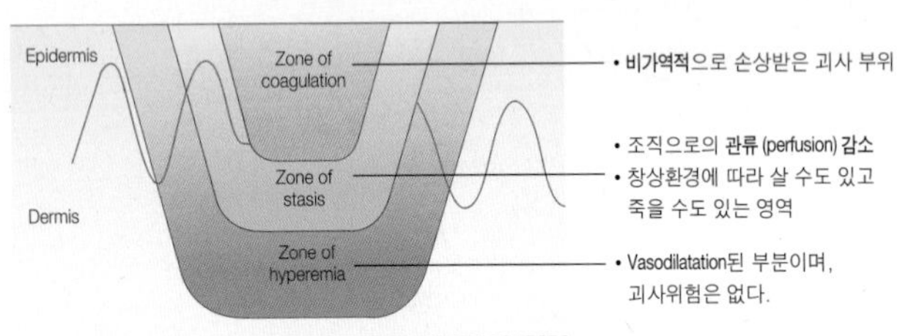
Epidermis
Zone of coagulation
• 비가역적으로 손상받은 괴사 부위
• 조직으로의 관류 (perfusion) 감소
Zone of stasis
• 창상환경에 따라 살 수도 있고 죽을 수도 있는 영역
Dermis
Zone of hyperemia
• Vasodilatation된 부분이며, 괴사위험은 없다.

(그림) 화상의 깊이

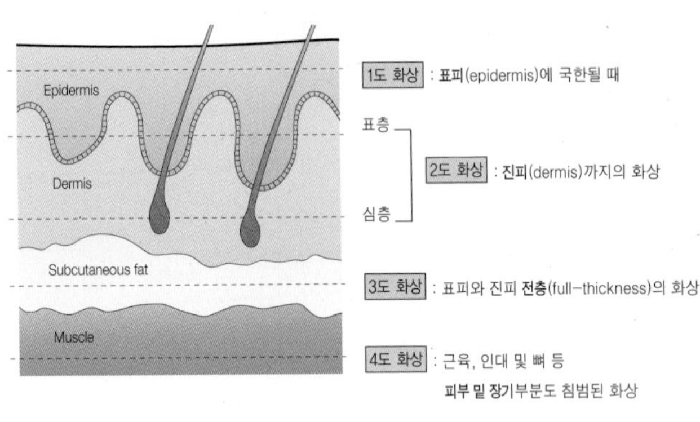
Epidermis
Dermis
Subcutaneous fat
Muscle
1도 화상 : 표피(epidermis)에 국한될 때
표층
2도 화상 : 진피(dermis)까지의 화상
심층
3도 화상 : 표피와 진피 전층(full-thickness)의 화상
4도 화상 : 근육, 인대 및 뼈 등 피부 밑 장기부분도 침범된 화상

• **깊이에 따른 화상의 분류 ★**

① **1도 화상** : **표피 (Epidermis)**까지의 화상

- 통증이 있으며, 발적되어 있으며, 누르면 하얗게 변함. 반흔을 남기지 않는다.
- ex) sunburn 혹은 부엌에서의 가벼운 화상 시

② **2도 화상** : 진피 (dermis) 손상을 동반할 경우

표층(Superficial) : Papillary dermis까지의 손상	심층(Deep) : reticular dermis까지 화상
• 역시 통증, 발적, 누르면 하얗게 됨. 종종 물집 (Blister)이 동반됨.	• 하얗게 보이며, 반점같이 보일 수 있다. 눌렀을 때 탈색되지 않는다. 핀으로 눌렀을 때 통증은 남아있다.
• 7–14일 후 Rete ridges, Hair follicles & Sweat gl.★ 등에 남아있는 상피조직으로부터 자발적으로 재상피화가 이루어지고, 회복 후 약간의 색깔변화가 있을 수 있다.	• 14–35일 후 Hair follicle, Sweat gl. keratinocyte로부터 재상피화되며 진피의 소실로 인해 심한 scarring을 남길 수 있다.

③ **3도 화상** : 상피, 진피 전층의 화상

- **통증이 없으며** 검정, 회색 혹은 cherry red 색깔의 Eschar를 특징으로 한다.
- 화상경계부로부터의 재상피화로 치유되며 Skin graft를 필요로 한다.

④ **4도 화상** : 피부이하 근육, 뼈 등 다른 장기까지 화상

- 화상범위 ★★★
- Rule of Nine

성인 (9-9-18-18-1) ★

- 두부 : 9%
- 양쪽 팔 : 9 x 2 = 18%
- 몸 양면 : 18 x 2 = 36%
- 양 다리 : 18 x 2 = 36%
- 회음부 : 1%

(그림) 성인에서의 BSA(body surface area)

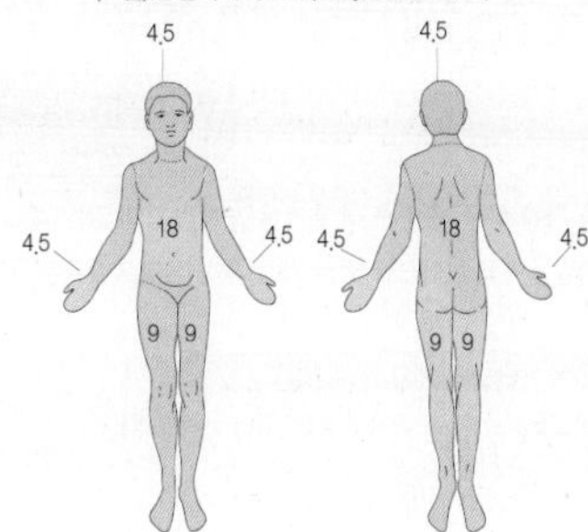

추가노트

☞ 소아는 성인에 비해 두경부의 BSA가 넓고 하지의 BSA는 좁은 편이다. ★

☞ 어린이 (20-10-20-10) ★

- 두부 : 20% · 양쪽 팔 : 10 x 2 = 20% · 몸 양면 : 20 x 2 = 40%
- 양 다리 : 10 x 2 = 20%

■ 전신변화

(그림) Systemic effects of severe burn

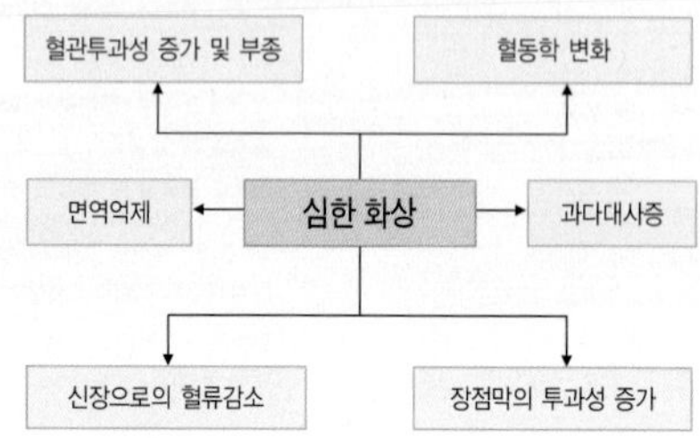

1. 혈관 투과성의 증가 및 부종

- 처음엔, 화상피부의 hydrostatic force가 감소하고, 주변 피부의 hydrostatic force가 증가함.
  시간이 경과하면 여러 mediators 등에 의해 모세혈관에서 단백질 등이 빠져나가 혈액의 oncotic pressure는 감소하고, interstitial oncotic pressure는 증가한다.
- Mediators
  : Histamine, Serotonin (→ 부종), ThromboxaneA2 (→ 혈관수축 및 혈소판응집)

2. Altered Hemodynamics

- 혈장소실, PVR (Peripheral vascular resistance) ↑, CO (Cardiac output) ↓, Blood viscosity ↑

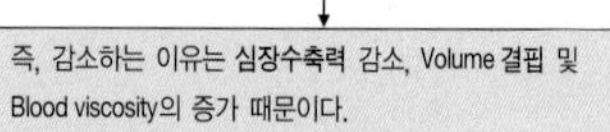

즉, 감소하는 이유는 심장수축력 감소, Volume 결핍 및
Blood viscosity의 증가 때문이다.

- 즉 심한 화상 시 혈관 내 용적이 급격히 감소한다. 따라서 화상 시 우선적으로 취해야 할 조치는 충분한 수액공급이고 화상으로 인한 가장 흔한 사망요인은 혈류저하쇼크 이다.★

3. 신장으로의 혈류 및 GFR감소

- Oliguria → 치료 안하면 ATN, ARF : 치명적!!

4. 장점막의 투과성 증가 및 장으로의 혈류 감소

5. 면역억제

① 면역체계 전체의 세포기능이 떨어져서 생김 : neutrophil, M, T&B-cell.....

화상부위에서 이식편의 생존율이 연장됨

② 감염합병증 증가 ↑ : 창상감염, 폐렴, 진균성 및 바이러스성 감염

CD8은 증가, CD4는 감소, Opsonization 감소, circulating IgG 감소

6. 대사 증가 (Hypermetabolism)

① Tarchycardia & CO ↑

② 에너지 소비 ↑ & 산소 소모 ↑

③ massive Proteolysis (muscle) & Lipolysis (peripheral)

④ Severe nitrogen loss

(그림) Hypermetabolism의 결과

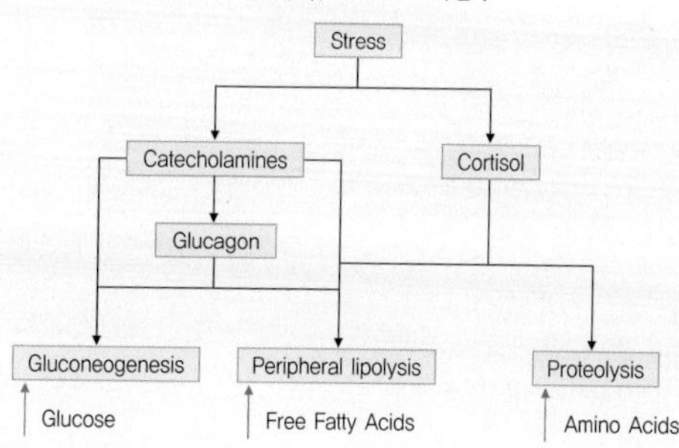

화상의 초기 치료

■ 병원에 가기 전

• 환자를 옮긴 뒤

① 화상의 원인 제거 (타는 옷, 반지, 시계, 보석, 혁대 등)

② Face mask를 통해 100% O_2 공급 - inhalation injury 고려

③ **실온의 물**을 수상 15분 이내에 창상에 붓는다 → 창상의 깊이를 감소시킴
(찬물은 저체온증을 유발하기 때문에 사용하지 않는다.)

■ 초기 평가

• 우선순위

① Airway ★ : 화상 시 부종으로 인해 폐색 가능

※ **상기도 손상**을 의심해야 할 경우 ★

a. **얼굴** 부위의 화상
b. **콧털**이 그슬려져 있을 때 (Singed nasal hair)
c. 탄소질을 함유한 **객담** (Carbonaceous sputum)
d. **빠른 호흡** (Tarchypnea)
※ 점차적인 **목쉰소리** (hoarseness) : 기도가 곧 막힐 것을 시사하는 징후
→ 즉시 endotracheal intubation 시행!!

② Breathing

③ Circulation

• 혈압측정이 힘들 경우 사지에서 맥박을 촉지
→ 만져지면 적절한 순환이 이루어짐을 의미

④ Disability

• 척추손상 (spinal cord injury) - 폭발이나 추락 시에는 반드시 stabilization 시행

■ Wound Care

① **병원가기 전에…**

• 마른 도포 등으로 환부를 덮는다 (dry dressing).
cf) 축축한, 적신 dressing은 절대 하지 않는다!!!

② **환자 이송 시**

• 체온 손실을 최소화하기 위해 도포에 싸서 운반

③ **통증조절**

- 상처 부위를 덮어서 노출된 신경말단에 다른 것이 닿지 않도록 함.
- **im 혹은 sc narcotics 절대 사용 금지!!!**

  → 적은용량의 IV morphine 사용(단, 모든 처치가 끝나 안전이 확보된 후에만 사용!!)

■ 소생 (resuscitation)

- **기본단계** ★★

  ① **흡입화상** 유무를 파악하며 **기도를 확보**한다.

  ② 적절한 **IV line 확보**

  ③ **수액** 요법

  ④ **Nasogastric tube** 삽입

  ⑤ **Tetanus**(파상풍) prophylaxis

1. IV line 확보 및 유지

2. 수액 요법 (Resuscitation formula) ★★★

1. 기본원칙

- **IV로 투여** (∵대부분 환자가 장마비가 있다)
- 화상 영역 계산시 **2도 이상의 화상만 포함시킨다.**
- 15% TBSA 이상의 화상에서 빨리 시작
- 50% TBSA 이상의 화상은 50%로 계산
- 계산된 수액량이 10,000cc 이상인 경우 10,000cc로 투여
- **계산된 수액량은 첫 24시간 투여,** 이 중 **'절반'** 을 첫 **'8시간'** 에 **나머지**를 이후 **16시간** 동안 투여 ★
- **성인화상** : Parkland formula 사용
- **소아화상** : Galveston formula 사용 (어른보다 단위 몸무게 당 필요한 수액 많다)
- 화상 24시간 경과 후에 혈장 보충 위해 colloid solution 투여한다.

추가노트

∵ 화상환자에서는 말초혈관수축이 있어 IM or SC 투여시 흡수가 잘 안됨
→ 소생 후에 혈관수축되면서 축적된 약물이 대량으로 흡수되어 호흡부전 유발 가능

☞ 화상환자에서 정맥로의 확보는 일단 화상이 없는 말초정맥을 택하는데, 그러한 혈관을 확보하지 못할 때는 화상부위의 혈관을 확보할 수 있다. 표층정맥을 확보하기 힘들 경우 saphenous vein cutdown이 유용하다. 6세 이하의 소아에선 tibia근위부 끝에 있는 intermedullary access를 확보한다.

☞ 예컨대 80kg환자가 40% TBSA(total body surface area) 화상을 입었을 경우
80 kg x 40 % TBSA / 8 = 400mL/hr로 정식계산이 나올 때까지 주입한다.

2. 수액의 선택 (화상 후 첫 24시간)

① 나이에 따른 수액 결정

a. 성인 → Lactated Ringer 수액

a. 소아 → 5% Dextrose Ringer 수액

② 처음주입속도= TBSA burned (%) × 환자체중 (kg)/8 (ml/hr)

(즉, 계산된 수액을 주기전의 주입속도이다)

③ Monitoring

- 수액 요법으로 적절한 관류가 유지하고 있는지 판단하기 위해 volume of Urine output를 측정하여 수액 주입속도 조절

→ 성인〉 0.5ml/kg/hr, 소아〉 1.0ml/kg/hr 유지

☞ 계산된 수액보다 더 많은 수액이 필요한 경우 ★

① 고압의 전기화상
② 흡입화상
③ 소생이 늦어진 경우
④ 술취한 환자에서
⑤ Alkali burn

(표) 화상 첫 24시간 내에 공급되어지는 수액량 산출

formula	Crystalloid volume (mL)	Colloid volume (mL)	Free water
Parkland	4 × 체중(kg) × TBSA (%)	없음	없음
Brooke	1.5 ×체중(kg) ×TBSA (%)	0.5 × 체중(kg)	2.0L
Galveston (소아에서)	5000 × 화상영역(m^2) + 1,500 × TBSA(m^2)	없음	없음

추가노트

☞ 성인은 catabolic hormone의 영향으로 고혈당이 생기므로 **포도당이 함유된 수액**은 쓰지 않는다.
∵ 소아는 glucose 저장량이 적고, 전체혈액량이 적으므로 **dextrose를 함유한 수액**을 준다.
※ 소아화상시 Hyponatremia와 이로 인한 Cerebral edema, Hyponatremic convulsion이 발생할 수 있으니 주의해야 한다.

- Crystalloid로 투여 (Parkland)
- 첫24시간에는 모세혈관 투과성이 증가하여 있어 colloid 사용 안함(단, Brooke에서는 처음부터 같이 준다).

• 이뇨제가 필요한 4가지 경우 ★

① 고압의 **전기**화상
② **근육**층을 침범한 심층 화상
③ 기계적인 **연부조직**손상이 동반된 화상
④ 수액을 충분히 주어도 **oliguria**가 지속될 때

3. Nasogastric tube 삽입

• major burn의 모든 환자는 이송이 완료될 때까지 반드시 금식

4. 파상풍에 대한 예방 (Tetanus prophylaxis)

■ 가피절개술 (Escharotomies) ★★

① 적응증 : **사지와 몸통**의 주변부위의 **깊은 2도** 및 **3도화상**에서 전신부종으로 인한 **"혈류 장애"** 발생★

마비 & **따끔거리는 느낌** (tingling sensation), **손발의 통증**, Capillary refilling의 장애 발생 시
(맥박이 촉진되지 않음)

② **방법** - 병실에서 마취 없이 시행 가능 (그림 참조)
③ **합병증** : 출혈 및 혐기성 대사물 분비로 인한 **일시적인 저혈압**

(그림) 가피절개술 (Escharotomy) 시행부위

팔다리에서는 가피를 따라서 내측 및 외측 부위로 절개선을 넣고 손의 경우는 각 손가락의 내측과 외측 부위 및 손등으로 절개선을 가한다.

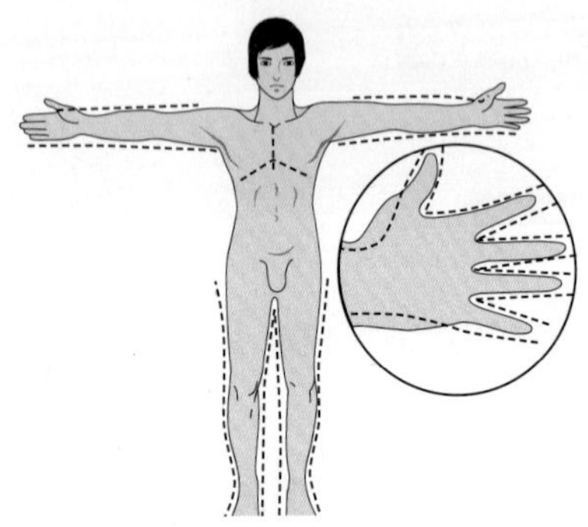

흡입손상 (Inhalation Injury)

1. **진단**

① 임상 양상 및 **기관지경 소견** (혹은 133xenon ventilation scan)으로 확진

② **의심**하게 하는 임상 양상 ★

> a. **밀폐된 공간**에서 연기노출 시
> b. **쉰목소리** (Hoarseness)
> c. **Wheezing**
> d. **탄소질**을 함유한 **객담** (Carbonaceous sputum)
> e. **콧털**이 그슬려져 있을 때 (Singed nasal hair)
> f. **얼굴** 부위의 화상

2. **조치**

① **즉시 face mask나 nasal cannula를 통해 100% oxygen을 공급한다.** open airway를 유지하고, gas exchange을 극대화하는 것이 목표

→ **기관지경**을 자주 시행하기도 함.

어쩔 수 없을 때만 기관내 삽관 및 기계호흡 시행함. 시행하고 가급적 빨리 기도삽관을 제거한다.

추가노트

☞ 흡입손상은 화상으로 인한 사망률에 관여하는 주요인자

② Inhalation Tx. - β-agonist, mucolytics, Humidication

※ Steroid는 효과 없음 → 사용하지 않는다!!!

(표) 흡입화상에서의 치료 ★

치료	시간 및 용량
• 기관지확장제 (Albuterol)	q 2 hr
• 분무형 헤파린	5,000 to 10,000 units with 3 ml normal saline q 4 hr
• 분무형 acetylcysteine	20%, 3 ml q 4 hr
• 고장성 생리식염수	Induce effective coughing
• Racemic Epi(Epinephrine)	Reduce mucosal edema

③ 수액 요법

흡입손상이 없는 경우보다 2 ml/kg/%TBSA 이상 더 필요로 함

화상창상 관리

■ 국소항생제 ★

	Siver Sulfadiazine (Silvadine)	Mafenide Acetate (Sulfamyalon)
장점	• Broad-spectrum의 항균작용 사용하기 간편함	• Broad-spectrum의 항균작용 특히, Pseudomonas 및 Enterococci에 유용하다.
통증유무	• **통증이 없다**	• **통증이 있음**
가피통과성 (eschar)	• 통과 못함	• 통과 가능
부작용	• 환자가 작열감(burning sensation)을 호소하며 일시적인 백혈구감소증이 사용 3-5일후에 발생할 수 있다.	• Carbonic anhydrase를 억제하여 대사성 산증을 유발함 (→ 이를 피하기 위해 **좁은 범위의 전층 화상**에 적합) Allergic rash유발

추가노트

☞ 흡입화상 시는 예방적항생제의 적응증은 아니다!

■ Synthetic And Biological Dressings

1. Antimicrobial dressing을 대체할 수 있으며, 종류로는,
   allograft (cadaver skin), xenograft (돼지피부 등), Transcyte, Biobrane & Integra 등이 있다.

2. 장점

> ① 잦은 dressing으로 인한 **통증이 없다.**
> ② 창상 부위의 **수분손실이 적다.**
> ③ 화상 부위의 **통증 감소**
> ④ antimicrobial dressing과 달리, **상피화를 막지 않는다**(→ 치유가 **빠르다**).

3. 적응
   ① 2도화상에서 상피가 치유되는 동안
   ② 3도이상의 화상에서 autograft가 아직 여의치 않을 때 coverage로 사용

4. **방법** : 화상부위에서 세균이 자라기 전(**화상 후 72시간 내**)에 apply해야 한다.

■ 절제 및 피부이식

① 깊은 2도 **및** 3도 화상은 피부이식을 시행하지 않은 이상 빨리 치유되지 않기 때문에, 창상이 염증 및 감염원이 될 소지를 막기 위해 **조기 절제** (1주 내) 및 이식을 시행할 수 있다.
이때 이식으로는
- 환자자신으로부터의 autograft 및
- cadaver를 이용하는 경우가 있다.

② 이러한 조기이식은 사망률, 폐혈증 합병증 감소, 재원기간 및 비용절감효과가 있다.

합병증의 최소화

※화상환자의 주된 사망요인 : 패혈증 & 다발성 장기부전

1. 초기합병증 ★

① 감염

② 위장관합병증 : acute cholecystitis, Pancreatitis, Ileus, Colon ulcer, Curling' s ulcer

③ 호흡기 합병증

2. 후기합병증

: Scar contracture, Keloid, Majolin' s ulcer & Hyperpigmentation

전기화상 ★

• 전기화상은 겉으로 보이는 것보다 손상이 훨씬 크다.

■ 초기 치료 ★

1. 전류의 흐름

손가락 등
접지 부위

신경★, 혈관, 근육

발
(grounded area)

• **저항이 낮은 신체조직**을 타고 지나감
• **근육**이 가장 큰 손상을 입음
• **피부**는 비교적 저항이 높은 부위여서 대부분 손상을 입지 않는다.

2. 전압에 따른 손상의 분류

낮은 전류	높은 전류
• 대부분 가정전기로 인한 화상으로 국소손상만 일으킨다.	• 피부화상 + 깊은 조직의 숨겨진 파괴가 있을 수 있다. • 첫 EKG FINDING이 이상하거나 화상과 연관된 심정지의 과거력이 있으면 CONTINUOUS CARDIAC MONITORYING이 필요 • 심각한 증상발현은 대개 첫 24시간 이내 발생

추가노트

☞ MOF (Multiple organ failure)
신, 폐, 간, 중추신경계 등의 기능부전

3. 조치 ★

① 창상관리가 중요한데 이는 깊은 조직 내에 부종이 발생하면 이로 인해 손상의 원위부 혈관장애가 생길 수 있기 때문이다.

② 근육손상은 myoglobin을 분비시킴 (횡문근 융해★)

→ Obstructive nephropathy 초래

→ 치료★★ :

충분한 수액공급 및 "iv sodium bicarbonate" & Mannitol★

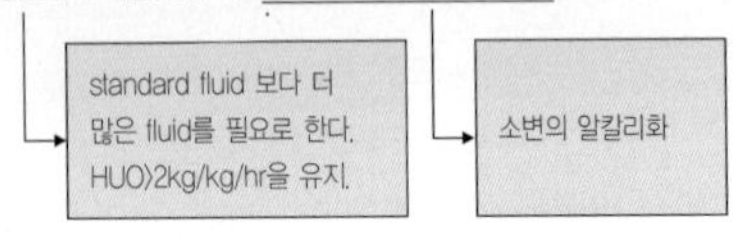
standard fluid 보다 더
많은 fluid를 필요로 한다.
HUO>2kg/kg/hr을 유지.
소변의 알칼리화

■ 시간이 경과한 후의 손상

• **중추신경계** 손상 (9개월 후), 지연성 **말초신경**손상 및 **백내장**

화학적 화상 (Chemical Burns) ★★

• 치료에 있어서 **빠른 시간 내에 옷을 제거** 하고 많은 양의 깨끗한 물로 lavage 해야 한다. ★

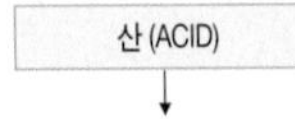
산 (ACID)

• 보통 손상 시 hard eschar를 형성하여 피부로 **깊게 침투되는 것이 적기 때문에** 필요한 수액은 계산된 것보다 적을 수 있다. 하지만 깊이 침투하여 연부조직손상도 유발할 수도 있다. 필요하면 HCO_3^- (sodium bicarbonate)로 산염기불균형을 교정하자.

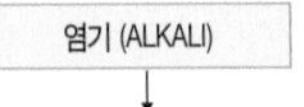
염기 (ALKALI)

• **깊게 침투**하기 때문에 **많은 수액공급**을 필요로 한다 (→ 적절한 HUO 확인). 알칼리를 중화시키려고 시도하지는 말자.★

추가노트

☞ 따라서 원위부혈관으로 혈액공급이 적절한지를 평가하고(근육을 절개하여 동맥혈 출혈성여부를 평가가는 것이 가장 확실하다) 필요시 즉각적인 Escarotomy & Fasciotomy★★를 시행한다.

Power

12 교상

Bite

Snakebites

■ 뱀의 구분

• 독사의 특징 (일반 뱀과의 차이)

: 삼각형의 머리, 타원형의 눈동자, 열을 감지하는 facial pits, 크고 신축가능한 (retractable) 앞 치아, 한층의 subcaudal scales

(그림) 독사와 비독사의 차이

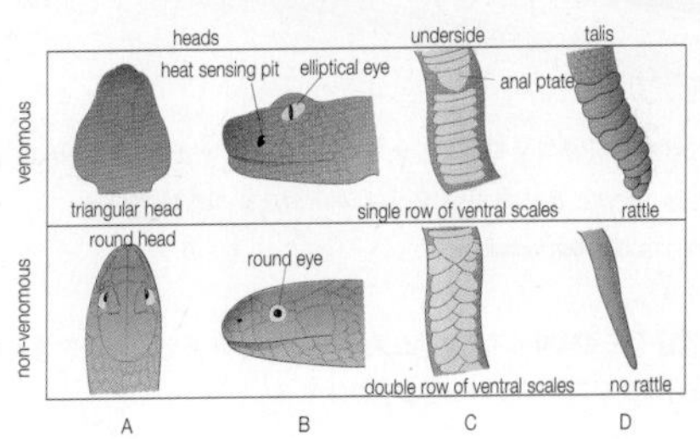

■ 독성

1. 뱀의 독에는 peptide와 enzyme을 함유
   - Peptide : 혈관내피 (vascular endothelium)에 손상
     → 혈관투과성을 증가시키고 부종을 일으키며 저혈성 쇼크를 유발
   - Enzyme : protease, L-amino acid oxidase → 조직손상유발
   - Hyaluronidase : 조직을 통한 사독의 확산
   - **Phospholipase A2** : RBC, 근육세포에 손상유발(즉, 세포막을 파괴하고 hemolysis를 일으킴)

2. **기타 여러 작용들**
   - Cardiovascular, pulmonary, renal, neurologic system 등에 영향을 미침.

■ 임상양상 ★

1. 국소적

- 독사에 물려도 20%는 국소증상만을 지닌다.
- 중독 시 수 분 내에 burning pain 발생 후 edema, erythema swelling이 수 시간에 걸쳐 진행, ecchymosis, hemorrhagic bullae 발생.
- **lymphatic system을 흔히 침범★** : lymphangitis,lymphadenopathy

2. 전신적

- 소화기계, 폐, 신장기능장애, 응고이상 등을 유발

■ 조치★★★

1. 현장조치 ★

① 비누와 물로 부드럽게 물린 부위를 **닦아내고** 상처를 **심장** level로 놓고 **움직이지 않는다.★**

② 냉동요법, 독소흡입, 압박띠, 전기 쇽 등은 오히려 해가 되므로 피해야 한다.★

③ Australian pressure immobilization technique

- **방법**

  너무 압박하지 않을 정도로(맥박이 촉진될 정도로) 물린 부위부터 물린 상하지를 **붕대로 감는다.★**
  독소가 있는 팔다리를 움직이지 못하도록 **고정한다.**

추가노트

☞ 보통 사독은 환자생명에 대한 위협보다 **국소독성이 강하므로** 독소를 퍼지지 않도록 **제한하는 방식은 오히려 해로울 수 있다.**

• **원리**

사독은 "**림프계 순환**"★을 통해 전신에 퍼지므로 **가볍게 압박**★하여 림프계 순환을 차단하고 움직이지 못하게 고정함으로써 muscle pump에 의해 사독이 퍼지는 것을 막는 효과가 있다(**수시간** 동안 퍼지지 않게 지연시키는 효과가 있음).

(그림) Australian pressure immobilization technique

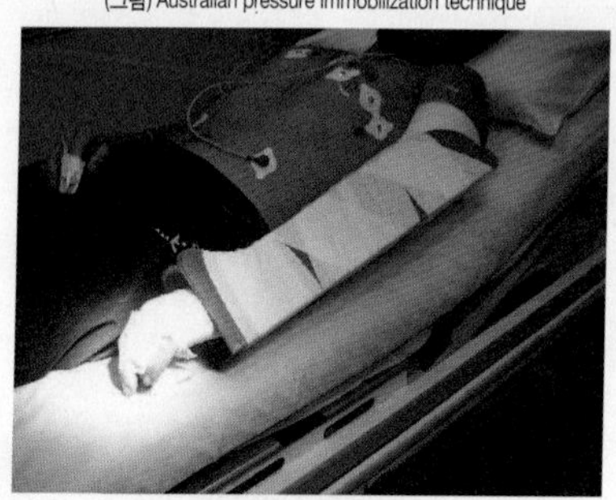

2. 병원에서 ★

① **필요한 검사** : 응고검사를 포함한 기본검사(고령의 경우 CXR, EKG 포함)

② 물린 부위 주위로 두세 군데를 표시한 뒤(marking) 15분 간격으로 확인해서 병변이 퍼지는 정도를 평가한다.

③ 뱀에 물린 후 **6시간** 동안 증상이 없거나, 산호뱀에게 물린 후 **24시간** ★ 동안 증상이 없는 경우 그리고 모든 검사결과가 정상인 경우 : 중독이 없다고 판단.

3. 항독소 투약

① **적응증**

• 확실하게 **독소에 물린 증거**가 있거나 환자상태가 점점 **악화**될 경우 ★

② **투여방법(CroFab)**

a. 4-6 V을 250ml로 희석한 뒤 1시간 동안 주입

b. 1시간 뒤 같은 용량으로 반복한다. 환자가 안정화될 때까지 계속 이와 같이 반복투여한다.

추가노트

☞ 항독소의 종류

① ACP (Antivenom Crotalidae Polyvalent)

② CroFab

CroFab가 더 효과적이고 안전하며 투여전 피부반응검사 및 전처치가 필요하지 않으므로 더 많이 사용된다.

☞ 소아에서도 **같은 용량**이 사용되고, **임신**의 경우도 **금기증이 아니다**.

c. 환자가 안정화되면 독소의 재발효과를 막기 위해 2V의 CroFab를 6시간간격으로 3회 투여한다.

③ **합병증**

초기	급성 아나필락시스 유사반응	반응 시 Epinephrine를 투여한다.
후기	혈청병 (serum sickness)	스테로이드 및 항히스타민제로 치료한다.

광견병 (Rabies)

① **원인** : rhabdovirus (동물의 침에 존재) encephalitis 발생. 대부분 사망

② **경과**

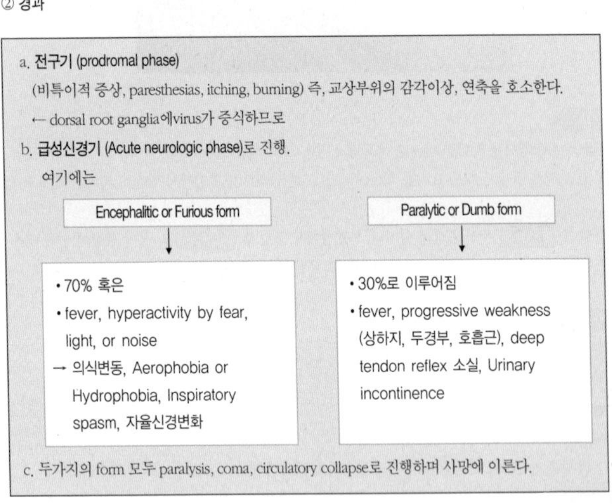

a. **전구기 (prodromal phase)**
(비특이적 증상, paresthesias, itching, burning) 즉, 교상부위의 감각이상, 연축을 호소한다.
← dorsal root ganglia에virus가 증식하므로

b. **급성신경기 (Acute neurologic phase)**로 진행.
여기에는

Encephalitic or Furious form	Paralytic or Dumb form
• 70% 혹은 • fever, hyperactivity by fear, light, or noise → 의식변동, Aerophobia or Hydrophobia, Inspiratory spasm, 자율신경변화	• 30%로 이루어짐 • fever, progressive weakness (상하지, 두경부, 호흡근), deep tendon reflex 소실, Urinary incontinence

c. 두가지의 form 모두 paralysis, coma, circulatory collapse로 진행하며 사망에 이른다.

③ 잠복기는 보통 **10일-1년**으로 본다. 보통은 노출 후 **20-90일** 정도로 생각
교상 부위가 두경부, 상지인 경우 잠복기는 **30일 이하**이다.★

④ **조치 ★★★**

- 건강해보이는 애완동물인 경우 **10일 정도★** 관찰하여 이상이 없으면 예방은 필요없다.
- 깨끗한 **물과 비누**로 창상을 씻어주고, **povidone-iodine**용액같이 virucidal agent로 세척한다.
- 광견병이 강하게 의심될 때는 **창상을 열어둔다.★**
- **백신주사여부**는 관련 동물 및 biting 당시의 상황에 따른다.
- 깨끗한 물로 창상을 씻어주고 필요시 debridement 시행한다.★
- 물론 Tetanus toxoid를 투여하여 파상풍을 예방한다.

⑤ **예방**

- passive immunization (biting 후 광견병이 우려되는 경우) : HRIG (Human rabies immune globulin) 20UI/kg
- active immunization : rabies vaccine

투여 부위 : 성인은 deltoid muscle, **소아는** anterolateral thigh(0,3,7,14일 총 4번 투여하며, 면역저하 환자에선 0,3,7,14,28일 총 5번 투여한다.)

Power ★☆☆☆☆

13 중환자실 관리

Critical Care

중추신경계

■ 신경계 이상

1. 용어의 정의

① **혼돈(confusion)** : 명령을 따르는데 어려움이 있으며, 기억장애 및 졸림증 및 밤엔 초조한 상태

② **섬망(delirium)** : 방향감각장애(disorientation), 공포, 과민성(irritability), 감각인식 장애, 환시(visual hallucination)

③ **둔감(obtundation)** : 자극에 대해 정신적 반응이 늦어지는 상태

④ **혼미(stupor)** : 강렬한 혹은 반복된 자극에만 각성되는 상태 (깊이 잠든 상태)

⑤ **혼수(coma)** : 아예 각성이 되지 않는 상태로 환자는 눈을 감고 있으며 내부적 혹은 외부적 반응에 전혀 반응을 보이지 않는 상태

추가노트

☞ 식물인간상태와 뇌사도 구분해보자

① 식물인간상태(vegetative state): 각성이 되어 있으나 인지기능이 없는 상태
즉, 뇌피질의 기능은 소실되었지만 각성을 유지하는 뇌간(brainstem)은 손상되지 않은 상태

② 뇌사(brain death): 뇌과 뇌간의 모든 기능이 없는 상태

2. 신경계 이상 환자의 처치

1. 각각의 상황에서 사용할 수 있는 약제들

① Dextrose	• 50% Dextrose water 50ml 저혈당으로 인한 혼수의 치료에 적절함
② Thiamine (1mg/kg)	• 알코올 다량복용환자이거나 영양상태가 좋지 못한 경우 **급성 Wernicke's encephalopathy**를 예방하기 위해 필요하다.
③ Naloxone (Narcan 0.4-2mg)	• **마약제(narcotics)** 과량복용 시
④ Flumazenil (0.2mg)	• **벤조디아제핀(benzodiazepine)** 독성 시 사용
⑤ **활성숯** (activated charcoal 25-50mg)	• 대부분의 약제 및 독성물질 복용 시 조기에 투여해야 효과적이다. (4시간 이내)
⑥ **항생제**	• 세균성 뇌막염이 의심될 때

• Coma cocktail: Dextrose, Thiamine, Naloxone, Flumazenil

2. 두부손상 시

※ **치료원칙**

CPP를 70mmHg 이상 되게 하여 Cerebral ischemia를 방지한다.
(즉, MAP를 높이거나 **ICP를 낮춤**)
• CPP (Cerebral perfusion pressure)
= MAP (Mean arterial pressure) − ICP (Intracranial pressure) ≥ 70mmHg

① 머리를 침대로부터 **30-45도 올린다.**

② **과호흡** : $PaCO_2$가 35-40mmHg 유지하도록

③ **Mannitol** (0.5-1g/kg q4-6hr)투여 : plasma Na <155mEq/L, Posm <320mosmol/kg로 낮춘다.

④ 기타 적절한 **진정(sedation)**, 발열 및 경련(seizure)억제 시행

3. 경련(seizure) 시

① 먼저 두부손상이 없도록 환자를 보호한다

② CT, MRI 및 EEG 등으로 원인을 찾는다.

③ Status epilepticus 시

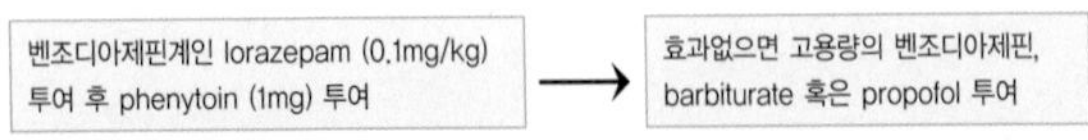
벤조디아제핀계인 lorazepam (0.1mg/kg) 투여 후 phenytoin (1mg) 투여 → 효과없으면 고용량의 벤조디아제핀, barbiturate 혹은 propofol 투여

추가노트

☞ Dextrose주입은 Wernicke's encephalopathy가 의심될 경우에는 적절하지 못하다.

Analgesia, Sedation 및 Neuromuscular Blockage

1. 통증 조절

1. Opiates계 진통제 : 보통 호흡기능저하, 저혈압 및 장마비의 부작용을 지닌다.

① Fentanyl	• onset이 빠르고, 반감기가 짧으며, 유해한 대사물이 없다. 혈역학적으로 불안정한 환자에게도 투여할 수 있다.	• fentanyl의 지속적주입는 지방에 축적되어 잔유작용이 있으며 과량사용 시 근육강직증후군을 일으킨다.
② Morphine	• onset이 느리고 반감기가 길며, 혈역학적으로 불안정한 환자에게는 부적합하다.	• histamine분비를 유발하여 혈관확장 및 저혈압을 유발할 수 있고 소양증 (pruritis)을 일으킨다. 또한 morphine대사산물이 축적되므로 신부전 환자에겐 적합하지 않으며, sphincter of Oddi의 경련을 유발하므로 담도계질환 환자에게선 사용하지 않는다.
③ Hydromorphone	• Morphine과 반감기가 비슷하고 활성화된 대사물질도 없고, histamine 분비를 일으키지 않는다.	• 과량의 fentanyl 및 morphine투여에도 효과가 없을 때 혹은 많은 수액공급이 적절하지 않은 환자에게서 사용한다.

2. Opiates외의 진통조절

① Acetaminophen 및 NSAIDs

ex) iv NSAIDs인 Ketorolac은 좋은 진통제인데, 출혈을 유발할 수 있기 때문에 수술직후에는 사용에 주의한다.

② 경막외 마취(Epidural anesthesia)

③ PCA (Patient-controlled anesthesia)

 추가노트

※ 진통조절의 중요한 원칙은 통증이 발생한 뒤 조절하는 것보다 **통증을 예방하는 것이 더 효과적**이라는 사실이다. 즉, **지속적인(continuous) 혹은 계획적으로 간헐적인(scheduled intermittent) 투여**가 환자가 통증을 호소할때마다 투여하는 것보다 훨씬 효과적이다.

2. 진정제 (Sedation)

	장점	단점
① Diazapam	• 짧은 onset 및 반감기	• 반복된 사용 시 metabolites가 축적된다.
② Lorazepam	• 느린 onset및 중등도의 반감기	• 간 및 신장기능 부전환자에게 오랫동안 metabolites가 축적되어 장기간의 sedation을 유발한다.
③ Midazolam	• 빠른 onset, 짧은 작용 기억상실(amnestic)기능도 있다. 급성으로 흥분된 환자에게 적절하다.	• 반복된 사용 시 metabolites가 축적된다.
④ Propofol	• 마취기능과 함께 진정, 수면유도 작용이 있으나 진통작용은 없다. 각성이 빠르므로 신경외과 환자들에게 많이 이용된다.	• Hypertriglyceridemia,췌장염 등을 유발할 수 있으며, 주사부위의 통증도 유발한다. 가격이 비싸고 용량에 비례한 저혈압이 있다.

추가노트

☞ 여기서 diazepam, lorazepam 및 midazolam은 <u>벤조디아제핀계 약제</u>로서 벤조디아제핀계 약제들의 특징은 다음과 같다.

① **진정 및 수면유도(hypnotic)기능**이 있다.

② 일정한 **전방향 기억상실(antegrade ammesia)기능**이 있다.

: 즉, 약제가 들어간 이후~ 약효 지속 때까지의 일을 기억 못한다.

③ opiates**작용을 강화**시킨다. 하지만 <u>**진통작용**</u>은 <u>**없다**</u>.

(그림) 중환자실에서의 진통 및 진정과정

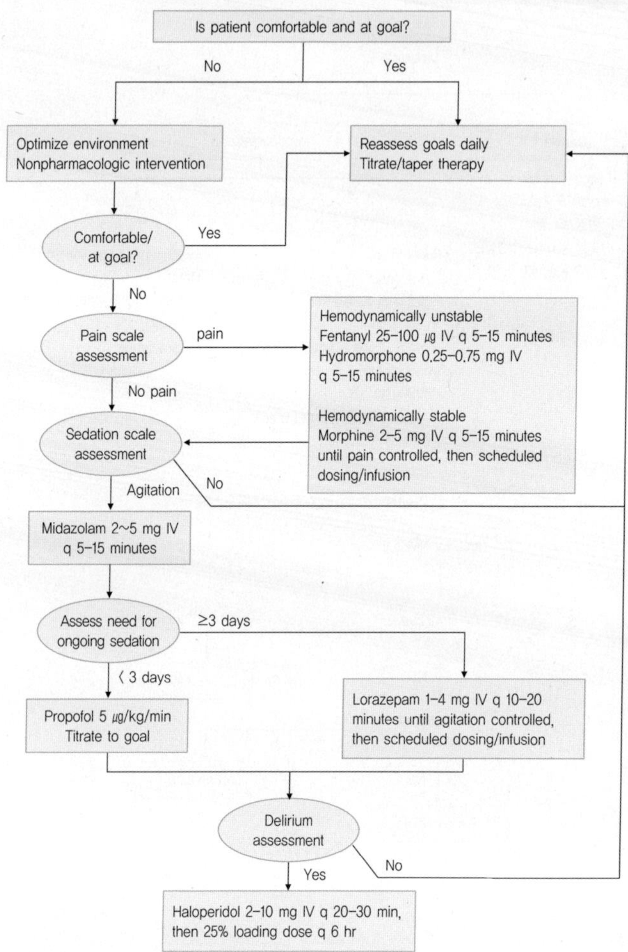

3. Neuromuscular blockade

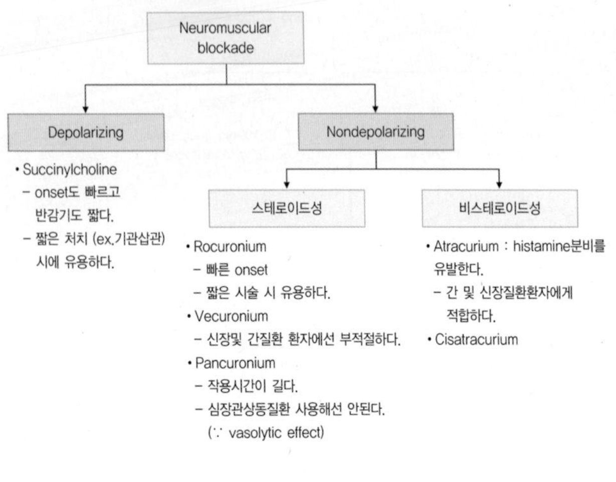

(그림) Neuromuscular blockade(NMB)의 선택

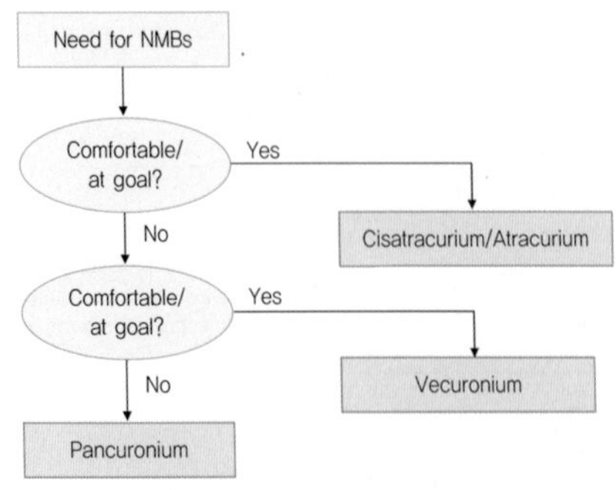

추가노트

※ Deplolarizing은 Ach와 유사하게 Ach수용체에 결합하여 근육의 depolarization (→ 근육 fasciculation)을 유발하지만, Nondepolarizing은 Ach수용체와 결합은 하되 기능을 억제할 뿐 활성화를 유발하지 않는다.

심혈관계

■ 쇽 (Shock)

1. 치료 목표

조직으로의 적절한 perfusion(DO_2)을 유지해야 한다.

$$DO_2 = CaO_2 \times CI \times 10$$

여기서 CaO_2는 혈액 내의 O_2함량으로서 $CaO_2 = [Hb \times SaO_2 \times 1.39] + [0.003 \times PaO_2]$
이며 CI(cardiac index)는 Cardiac output/BSA 이다.
└ SV(Stroke volume) x HR(Heart rate)

결과적으로 "DO_2"를 향상시키기 위해서는
ⓐ 적절한 Hb,
ⓑ SaO2(산소분화도) 및
ⓒ Cardiac output가 확보되어야 한다.

2. 쇽의 종류

※ 여기선 쇽의 종류를 아래의 5가지로 나누었다.

① **혈액량감소 쇽** (Hypovolemic shock)	④ **패혈성 쇽** (Septic shock)
② **심장 압박성 쇽** (Cardiac compressive shock)	⑤ **심원성 쇽** (Cardiogenic shock)
③ **신경성 쇽** (Neurogenic shock)	

cf) 신경성 쇽 (Neurogenic Shock)

① **원인** : 경부 혹은 상위흉부의 척수(spinal cord) 손상 시
→ 중추신경계에 의한 혈관 tone 유지가 소실됨
→ 심한 저혈압, Bradycardia & peripheral vasodilation → 상하지가 따뜻하다.

② **치료**
- 최소한 20ml/kg의 Crystalloid를 투여해 vascular volume을 보충한다.
- α-adrenergic activity를 지니는 vasoactive agents 사용
  └ NE (Norepinephrine) 혹은 Phenylephrine

추가노트

※ 쇽에 대한 내용은 앞1장 내용을 참고
참고로 위의 5가지 분류 중에서 수액처치 이외에 특별한 치료를 필요로 하는 것은 패혈성 쇽(→ 항생제)와 심원성 쇽(→ 강심제 및 이뇨제)이다.
☞ Deplolarizing은 Ach와 유사하게 Ach수용체에 결합하여 근육의 depolarization (→ 근육 fasciculation)을 유발하지만, Nondepolarizing은 Ach수용체와 결합은 하되 기능을 억제할 뿐 활성화를 유발하지 않는다.

■ 심장리듬장애 (Dysrhythmia)

1. Cardiopulmonary arrest시

1. Ventricular fibrillation/Pulseless Ventricular Tachycardia

① 전기충격: monophasic으로 360J, Biphasic으로 100-200J (phase유형을 모르면 200J을 이용한다)
② CPR시행, 리듬이 돌아오지 않으면 다시 전기충격
③ Epinephrine 1mg iv를 3-5분간격으로 반복한다. 혹은 Vasopressin 40U iv 주입한다.
④ Amiodarone (300mg iv), Lidocaine (1-1.5mg/kg) 및 Magnesium (1-2g iv)투여를 고려한다.
⑤ 일정한 asystole및 PEA가 나타나면 아래의 과정으로 진행한다.

2. Asystole/PEA(Pulseless Electrical Activity)

① 먼저 lead 부착이 제대로 되었는지 확인한다.
② Epi 1mg iv를 3-5분간격으로 반복한다. 혹은 Vasopressin 40U iv 주입한다
③ 일정한 리듬이 발생하면 위의 과정(Ventricular fibrillation/Pulseless Ventricular Tachycardia 알고리즘)으로 진행한다.

2. 서맥

- HR < 60 회/min

① 증상 없을 시 경과 관찰한다.
② 증상 있거나 혈역학적 불안정 시 transcutaneous pacing 실시
③ 준비가 안되었으면 atropine (1mg)과 epinephrine (2-10 ㎍/min)을 투여한다.

3. 심장의 리듬이 불규칙할 때

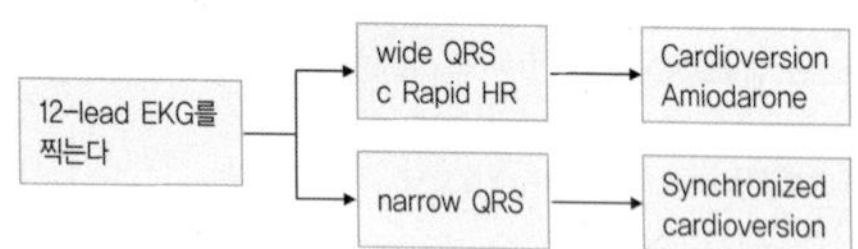

4. 동성 빈맥(Sinus tachycardia)

• **치료**: 원인 교정 (발열, 통증, 교감신경계의 자극, 저혈압, 패혈증, 염증반응 등)

5. 심방세동 (Atrial fibrillation)

① 치료 지침

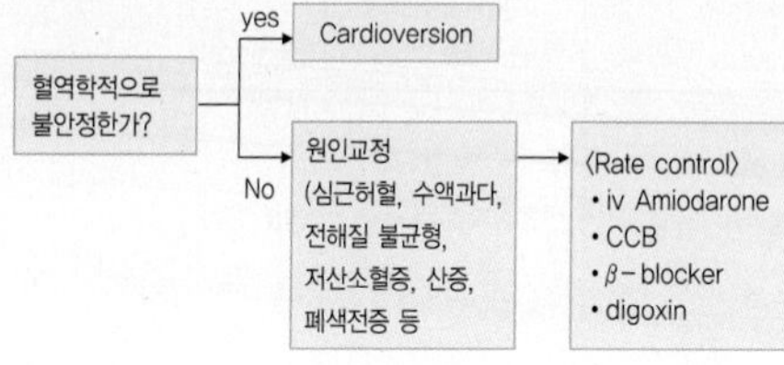

② 항응고제 사용 결정

• 대부분의 경우 동반된 "**항응고요법**" 이 필요하다.
  단, **심방세동기간이 48시간 이내**이거나 이미 warfarin 복용 중일 경우 항응고제를 복용할 필요가 없다.
• 혈역학적으로 불안정한 환자의 경우 cardioversion 전에 항응고요법을 시행하거나 TEE (transesophageal echocardiograpy)의 도움하에 cardioversion을 시행하는 것이 안전하다.

추가노트

☞ Wide QRS의 경우는 심실성 리듬으로 생각되며 narrow QRS의 경우, Supraventricular tachycardia, atrial fibrillation atrial flutter 및 mutifocal atrial tachycardia 등을 감별해야 한다.
☞ Sinus tachycardia에서 QRS간격이 불확실하면, adenosine (6mg 1회)투여하여
① 맥박이 느려지면
→ narrow-QRS tachycardia
② 맥박이 느려지지 않으면
→ wide-QRS tachycardia 로 간주하고 치료한다.

■ 심장기능장애 (Pump Dysfunction)

1. 심장기능장애의 접근

① CVP 및 MAP 모두가 낮으면 → 수액을 보충한다.

② CVP가 높고 MAP가 높으면 → PAC(pulmonary a. catheter)를 삽입하고 PAWP 및 CO를 monitoring한다.

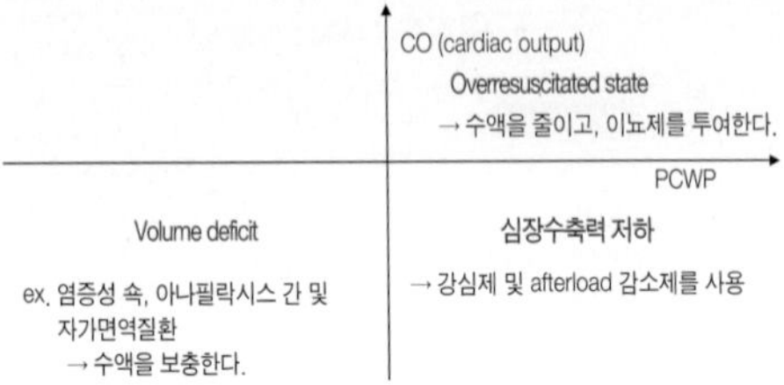

CO (cardiac output)

Overresuscitated state
→ 수액을 줄이고, 이뇨제를 투여한다.

PCWP

Volume deficit

ex. 염증성 쇽, 아나필락시스 간 및
자가면역질환
→ 수액을 보충한다.

심장수축력 저하

→ 강심제 및 afterload 감소제를 사용

2. 저혈압에 흔히 쓰이는 약제들

	장점	단점
① Epi	• 강력한 $\alpha 1$ 작용제 (high dose) → 심수축력증가 및 혈관수축	• 심장O_2소모량을 늘리고, 부정맥을 유발할 수 있다.
② NE (Norepinephrine)	• 주로 α 작용제 • β 작용제도 있으므로 심장장애 및 말초혈관확장이 동반된 환자에서 유용하다.	• 심인성 쇽같이 afterload가 높은 경우엔 CO에 좋지 않은 영향을 준다.
③ Phenylephrine	• 순수한 $\alpha 1$ 작용제	• 과내성(tachyphylaxis)을 지닌다.
④ Vasopressin	• G protein-coupled receptor를 통해 작용하며, catecholamine에 작용하지 않은 쇽환자에게서 유용하다.	

추가노트

☞ 흔히 사용하는 Afterload 감소제

① Sodium Nitroprusside
② Nitroglycerin
③ ACEIs (Angiotensin-converting enzyme inhibitors)
④ **신경절차단제**(ex.trimethaphan)

☞ 심장약들이 작용하는 수용체

① **$\alpha 1$수용체**: **전신동맥수축**과 관련된다.
② **$\beta 1$ 수용체**: 심장에 작용하여 **심박수, 심수축력** 및 AV전도를 촉진시킨다.
③ **$\beta 2$ 수용체**: **심박 및 심수축력**을 증가시킨다.이와 함께 **혈관이완작용**도 지닌다.
④ 도파민 수용체:**동맥이완**시키며 (강하지는 않지만) **심장수축력도 증가**시킨다. 하지만 그 반응 정도가 환자마다 차이가 심하며 부작용도 많다.

☞ 과내성(tachyphylaxis): 짧은 간격으로 연속적으로 주사한 후에 일어나는 반응의 급격한 감소.

3. 강심제 (Inotropics)

• 혈압은 적절하지만 심수축력을 보조할 필요가 있을 때 사용

	장점	단점
① Dobutamine (5–15 g/kg/min)	• β 작용제 → 심수축력 증가	• 심장 O_2소모량을 늘리고, 부정맥을 유발할 수 있다
② Isoproterenol	• β 작용제	• 부정맥유발하여 임상적으로 쓰이지 않는다.
③ Aminone	• cAMP 분해억제제 (Phosphodiesterase inhibitor) : **CO증가 및 preload, afterload감소** 심장벽 압력(wall stress)을 낮춤으로써 **심장 02 요구량을 증가시키지 않고도 심장수축력을 높힐 수 있는 장점**이 있다.	• 심한 혈관이완, 혈소판감소증 및 위장관 부작용을 지닌다.
④ Milrinone		• 심한 혈관이완 및 부정맥을 유발할 수 있다.

4. 심부전 시 사용하는 약

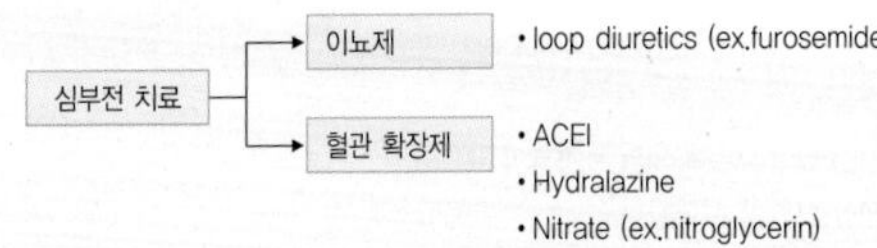

(표) Vasoactive agents의 작용

Drug	Dosage (μg/kg/min)	Receptor activity α	Receptor activity $\beta1$	Receptor activity $\beta2$	Hemodynamic response HR	Hemodynamic response MAP	Hemodynamic response CO	Hemodynamic response SVR
Dopamine	3–5	(–)	++	(–)	↑	↑	↑	→
	5–20	++	++	(–)	↑↑	↑↑	↑	↑↑
Dobutamine	2–20	(–)	++	+	↑↑	↑	↑	↓
Norepinephrine	1–20	++	+	(–)	↑	↑↑	↑	↑↑
Phenylephrine	10–100	++	(–)	(–)	→	↑↑	↓	↑↑
Epinephrine	0.005–0.02	(–)	++	++	↑↑	↑	↑	↓
	0.01–0.1	++	++	+	↑↑	↑↑	↑	↑↑
Isoproterenol	0.03–0.15	(–)	++	+	↑↑	→	↑	↓
Amiodarone	5–10				→	→	↑↑	↓
Milrinone	0.3–1.5				→	→	↑↑	↓

■심장위험 평가

(표) 수술 전후 심장 위험인자

위험인자	Odds ratio	위험인자	Odds ratio
당뇨	3.0	허혈성 심질환	2.4
신부전	3.0	울혈성 심부전	1.9
위험도 높은 수술	2.8	활동장애(Poor functional status)	1.8

1. **위험인자가** 1-2개일 **경우**
   ① 추가적인 검사가 필요없다.
   ② 심장관상동맥질환의 과거력이 있으면 → 비침습성 검사를 추가한다.

2. **위험인자가** 3개 이상**일 경우**

① **운동성(스트레스) ECG** 초기검사로 적합

② Dipyridamole thallium scannin 운동성 ECG가 적합하지 않을 때

※ 심장기능이 좋지 않거나 전에 revascularization의 과거력이 있으면
"**심근의 viability를 알 수 있는 영상검사**" 를 시행한다.
└ Radionuclide perfusion imaging 혹은 **심장초음파검사**(Echocardiography)

추가노트

☞ Milrinone이 Amrinone보다 더 강력한 심수축력강화기능을 지니며 폐정맥이완도 일으키므로 폐고혈압이 있으며 심장기능장애시 유용하다.

☞ 이뇨제는 작용이 빠르므로 급성심부전의 초기에 적합하다. ACEIs는 강력한 혈관수축제인 angiotensin II의 **생성을 억제**하므로 혈관확장의 기능이 있으며 알도스테론의 분비를 촉진시킨다.
이렇게 afterload를 감소시킬 뿐 만아니라 stroke volume**도 증가**시키므로 사용에 적합하다.
급성심부전 시 digoxin은 심근벽의 압력을 증가시키므로 큰 도움이 안되고(특히, 이완성 심부전에서) β**차단제**는 **교감신경의 과다활동을 줄이고 심장으로의 산소공급을 원활히 하기 때문에** 도움이 되는데 β차단제 처방 시에는 심장기능변화에 대한 **적절한** monitoring**이 필요**하다.

호흡기계

■ 호흡부전

1. 호흡부전의 종류

1형	2형
① hypoxemia by Shunting : O_2치료에 반응하지 않는다. ② 원인 ★ : 허탈된 (collapsed) 폐포를 유발하는 질환들 → 무기폐(Atelectasis), 폐렴 폐 타박상(Pulmonary contusion), Alveolar hemorrhage, 폐부종	① PCO2 ↑(특징적!) ② 원인 : • 저환기 (Hypoventilation) ex) 중추신경계의 호흡자극소실(의식저하) 시 • COPD같이 만성 보상성 환기장애가 있는 환자에서 바이러스성 폐렴 등의 작은 손상으로 인해 비보상성 환기장애로 바뀌기 때문에 Acute on Chronic 호흡부전이라고도 한다.

2. 기관내 삽관 및 기계호흡의 적응증 ("SOAP")

• "SOAP"로 기억하자.

excessive Secretion	• 가래 등의 분비물이 많은 경우
impaired Oxygenation	• SaO_2가 90% 이하일 경우
Airway obstruction	• 특히 외상환자에서
compromised Pulmonary function	• 폐렴 및 폐타박상 등에서 폐기능의 저하 시

추가노트

☞ 비침습적 검사결과 이상 시 심장혈관촬영, 즉 **침습적** 검사를 시행하여 이상 시 **심장혈관성형술** 혹은 CABG (coronary artery bypass graft surgery)를 시행한다.
심장의 revascularizaation까지는 필요하지 않지만 위험인자를 지닌 환자들은 수술 전후 위험을 최소화시키는 약물치료가 필요하다. β차단제의 치료가 효과적 이며 예컨대 수술을 늦추고 그 전에 metoprolol같은 짧은 작용 시간을 지닌 β 차단제를 이용하여 심박수를 60/min 이하로 낮출 수 있다.
☞ **심장초음파 검사**는 또한 **급성 심부전의 진단**의 매우 유용한 검사이다.

3. 폐에서의 산소교환이상의 평가

① **폐포와 동맥혈 산소분압 차이 : $(A\text{-}a)DO_2$**

$(A\text{-}a)DO_2 = -P_AO_2 - P_aO_2$

$P_AO_2 = [FiO_2 \times (P_B - P_{H2O})] - P_aCO_2/R$

※ P_B(대기압) : 해수면에서 760mmHg P_{H2O}(수압) : 47mmHg

FiO_2는 대기에선 0.21이지만 인공호흡기 사용 시 setting된 값을 이용한다.

R(Respiratory quotient) FiO_2가 1.0일 때 1.0, FiO_2가 1.0 이하 시 0.8 정상적인 사람의 P_AO_2는

∵ $P_AO_2 = 0.21 \times (760\text{-}47)\text{-}40/0.8 = 100$mmHg에 해당한다.

$P_AO_2 = FiO2 \times 713\text{-}1.25 \times P_aCO_2$

FiO2가 0.21로 가정했을 때,

$P_AO_2 = 150\text{-}1.25 \times P_aCO_2$으로 기억하면 된다.

$(A\text{-}a)DO_2$의 정상범위는 10-25mmHg

추가노트

☞ 폐포와 동맥사이에 산소교환이 아무런 장애가 없이 원활하게 이루어진다면 폐포산소분압(P_AO_2)와 동맥혈 산소분압(PaO_2) 간에 차이가 없어야 할 것이나 실제로는 아주 적은 차이가 존재한다. 이 차이를 (A-a)DO2라고 하며 그 차이가 정상 허용범위를 초과하면 산소교환장애를 의심해야 한다. 모든 저소혈증 환자에게는 $(A-a)DO_2$가 증가되었는지 확인하고 또 산소투여에 따른 $(A-a)DO_2$의 반응을 관찰함으로서 저산소혈증을 감별 진단할 수 있다.

☞ $(A-a)DO_2$값은 젊은사람은 보통 10mmHg 이내이고, 노인에게는 20mmHg까지 그리고 FiO2 1.0일때는 100mmHg까지를 정상으로 보며, 200mmHg이상이면 폐기능에 이상이 있음을 시사한다.

② 저산혈증환자(PaO_2 <80mmHg)의 알고리즘

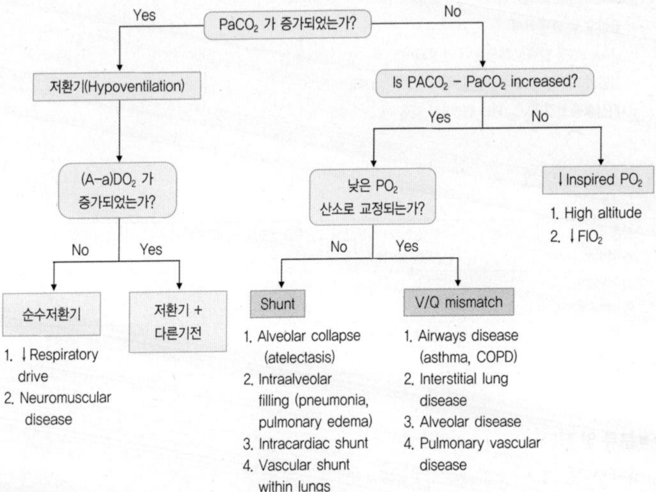

3. 부적절한 systemic oxygenation

① Hypoventilation

: $PaCO_2$가 증가되어 있으나, A−a O_2 gradient 증가 안함 (ex. 높은 고도 시)

② V/Q mismatching

: A-a O_2 gradient 증가됨. FiO_2를 올리면 hypoxia가 교정됨

③ Shunt

: A-a O_2 gradient 증가됨. FiO_2를 올려도 hypoxia가 교정되지 않음

④ Low mixed venous oxygen saturation

: 심장부전 및 산소요구량이 급격히 증가할 때

■ 급성 폐손상 / ARDS

1. ARDS의 정의 ★

a. **급성**으로 진행되며

b. chest PA상 **양측성 폐침윤**이 관찰되며,

c. **심인성 폐부종이 아니어야** 하며(PAWP <18mmHg),

d. **저산혈증**소견(PaO_2/FiO_2 <200)이 있을 때

2. ARDS의 과정

① 삼출기 (exudative phase)	폐포상피가 파괴되면서 고단백성 삼출물이 유입되며 거식세포 및 중성구 등이 염증을 일으킨다.
② 섬유증식기 (fibroproliferative phase)	중간엽 세포(mesenchymal cell)가 침윤되어 섬유화작용을 일으킨다.
③ 회복기 (resolution phase)	폐부종이 가라앉고 2형 폐세포가 재증식된다.

■ 분류 및 진단 ★

※ 편의상 1형, 2형, 3형 호흡부전으로 분류해 보았다.

1. 제 1형 호흡부전

① Hypoxemic due to shunt: 산소 치료에 반응하지 않는다.

② 원인 ★ : 폐허탈을 유발하는 기저질환

- Atelectasis, Pneumonia, Pulmonary contusion, Alveolar hemorrhage

추가노트

☞ 흡입은 후두기능장애 및 성문(glottis)폐쇄부전 및 장마비, 위배출장애 후의 역류 등을로 발생하며 L 튜브를 지닌 경우 lower esophageal sphincter가 열려져 있으므로 위험인자가 된다. 특히 환자의 의식이 저하된 경우 흡입의 위험이 높으므로 주의해야 한다. 흡입이나 무기폐 모두 폐렴으로 진행될 수 있다.

☞ ARDS보다 심하지 않은 형태로 급성 폐 손상은 PaO_2/FiO_2비가 201~300일 경우를 가리킨다.

• 폐부종 ("Pulmonary edema")

고압의 폐부종	저압의 폐부종 (ARDS;Acute respiratory distress syndrome)
• 심장 기능부전 때문에 발생 • Pulmonary arterial occlusion pressure>18mmHg이다.	• d/t Sepsis, Aspiration, massive T/F, Shock, Pancreatitis, Fat embolism

③ **손상정도의 평가** : PaO_2/FiO_2 비를 이용한다.

- 200-300 : **급성폐손상** (acute lung injury)
- 〈 200 : ARDS★

2. 제 2형 호흡부전

① PCO_2 ↑ (특징적!)

② **원인** : **저환기** (Hypoventilation) ex) 중추신경계의 호흡자극소실 (의식저하) 시

③ COPD같이 **만성적**으로 **보상성 환기장애**가 있는 환자에서 바이러스성 폐렴이나 늑골 골절 같은 작은 **손상**으로 인해 **비보상성 환기장애로** 바뀌기 때문에 Acute on Chronic **호흡부전**이라고도 한다.

3. 제 3형 호흡부전 ★

① Hypoxemia + Hypoventilation → **수술 후의 환자가 이에 해당한다.**

② **원인** : 횡격막 기능부전 및 복부호흡의 감소

③ FRC는 보통 TLC의 50%이지만 25% 이하로 감소하게 되면 airway close 유발 (고령, 흡연가, 폐부종 환자는 25% 이상에서도 airway close)

④ **FRC 감소를 일으키는 요인** : Supine position, **복부절개, 장마비, 복수, 비만**

⑤ closing volume은 증가하고, FRC는 감소하게 된다.

■ Mechanical Ventilation

1. Intubtion의 적응증 ★

• **임상적으로,**

호흡이 짧아짐, accessory muscle의 사용, subjective air hunger, 정신상태의 변화

• **검사실소견**

PaO_2/FiO_2<250	$PaCO_2$>50mmHg
pH<7.25	RR>35/min
Ve>12L/min	

2. 표준 인공호흡기의 setting

rate : 8-16/min	tidal volume : 8-10ml/kg
I:E ratio 1:4 – 1:2 (Inhalation: Exhalation)	flow rate : 40-100 L/min

• 산소포화도는 90% 이상 유지하고 FiO_2는 **0.6 이하**로 줄인다.
• **호기말 양압** (**PEEP** ; positive end-expiratory pressure) ★

★ 결국 PaO_2를 높이는 목적이다.

① 설정 : PEEP은 **5cm H2O**로 시작 15분마다 3-5씩 **증가**
② 장점 : **FRC**를 확보하며, **FiO_2를 비독성수준으로 낮출 수 있으며 End-expiration 시 alveolar collapse 방지**하는 장점이 있다.
③ 단점 • Intrathoracic press.↑ → **혈압 저하↓**
• **정상 폐포가 과다팽창**된다.
→ high V/Q 및 dead space를 지닌 폐포가 공존하게 된다.

3. Ventilator mode

① **ACV** (assist-control)
② **SIMV** (synchronized intermittent mandatory ventilation) - weaning에 적합
③ **PSV** (pressure-support ventilation) - 역시 weaning에 적합하다.

■ Tracheostomy

1. 적응증 : intubation이 길어질 때 (3-5일, 최소한 2주 이내) 시
2. 장점
   : dead space 감소, 호흡분비물을 제거하기 용이, 환자가 편안해하며, 대화가 가능하다.
   glottic function을 부분적으로 보존이 가능하다.
3. 합병증 : tracheal-inominate fistula, tracheal stenosis

■ ARDS환자의 치료 ★

1. ARDS 시의 폐의 변화
   - "딱딱하고, 팽창성이 소실됨" 즉, 허탈된 폐와 정상폐의 영영이 공존함
     → 남아있는 30-50%의 폐가 전체 폐의 기능을 담당함

2. 치료원칙

① TV를 낮추어 airway pressure를 제한한다. ⇒ TV 6ml/kg (ARDS가 심할 경우 TV를 3-5 ml/kg로 맞춘다. ★)

- plateau airway pressure 〈 35-40 cmH_2O로 하도록 한다.★

∴ Ventilation setting에서 정상체중을 기준 (8-10ml/kg)으로 TV를 주지 않고
"남아있는 폐를 기준"으로 TV (Tidal volume)를 주어 barotrauma 등을 최소화시켜야 한다.

② PEEP(Positive end-expiratory pressure) 사용을 늘린다.

추가노트

☞ PEEP의 장단점

① 허탈된(collapsed) 폐포에 산소를 공급하며,

② FRC(functional residual capacity)를 늘린다.

ARDS의 경우는 기계호흡으로 인한 폐포의 반복된 확장 및 수축을 억제한다.

PEEP의 가장 큰 단점은 venous return을 감소시켜 혈압을 낮출 수 있다는데 있다.

☞ PEEP사용지침

처음에는 PEEP을 5 cmH_2O로 시작하고 한번에 2-3 cmH_2O씩 증가시키면서 환자에게 PEEP효과가 가장 적절한 수치를 결정한다(titration). 보통 적절한 PEEP은 대개 8-15 cmH_2O이다.

■기계호흡

1. Volume-cycled ventilation

① 특징

일정한 용적의 TV 공급

└ (단점) 압력으로 인한 폐손상의 우려가 있다.

② 종류(mode)

AC	• 환자는 미리 설정된 일정한 용적을 공급받으며 이러한 용적이 공급되는 이외에는 **자발호흡이 허락되지 않는다**(CMV). 이러한 용적의 공급이 환자의 자발호흡노력(trigger)에 맞추어 공급될 때 AC에 해당한다. 환자의 자발호흡노력이 없을 때에는 미리 설정된 호흡수에 맞추어 TV이 공급된다. • **환자가 agitation되어 있는 경우** 자발호흡노력이 많으므로, 환자의 자발호흡노력에 맞추어 계속 TV이 공급되어 **호흡성 알칼리증**이 발생하게 된다.
SIMV	• 환자의 자발호흡이 허용되며 이와 함께 간헐적으로 설정된 TV이 공급된다(IMV). 이때 TV이 환자의 자발호흡의 흡입시에 맞추어 (synchronized) 공급되면 SIMV에 해당한다. • Weaning에 적합하고, 기계호흡과 환자가 맞지 않을 경우(patient-ventilator asynchrony)에 적합하다. 환자가 **기계호흡기 내에서 자발호흡**을 하므로 **호흡근의 피로**가 유발될 수 있는 단점이 있다.

2. Pressure-cycled ventilation

① 특징

환자가 흡입하려는 **흡입압력**에 따른 용적공급

└ • 폐포의 과다확장 및 폐상피세포(epithelial cell)손상을 피할 수 있다.
• but, 폐의 compliance변화에 따라 분시환기량(minute ventilation)이 계속 바뀔 수 있다.
• 또한 호흡의지가 약한 환자에서는 적절한 TV을 공급하지 않으므로 위험할 수 있다.

② **종류** : volume-cycled mode와 유사하다 (AC vs SIMV)

추가노트

☞ 각 호흡기 mode의 의미를 잘 생각하면 각각을 쉽게 구분할 수 있다.
CMV: controlled mandatory ventilation
AC: assist/control ventilation
IMV: intermittent mandatory ventilation
SIMV: synchronized IMV

☞ PSV (Pressure support ventilation)
환자에 의한 흡입 음압을 인지하여 일정한 압력을 공급하여 그 흡입 음압을 보조한다.
환자가 들숨 및 날숨 모두를 조절할 수 있으므로 가장 편안한 mode로 weaning 시 가장 적절하다. 단점은 분시 환기량을 보장할 수 없으므로 "저환기의 우려"가 있다.

3. Difficult-to-Ventilate Patients

※ 목표

> volume-cycled ventilation의 경우 **기도압력**이 **35-40 cmOH2O 이하**로 SaO_2를 90% 이상이 되도록 한다.

① Inverse-ratio ventilation

- **흡입시간**을 호흡주기의 50% 이상으로 늘려 산소교환시간을 길게 한다.
- 천식이나 COPD같이 호기가 연장된 환자에서는 주의해야 한다.

② 약제성 이완

- **호흡근을 이완**시켜 기계호흡과 환자의 부적합을 줄이는 방법

③ Tracheal gas insufflation

- 2-10 L/min의 100% O_2를 carina 1cm위로 공급하는 방법으로 anatomical dead space로부터의 CO_2를 제거하는 효과가 있다. 호흡성 산증이 악화될 때 사용

④ 기관절개술(tracheostomy)

- 호흡노력(work of breath)를 줄일 수 있다.
- 조기에 기관절개술을 시행하는 것이 기계호흡 기간 및 중환자실 체류시간을 줄인다는 보고가 있다.

4. 기계호흡의 분리

1. 기계호흡을 시작했을 때의 기준이었던 SOAP에 준해서 다시 점검한다.

① **기관지 분비물 점검** (excessive Secretion)	• 가래 등의 분비물의 양은 줄었는가
② **폐에서의 산소교환 점검** (impaired Oxygenation)	• FiO_2 < 0.4-0.5이며 PEEP < 5-8cmH_2O 시 PaO_2/FiO_2 > 200이 가능한가
③ **기도 폐쇄액 점검** (Airway obstruction)	• 기도가 환자에 의해 유지가 가능한가
④ **폐기능 점검** (compromised Pulmonary function)	• 폐기능은 적절한가

2. **자발호흡**의 평가

흡입 시의 음압>-20~-30cmH_2O

분시환기량 <10-15L/min

TV>5ml/kg, 호흡수 <30/min

3. f/TV비 (rapid shallow breathing index)

호흡빈도(frequency)를 TV으로 나눈 값으로, 값이 105이상이면 기관내 삽관제거가 힘들며(95%), 80 이하시 성공률이 높다(90%).

위장관계

■ Stress Gastritis

1. Prophylaxis의 적응증★

> ① **인공호흡기** (≥48hr)를 필요로 하는 호흡부전★
> ② **응고장애**★
> ③ 심각한 **화상**
> ④ **두부 손상**

2. 치료

이러한 위험군은 목표칼로리의 50%대에 이를 때까지 antacids, sucralfate, H2 blocker로 예방해야 한다.

a. 제산제	• 중환자실에서의 효과가 입증되지 않았으므로 일차약으로 쓰이지 않는다.
b. Sucralfate	• 위점막에 부착되어 보호하는 역할을 한다. • 국소적인 **prostaglandin생성**을 돕는다. • **원내폐렴**(nosocomial pneumonia)의 빈도 **낮춘다.** (즉, 위내의 산성환경을 유지하기 때문) • 단점 : 항생제, warfarin 및 phenytoin등의 흡수를 방해한다.
c. H2 receptor antagonist	• 위의 산성도를 낮추므로 **원내폐렴의 한 원인**이 될 수 있다. • Sucralfate보다 stress gastritis로 인한 **출혈을 막는데 효과적**이다.
d. PPI (proton pump inhibitor)	• 소화성 궤양을 치료하는 데에는 H2 blocker보다 효과적이지만 스트레스성 위염을 예방하는 데에 우월하다는 증거는 아직까지 없다. • Clostridium difficile colitis와의 연관성이 보고되었다.

■ Abdominal Compartment Syndrome (ACS)

1. 원인

- **복강내압 〉15mmHg : 이상**
- 중환자실에서 빈도 : 4-15%
- 원인 :

일차성	• 복강 내 혹은 골반 출혈 (M/C), 장팽창, 췌장염으로 인한 후복막부종
이차성	• 복강 내 원인이 없는 경우로 쇽으로 인한 소생결과 발생한 부종 및 복수 등

2. 임상양상

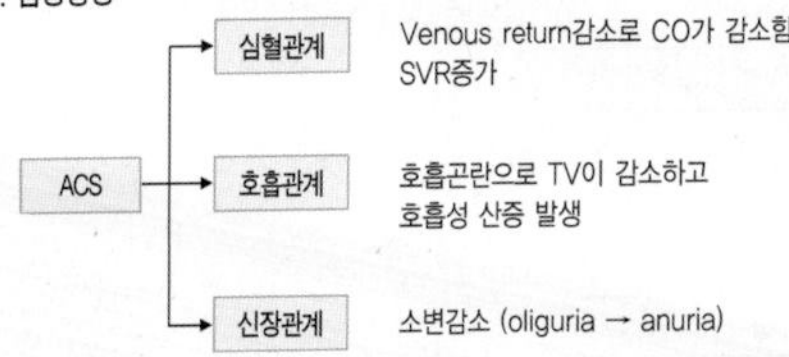
ACS
심혈관계
Venous return감소로 CO가 감소함
SVR증가
호흡관계
호흡곤란으로 TV이 감소하고
호흡성 산증 발생
신장관계
소변감소 (oliguria → anuria)

3. 위험환자

쇽으로부터 소생받은 환자로 vasopressor를 주입 중이며 6시간동안 6L이상의 수액을 주입받고 6U이상의 PRC수혈을 받았을 경우

4. 치료

	복강내 압력(mmHg)	치료
1도	10-14	• Normovolemic resuscitation
2도	15-24	• **Hypovolemic resuscitation** 환자의 상태를 monitoring하면서 치료여부를 결정한다.
3도	25-35	• **감압를 시도**한다. (**4도**의 경우는 **응급**재수술을 통한 감압)
4도	〉35	

추가노트

☞ 이외에도 장으로의 혈관(visceral vessels) 에도 영향을 미쳐서 장괴사, 간기능장애, 장의 문합 부위의 breakdown 등이 유발될 수 있다.

☞ ACS의 임상양상은 환자에 따라 다르기 때문에 복강내압이 절대적인 기준은 아니다.

☞ 즉 3도와 4도는 결국 감압이 필요하며, **4도의 경우 응급상황**이다. 응급상황의 경우 임시적으로 복수 등을 배 밖으로 배액하며 수술적치료로 감압한다. 수술은 vacuum을 통해 일시적으로 감압하고 3-4일 이후 definite Tx를 하는 것이 유용하다.

■ 영양 공급

1. **중증 환자에서의 영양 공급의 필요성**

① 중증환자에게 에너지 요구량이 30-50% 증가한다.

② Protein turnover속도는 에너지 소비 속도에 비례하게 된다. 이로 인해 lean body mass의 감소로 이어지고 그 결과 cardiac, pulmonary, hepatic, GI & Immune dysfunction이 발생하게 된다.

2. **에너지 공급**

① **필요한 열량**

30 kcal/kg	**정상체중**의 성인에서
35 kcal/kg	**저체중**환자에서
25 kcal/kg	**과체중**환자에서

② **필요한 단백질**

a. **스트레스에 따른 단백질 요구량**

Mild stress시	1.5g protein/kg
Moderate stress시	2.0g protein/kg
Severe stress시	2.5g protein/kg

b. **UUN을 통한 단백요구량의 추정**

- 소변에서 배출되는 urea nitrogen을 UUN(urine urea nitrogen)이라고 하며, 스트레스와 관련된 이화작용(catabolism)이 증가할수록 UUN이 증가하므로 단백질요구량을 추정할 수 있다.
- UUN은 단백분해 산물인 질소(nitrogen)의 90%가량이며 나머지는 불감성 손실 및 urea형태가 아닌 질소에 해당한다.

질소균형 = 섭취 − 손실 (소변 90%, 대변 5%, 피부 5%)
= 단백질 섭취(g)/6.25−{UUN+2(대변 및 피부)+2(비요소질소)}

- 영양공급의 목표는 **하루 3-5g정도의 양성 질소균형**을 유지하는 것이다. 따라서 계산된 값보다 더 많은 양의 단백질이 필요하다. 또한 단백요구량을 계산하기 위해선 계산된 질소요구량에 6.25를 곱해야 한다.

추가노트

☞ Glucose는 빨리 고갈되고, glucose만을 에너지원으로 사용하는 장기(ex.Heart, Brain, Inflammatory cells)를 위해 hepatic gluconeogenesis가 진행된다.
☞ 지방이 이동되어 주된 에너지원으로 이용된다.
☞ 단백질 대사도 급격히 증가되어 아미노산이 acute-phase protein을 합성하고 gluconeogenesis 및 에너지생성에 이용된다.

신장계

1. 소변이 나오지 않을 때의 조치 【17】

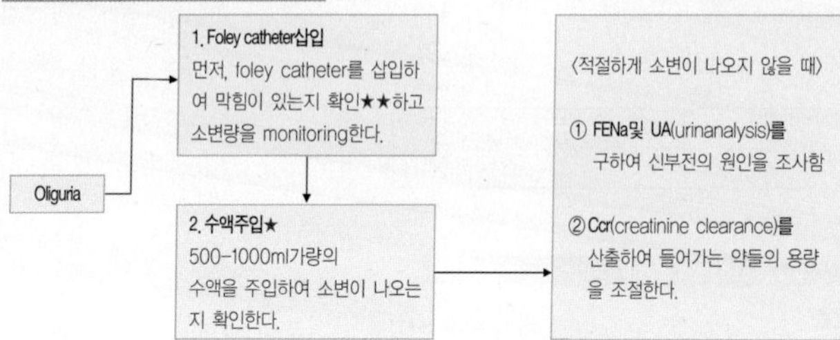

Oliguria
1. Foley catheter삽입
먼저, foley catheter를 삽입하여 막힘이 있는지 확인★★하고 소변량을 monitoring한다.
2. 수액주입★
500-1000ml가량의 수액을 주입하여 소변이 나오는지 확인한다.
〈적절하게 소변이 나오지 않을 때〉
① FENa및 UA(urinanalysis)를 구하여 신부전의 원인을 조사함
② Ccr(creatinine clearance)를 산출하여 들어가는 약들의 용량을 조절한다.

① UNa (spot urine sodium)

일단 빠르게 신부전의 원인을 짐작할 수 있다.

U_{Na} 〈20mEq/L	U_{Na} 〉40mEq/L
• prerenal cause	• 신장실질이

② FENa

$$FE_{Na} = \frac{U_{Na} \times Pcr}{P_{Na} \times Ucr} \times 100$$

③ 요검사 (Urinalysis)

• SG (specific gravity)가 높고 pH가 낮을 때	• prerenal cause
• tubular cast가 관찰될 때	• 신실질 질환
• 혈색소뇨 (hemoglobinuria)	• 횡문근용해증 (rhabdomyolysis)
• 호산구증가증 (eosinophilia)	• 간질성 신장염 (interstitial nephritis)

추가노트

☞ 급성신부전(ARF; acute renal failure)는 사망률이 50% 이상이며 투석이 필요한 경우는 60-90%에 이르는 치명적인 질환이다. 소변감소증(oliguria)는 소변량이 〈0.5ml/kg/hr 혹은 〈400ml/24hr 시 정의한다.

☞ **외과환자에서 Oliguria의 가장 흔한 원인은 혈액량저하(hypovolemia)**이기 때문에 먼저 수액을 주입하여 반응하는지의 여부를 알아본다.

☞ FENa =〈1% → prerenal cause
FENa =〉3% → 신장실질장애 및 Postrenal problem

④ Ccr (크리아티닌 청소율; 단위 ml/min)

$$GFR = Ccr = \frac{Ucr \times V}{Pcr}$$

혹은

$$Ccr = \frac{(140-\text{나이}) \times \text{체중}}{Pcr \times 72} \text{ (Cockroft-Gault equation)}$$

2. 신대체요법 (Renal replacement therapy)

1. **적응증**

   ① 증상을 동반한 **수액과다**(fluid overload)

   ② 심한 **전해질** 및 **산염기 대사** 이상

   ③ **패혈증**

   ④ **요독증** (uremic symptoms): 뇌병증, 심막염

2. **종류**

   PD (peritoneal dialysis), HD (hemodialysis), CRRT (continuous RRT)

추가노트

☞ 여기서 Ucr은 소변 내 Cr농도이며(mg/dl).V는 소변량(ml/min), Pcr은 혈장내 Cr농도(mg/dl)이다.

☞ Ccr에서 Ucr및 V를 산출하기 위해 24시간 소변을 모아야 하지만 부득이한 경우 4시간의 소변을 모아서 24시간으로 환산하여 (4x6=24) 계산할 수 있다.

☞ Ccr공식에서 V는 단위가 ml/min인 점을 주의하자. 즉, 24시간 소변을 기준으로 소변량을 계산한 경우 (ml/24hr) 산출된 값에서 24시간을 분단위로 바꾸기 위해 24x60=1440으로 나누어야 한다.

☞ 이 공식은 환자의 나이 및 체중을 통해 간단하게 Ccr을 추정할 수 있다. 여성의 경우는 0.85를 곱해야 한다.

☞ 정상 CCr은 남성은 120ml/min, 여성은 95ml/min에 해당한다.

내분비계

■ 부신부전(Adrenal insufficiency)

1. 수술 전후 스테로이드 투여

〈Hypothalamic-Pituitary-Adrenal axis〉

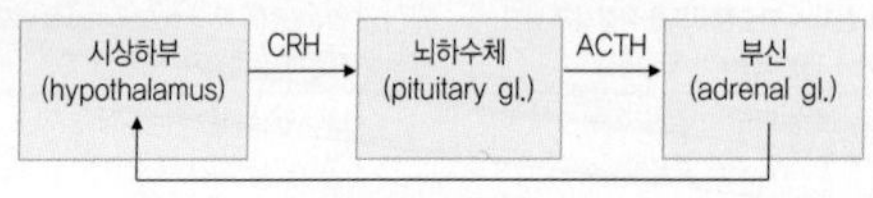

(-:negative feedback) Cortisol

즉, 부신부전은

① **스테로이드 복용**으로 인해 시상하부가 억제되어 있는 경우

② **Hypercortisolism/쿠싱증후군** 같이 부신기능이 항진되어 있는 경우
(즉, 스테로이드복용과 유사하게 시상하부가 억제되어 있음: negative feedback)

③ **일차성 부신부전(Addison씨 병)**

의 경우같이 부신기능의 장애가 예상되는 환자들이 **수술(stress)을 받았을 때** 적절하게 부신에서 cortisol공급이 이루어지지 않을 경우 발생하므로 이러한 위험환자들을 적절한 병력청취 및 이학적 검사를 통해 선별해야 하여 수술강도에 따라 수술 전후 스테로이드를 공급해야 한다.

2. 급성 부신위기 (Acute adrenal crisis)

① **증상** : 예상못한 저혈압, 발열, 복통 및 허약

② **처치**

스테로이드 투여: hydrocortisone 또는 dexamethasone

다음으로 혈청 및 소변 검사를 시행한다.
(합당한 소견: Na↓, K↑, 혈당↓, 소변↓, cortisol<20 μg/dL)

추가노트

☞ CRH: corticotripin-releasing hormone

☞ ACTH: Adrenocoritctrophic hormone

☞ **예방적 스테로이드 투여**

- minor operation → 25mg hydrocortisone
- moderate stress→ 50-75 mg hydrocortisone
- higher stress → 100-150mg hydrocortisone

☞ 부신부전의 심시 random serum cortisol level을 측정한다.

① >34 μg/dL → 정상

② 15-34 μg/dL → 이땐 cosyntropin stimulation test시행하여 9 μg/dL 이상 cortisol치가 증가하지 않으면 부신부전이 있는 것으로 간주한다.

③ <15 μg/dL → 부신부전

■ 혈당장애

1. 당뇨환자에서의 혈당장애

	DKA (Diabetic ketoacidosis)	HONK syndrome (Hyperosmolar nonketotic syndrome)
원인	• **1형 당뇨환자**가 **인슐린치료를 적절하게 받지 않았다거나 급성** stress가 있었을 때	• 인슐린치료가 ketoacidosis를 유발할 정도로 적절하지 않았지만 혈당조절에 실패했을 경우
진단	• Kussmoul호흡 (빠르고 깊은 호흡) • 아세톤 혹은 과일 같은 호흡향 • 고혈당(400-800mg/ml), **high-anion gap을 지니는 대사성 산증**, 케톤증 • **전체 칼륨의 량은 감소**되었지만 혈액검사상 고칼륨혈증을 보이는 경우가 많다.	• DKA와 유사한 임상양상을 지닌다. • 정신상태변화가 더 심하다. • 고혈당도 심한 편 (보통 >800mg/dl) • Hyperglycemic pseudohyponatremia
치료	• Normal saline + RI • Glucose는 혈당치가 250mg/dl 이하로 감소되었을 때 보충한다. • 저칼륨혈증 및 저인산염혈증의 교정	• DKA와 치료는 비슷하나 **수액공급**이 더욱 필요하다. Free water deficit = 0.6 × 체중 × [1-(140/혈중 Na)] 단, 혈중 Na농도는 pseudohyponatremia로 인해 혈당이 100mg/dl 상승때마다 1.6 mmol/L씩 더해주어서 계산한다.

2. 당뇨가 없는 환자에서의 고혈당

① 원인

수술 후의 stress로 인한 counter-regulatory hormones 분비
→ 인슐린 저항성으로 고혈당 유발

② 영향

수술 후 **감염성 합병증**을 증가시키며, 심근경색, stroke 및 두부손상후의 결과에 좋지 않은 영향을 준다.
→ 환자실 환자에서 인슐린으로 혈당을 80-110 mg/dl로 조절했을 때 생존율의 증가가 보고되었다.

추가노트

☞ Counter-regulatory hormones (및 시토카인)

: Glucagons, Epinephrine, Norepinephrine, Glucocorticoid, Growth hormones
TNF (Tumor necrosis factor), IL-1, IL-6

응고 장애

• 응고장애와 관련된 상황 : Massive transfusion, DIC & Hepatic failure

■ Massive Transfusion

① 원인: 〉10U PRC 수혈 → 이차적인 응고장애가 생길 수 있다.
(∵응고인자결핍, 저체온증, 대사성산증)

② 대량수혈의 합병증 : Hyperkalemia, Hypocalcemia (∵citrate toxicity), Hypomagnesemia, Metabolic acidosis

■ DIC

• 치료

① 응고인자보충 (FFP, Cryoprecipitate, PLT 공급)
└ fibrinogen 공급

② 저용량의 iv Heparin (25U/kg bolus 후 5-10U/kg/hr로 infusion)

③ Antifibrinolytic agent (e-aminocaproic acid)투여, Antithrombin-III

■ 간부전

1. 간부전 양상

• 중증환자의 15%에서 나타남.
• 간은 factor Ⅷ (von Willebrand factor)을 제외한 모든 clotting factor를 만드는 곳이다.
→ 간부전시 PT (Prothrombin time) 증가 후 aPTT 증가
기타 Albumin, Cholesterol이 떨어지고, Portal HBP
→ Hypersplenism → Thrombocytopenia

2. 치료

① 출혈없는 환자는 Vit-K로 치료

② 급성출혈이 있거나 수술 등을 앞둔 환자
→ 응고인자 & 혈소판 보충

③ fulminant hepatic failure로 사망하는 환자의 80%에서 Cerebral edema가 있으므로 조기에 ICP monitoring을 해야하며 뇌손상이나 장기부전이 오기 전에 간이식을 고려해야 한다.

④ 영양공급
: 단백질은 1-1.2g/kg/day로 제한하고, 열량은 25-30kcal/kg/day로 하되 30-40%의 nonprotein calorie는 지방으로 섭취하도록 한다.

추가노트

☞ factor VII은 간에서 충분히 생산되지 않고, 짧은 반감기를 지니기 때문에 FFP를 6시간마다 투여하거나, 급성기땐 지속적으로 투여한다.

혈액계

■ 폐색전증 (Pulmonary Embolism) ★

1. DVT & pulmonary embolism의 위험요인 【17】

: Immobilization, 고령, 종양, 외상, CHF, 임신, 피임제

→ 이러한 환자들은 '수술 전후 예방' 해야 한다.
하지 압박 도구 (ex.stocking...) 및 항응고제

2. 증상 : 호흡부전, pleuritic chest pain, 기침, 객혈
Signs : 빈호흡, rales, tachycardia, fever, P2 accentuation, S3 or S4 gallop, 발한, 갑작스런 산소포화도 감소

3. 조치 【16】

① 저위험 : 검사나 치료가 필요하지 않다.

② 중증도 위험

- 진단 : Pulmonary Angiography (gold standard), spiral chest CT Transesophageal echocardiogram (Rt. heart strain 확인)
- 치료 :

i) Systemic heparininzation (∵혈전이 퍼지는 것을 막는다)
→ 3-6개월간의 Oral warfarin, clopidogrel (∵clot의 재흡수 및 혈관재관류를 돕는다)

ii) Anticoagulation과 관련된 Cx, Anticoagulation C/x 시
→ IVC(Inf. vena cava) filter시행한다.

iii) 혈역학적으로 불안정한 환자는 Thrombolytic Tx를 시행한다. 그럼에도 불구하고 계속적으로 불안정할 경우 Transvenous or surgical Embolectomy 시행.

② 고위험 : 검사없이 Anticoagulation을 시작하라.

패혈증 및 다발성 장기부전 (Sepsis and Multiple Organ Failure)

■ 패혈증

1. 정의 ★

① SIRS (Systemic Inflammatory Response Syndrome)

: 다음 중 2개 이상 만족시켜야 한다

a. 체온〉38 ℃ 혹은 〈36 ℃ b. HR〉90/min c. 자발호흡 시 RR〉20/min 혹은 $PaCO_2$〈32mmHg d. WBC〉12,000/mm^3 (혹은 〈400/mm^3) 혹은 초혈액에서 band form(미성숙세포) 〉10%

② 패혈증(sepsis) : SIRS + 감염

③ 심한 패혈증(severe sepsis) : 패혈증 + 장기부전 + 저관류(hypoperfusion)

④ 패혈성 쇽(septic shock) : 심한 패혈증 + 수액공급에 반응하지 않아 혈압유지를 위한 약제투여가 필요

2. 치료 - 1장 패혈증 치료(p30) 참고

■ 다발성 장기부전 (Multiple organ failure)

1. 기전

전반적이고 과도한 신경내분비, 면역 및 염증반응의 총체

(그림) 다발성 장기부전의 two-event model

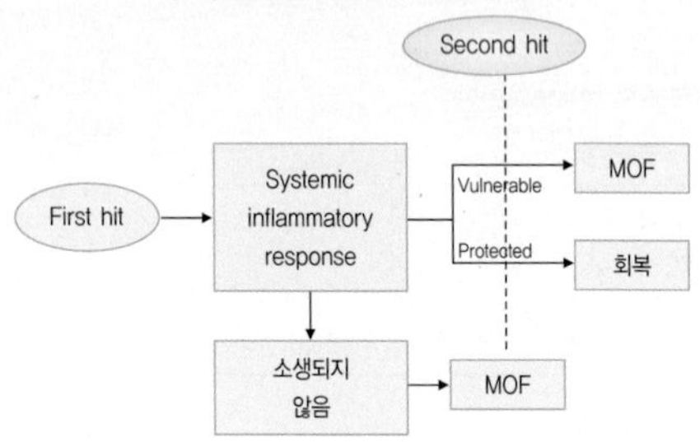

- 첫번째 손상은 전신적인 과도한 염증반응을 일으킨다. 여기에서 host가 회복되지 못하면 MOF가 발생하고 첫번재 손상에서 회복되었을 때 두번째 손상이 발생하며 여기서 회복되지 못했을 경우에도 MOF가 발생한다.

(그림) 장기부전의 기전

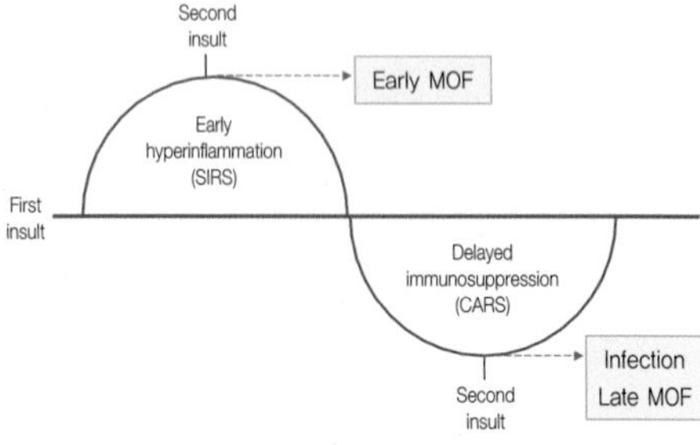

- 첫번째 손상은 심한 전신적 염증반응(SIRS;systemic inflammatory response syndrome)를 유발하며 여기에서 극복하지 못하면 초기(72시간내) MOF가 된다. 초기 MOF는 cellular shock에 의해 악화되는 것으로 보인다. 초기의 SIRS후에는 면역력이 저하되는 시기를 거치며(CARS; compensatory anti-inflammatory response) 이 시기에 두번째 손상을 받으면 후기(6-8일) MOF가 발생한다. 후기 MOF 유발 요인은 보통 감염이 해당된다.

2. 관리

① 두번째 손상을 피하는 방법은

→ 적절한 소생(resuscitation), 수술적 치료 및 중환자실 관리이다.

- 소생 시 사용하는 수액으로 hypertonic saline은 면역학적으로 **양호**한 기능을 지니는데 비해, panked RBC은 **두번째 손상으로 작용**할 수 있다.

② 수술 및 수술 후 관리에서 적절한 조치가 이루어지면 절반정도로 MOF를 줄일 수 있다.

③ 환자상태가 좋지 않을 경우 항상 MOF진행가능성을 생각하여 적절하게 조치해야 한다.

☞ MOF를 피하기 위한 수술 및 수술 후 관리

수술 시 조직손상을 최소화시키며, 혈종(hematoma)을 만들지 않도록 혹은 수혈을 하지 않도록 적절히 지혈 시키며, 괴사조직에 대한 debridement, 적절한 항생제 치료, ACS(abdominal compartment syndrome)의 예방 및 치료, damage-control surgery가 여기에 해당된다.

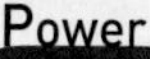

★☆☆☆☆

14 이식면역학

Transplantation Immunology & Immunosuppression

면역억제요법의 개념적 접근

1. 일반적인 면역반응

① 면역계의 주요세포는 **림프구(lymphocytes)**, APC(Antigen-presenting cells) 및 Effector cells이다. 이러한 면역세포들은 외부의 침입자에 대해 면역반응을 일으켜 적절히 대처하는데 문제는 이들이 좋은 침입자(이식된 장기)와 나쁜 침입자(병균)를 **구분하지 못하는**데 있다.

② 거부반응은 T 림프구가 이식장기에 있는 외부 **조직적합성 항원**을 인지함으로부터 시작된다. 외부항원은 APC (대부분 **포식세포** 혹은 dendritic cell)가 외부물질을 포식한 후 세포표면으로 항원성 물질을 표출함으로써 직접적으로 림프구로 제공된다.

③ 림프구는 자기(self)와 비자기(non-self)를 구분할 수 있으며 표적특이성(target specificity)를 지니므로 자신이 인지할 수 있는 소수의 항원만을 인지하게 된다.

④ 외부항원의 경우는 MHC (major histocompatibility complex)에 의해서 발현된다.

⑤ 특이한 항원에 의해 자극되면 휴식기의 림프구에서 큰 활성을 지닌 세포로 변환되며 cytokines을 분비한다.

⑥ 이식에 있어서 "APC와 T림프구와의 만남" 의 단계가 면역억제요법을 시작할 **첫 단계**이다. 일단 림프구가 활성화되면 면역억제요법은 힘들어진다.

2. 면역억제제의 기전 ★

	관련 면역억제제
① **림프구를 파괴**하여 순환하는 림프구의 수를 감소시킨다.	OKT3, ALG
② **림프구활성화에 대한 억제제**를 사용하여 초기에 항원에 의한 **T림프구의 활성화를 방해**하거나 계속된 면역반응에 필요한 **cytokine생성을 억제**한다.	Cyclosporine, FK 506
③ 림프구 증식에 필요한 **대사과정을 차단**한다.	Azathioprine, Mycophenolate mofetil (MMF)

관련된 세포들

1. 면역계의 구성

선천면역(innate immunity)

- 방어 "초기" 의 즉각적인 면역
- [관련세포]
  대식세포, 자연살상세포(NK cell), 중성구
  보체(complement)

Adaptive immunity

- 일련의 정교한 면역과정
  (항원인식 → 활성화 → 분화, 증식)
- [관련세포]
  T 및 B 림프구 관여

추가노트

☞ B세포와 T세포를 비교해보자

B세포: "항원" 매개성 면역
원거리의 항원을 공격 가능함

T세포: "세포" 매개성 면역 (Cell-mediated immunity)
말초까지 도달하여 항원을 만나서 효과를 나타냄

(그림) Innate immunity 및 Adaptive immunity

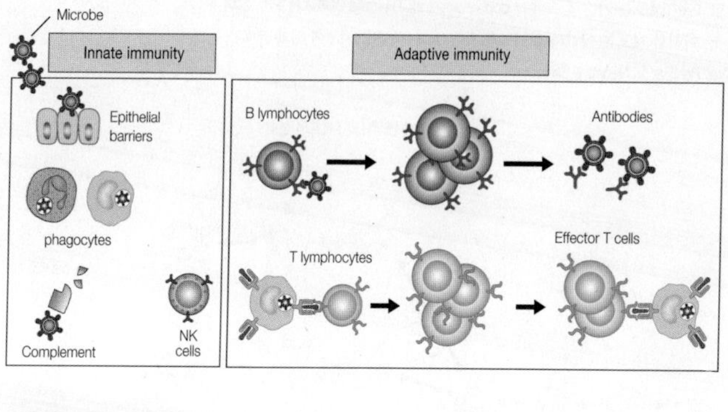

2. 림프계의 분화

① 림프계의 분화장소는 태아시기엔 **간**에서 시작되고, 나이가 들면 **골수**로 이동된다.
T세포는 골수와 가슴선에서 분화되고, B세포는 골수에서 발달하게 된다.

② Pre-T세포는 **가슴선(thymus)**로 이동한다.
가슴선에서 $CD3^{+}$T세포는 **성숙**하고, self에 대해 교육받는다.
여기서 성숙된 T세포는 림프절, 비장 및 장 등으로 이동한다.

3. 가슴선의 기능

① 가슴선에서 T세포는 TCR (T-cell receptor)를 획득하는데 이로 인해 후에 **특이한(specific) 면역반응**이 가능하게 된다. 또한 CD3가 T세포를 통과해서 존재하며(transmembrane protein), 이렇게 TCR과 CD3가 합쳐져서 외부항원을 인지하는 TCR복합체 (TCR complex)가 형성된다.

② T세포의 성숙을 돕는 가슴선 기질세포의 분비물

가슴선호르몬, IL-7	MHC 분자
• 말초 T세포계의 분화를 돕는다.	• T세포 레퍼토리를 선별(selection) 하는데 중요한 역할을 한다.

그 결과 성숙된 T세포는 두 가지 기본적인 특성을 지닌다.
즉, 1) self-MHC에 **국한**되고 2) self항원에 대해 **관용(tolerance)**을 지닌다.

③ **자가면역허용(self-tolerance) 과정**

a. Pre-T세포는 가슴샘 속에서 double-positive(CD4+ and CD8+) 세포가 된다.

b. 이러한 세포는 아래와 같이 self-MHC class I 혹은 class II에 의해 교육받는다.

c. Positive vs Negative Selection

(그림) 가슴샘에서의 T세포의 성숙

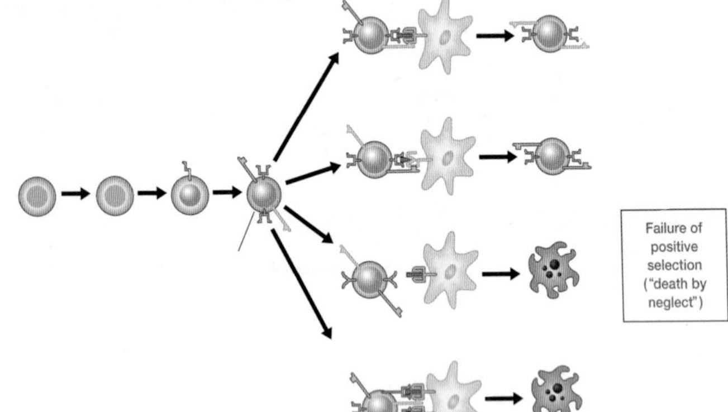

추가노트

☞ '교육받는다' 는 표현은 미성숙한 T세포는 내 것, 남의 것을 (self가 뭔지, nonself가 뭔지) 모르고 있으므로 똑똑한 가슴선 기질세포가 이런 것들을 가르친다는 말이다. 그림에서 MHC II와 반응하면 CD4⁺T세포, MHC I과 반응하면 CD8⁺T세포가 되는 것을 기억하자.

Positive Selection	Negative Selection
↓	↓
Self-MHC와 중등도로 반응하는 T세포는 생존하고 너무 강하거나 너무 약하게 반응하는 T세포는 생존하지 못한다.	Positive selection후 T세포는 self항원에 노출되는데 이때 self 항원-MHC복합체와 너무 강하게 반응하면 deletion되는 것을 의미한다.

4. 장기이식 시 면역반응

[항원의 인식]
장기이식 시 이식장기에 반응하는 **T세포가 "그 장기가 있는 곳"**에서 활성화된다. 이식장기에 있는 dentritic cell이 항원을 가지고 이식장기를 떠나 **"환자의 림프절"**로 들어와서 T세포와 B세포를 활성화시킨다.

→ T세포는 이식장기로 **이동**하여 이식장기에 대한 세포반응을 일으킨다.
B세포는 수일 내로 항체를 분비하여 **원거리에서** 이식장기를 파괴시킨다.

세포와 세포의 상호작용

1. T세포의 활성

① T세포의 TCR복합체는 APC표면에 있는 **MHC에 의해 제공된 항원**과 결합하면 입체적 변화(conformational change)를 일으킨다. TCR복합체 중 CD3가 항원결합 후 세포 내 신호를 전달한다.

② T세포가 활성화되면 **TCR발현은 감소**되고 **IL-2R발현은 증가**한다. 즉 활성화된 T세포는 IL-2를 분비하는데 IL-2는 IL-2R에 결합하여 autocrine 및 paracrine으로 작용하여 특정항원에 반응하는 T세포를 증시킨다.

추가노트

☞ 충분한 면역반응이 일어나기 위한 조건

① 신호1
T세포의 TCR복합체는 APC표면에 있는 **MHC에 의해 제공된 항원**과 결합해야 하고
② 신호2
co-stimulatory molecules에 의해 안정화되며
③ 신호 3
T세포를 활성화하고 cytokine을 생성하는 세포내 신호전달체계가 작동해야 한다.

☞ CD3에 대한 monoclonal Ab인 "OKT3"는 CD3에 반응하여 CD3에 의해 매개되는 세포내 신호체계에 변화를 주어 면역억제효과를 나타낸다.

☞ 이와 같이 **TCR와 IL-2R는 역반응관계**에 있어 negative feedback기전에 의해 조절되는 것으로 생각된다.

2. Co-stimulatory Pathways

① T세포의 TCR복합체는 APC표면에 있는 MHC에 의해 제공된 항원과 결합되었을 때 T세포의 CD28 과 APC에 있는 B7이 함께 결합해야만 co-stimulation 효과가 나타난다.
(결합하지 않으면 clonal anery됨)

② 이렇게 항진된 T세포기능을 길항하기 위해 T세포 표면에
CD152(CTLA-4) 가 있어서 작용을 나타낸다.

(그림) T세포 활성화에서 co-stimulation의 역할

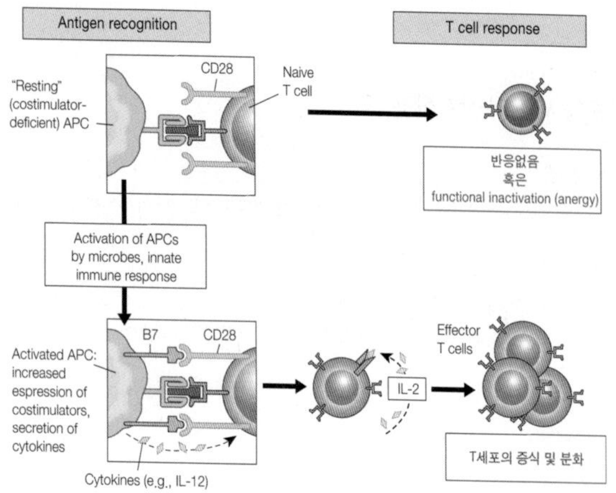

추가노트

☞ "anti-CD154 monoclonal Ab"는 co-stimulatory blockade로 탁월한 면역억제효과를 지닌다.

☞ CD40/CD154 pathway
B세포에 의해 항원이 인지되면 CD80 (B7-1)과 CD86(B7-2)가 up-regulation되고 이 분자들은 T세포의 CD28과 작용하여 CD154를 증가시키는데 이렇게 증가된 CD154가 B세포의 CD40수용체에 결합하여 B세포가 계속적으로 활성화되고 증식하도록 돕는다.

3. T세포 Effector기능

① T세포는 흉선에서 TCR 복합체를 획득할 뿐 만 아니라, CD(cluster of differentiation)항원으로 불리는 분화수용체를 지니게 된다. CD4와 CD8이 대표적이다.

② **CD8+T세포**와 **CD4+T세포**의 비교

CD8+T_H 세포 (cytotoxic T_H세포)	CD4+T_H세포 (Helper T_H세포)
APC에서 MHC I형과 결합한 항원과 상호반응함 → 직접적으로 외부물질을 lysis함	APC에서 MHC II형과 결합한 항원과 상호반응함 → cytokines을 분비하여 Cell-mediated response(T_H1) 혹은 Humoral response(T_H2)를 일으킨다. 1) **TH1반응** 주요 cytokines : IL-2, IFN-γ a) IL-2 : 강력한 **T세포 성장인자**이며 **B세포** 및 **NK세포**의 분화도 촉진한다. b) IFN-γ : **대식세포**를 활성화시키며 B세포 switching에도 관여한다. → Cell-medicated immunity 관여 2) **TH2반응** 주요 cytokines: IL-4, IL-5, IL-10 a) 이러한 cytokines은 면역글로불린 E생성에 중요한 역할을 한다. b) IL-4 : T세포의 주요성장인자이면서 MHC II형의 발현 및 adhesion molecules의 발현을 촉진한다. → Humoral immunity 관여

추가노트

☞ T_H1세포와 T_H2세포는 서로를 조절하는 기능이 있는데 예컨대, T_H1세포에서 분비되는 "IFN-γ"는 직접적으로 T_H2세포의 분화를 억제하고 "IL-10(및 IL-4)"는 T_H1세포에 의한 cytokine생성을 억제한다.

(그림) CD4+T_H세포의 아형중 T_H1과 T_H2세포의 기능

A. T_H1세포에서 분비하는 IFN-γ는 대식세포를 활성화시켜 대식작용을 일으키며 대식세포에 의한 균주의 소화를 돕기 위한 항체생성을 촉진시킨다.

B. T_H2세포는 IL-4를 분비하여 IgE의 생산을 촉진하며 IL-5를 통해 호산구(eosinophil)을 활성화시킨다. IgE는 또한 비만세포(mast cell)를 활성화시킨다.

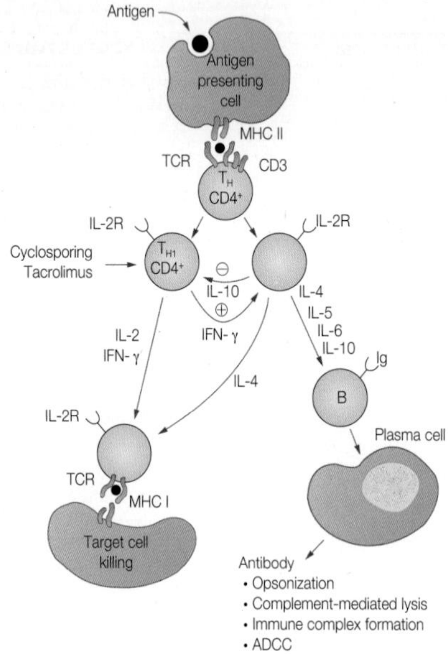

4. B 림프구

① 외부항원에 대해 **체액성**(humoral) 혹은 **항체 매개성**(antibody-mediated) 면역반응에 관여한다.

② 세포표면에 면역글로불린 항체를 발현하는데 이를 통해 특이한(specific) 항원인식이 가능하다. 각각의 성숙한 B세포는 단 한가지 면역글로불린(항체)만을 생성한다.

③ **T세포의 cytokine의 자극**에 반응하여 B세포는 "isotype switching"을 한다.

추가노트

☞ Tc세포(cytotoxic), T_H세포(helper)외에도 Regulatory T세포(Treg)가 존재하는데 이는 in vitro에서 alloreactivity를 억제하고 다른 T세포의 증식을 억제하는 기능을 지닌다. 가장 대표적인 것이 CD4+ /CD24+이다. 동물실험에서 Treg은 "관용(immunological tolerance)의 유지" 및 골수이식 후 GVHD(graft-versus -host disease) 예방 등의 기능을 지닌다.

즉, 외부항원에 반응해서 초기에는 Ig M (nonspecific)을 분비하다가 T세포 cytokine 등의 자극으로 B세포가 성숙, 분화되면서 Ig G (specific)의 분비가 증가된다.

5. 단핵구 (Monocyte)

① **포식세포**(macrophage) 혹은 **조직구**(histiocyte)는 골수에서 생성되어 말초혈액에서는 **단핵구**(monocyte)로 존재하다가 조직 내에서 포식세포 전환되어 **포식작용**(phagocytosis)을 나타낸다.
② 포식이후 항원을 processing한 후 림프구로 presentation하며(즉, APC로 작용) 여러 cytokine들을 분비하여 면역기능을 담당한다.

6. 가지세포 (Dendritic cells)

① **가장 강력한 APC**
② 미성숙한 가지세포는 **장점막**(gut mucosa) 등에 위치하여 항원과 결합하여 면역초기반응에 관여한다.
③ T세포의 clonal expansion 뿐 만 아니라, T세포의 T_H1 혹은 T_H2세포로의 분화도 일으킨다.
④ 두 종류가 있어서 "**골수성 가지세포**(myeloid; DC1)" 은 **면역반응**을 더 잘 일으키고 "**림프성 가지세포** (lymphoid; DC2)" 는 **면역학적 관용**을 더 잘 일으킨다.

7. 자연 살상세포 (NK cells; Natural Killer cells)

* **감작**(sensitization)**없이 세포의 용혈**을 일으킬 수 있다.

Major Histocompatibility Locus : Transplantation Antigen

*항원에 반응하는 T세포는 MHC분자와 결합한 작은 peptide형태의 항원만을 인지하므로 **MHC분자**의 역할은 이식에서 매우 중요하다. MHC분자의 peptide-binding groove는 외부 및 자신의 peptide로 항상 채워져 있다. MHC분자는 아래의 두 가지 형태가 있다.

	MHC I형 분자	MHC II형 분자
관련유전자	• 6번 염색체 HLA (human leukocyte antigen) A, B & C 유전자	• 6번 염색체 HLA (human leukocyte antigen) DR, DQ, DP & DM 유전자
발현하는 세포	• 모든 **유핵 세포**	• **"면역계와 관련된 세포"** 에만 존재한다. └ 대식세포, dendritic cells B세포 및 활성화된 T 세포
인지하는 T세포	• CD8+ T 세포	• CD4+ T 세포

1.Antigen presentation

* APC가 항원을 T세포로 presentation하는 방식에는 아래의 두 가지가 있다.

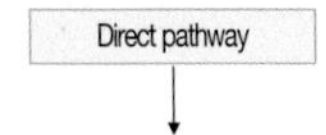

고형장기가 이식되었을 때 그 **이식장기** 내에 있는 **Donor APC자체**가 **자신을** presentation하는 경우

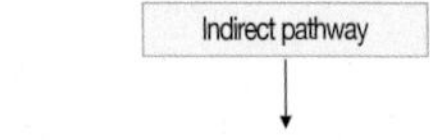

외부항원이 host APC에 의해 포식되고 작은 peptide로 소화된 후 그 작은 peptide가 MHC와 결합하여 T세포로 presentation되는 방식

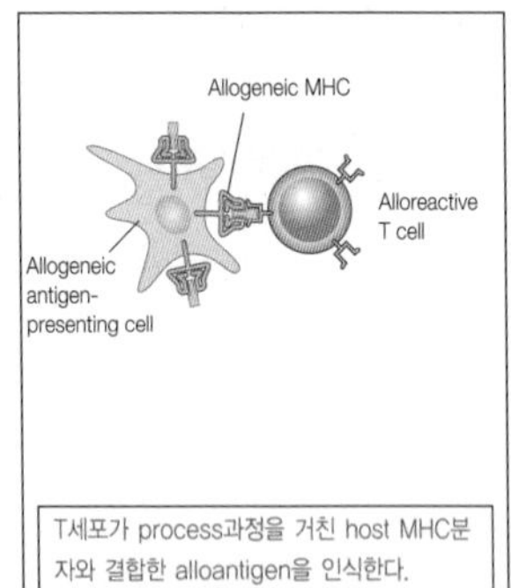

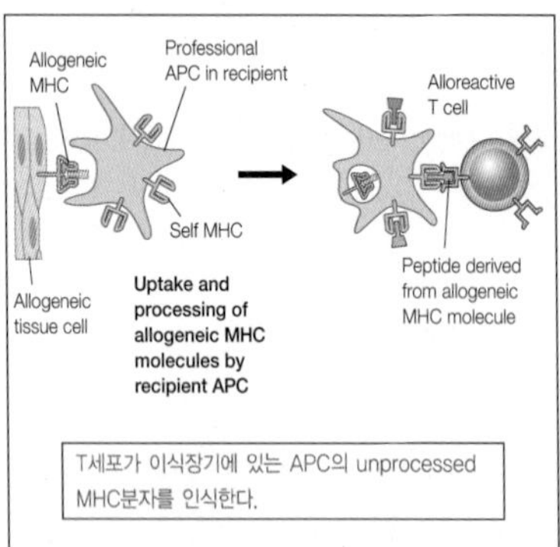

APC의 구분

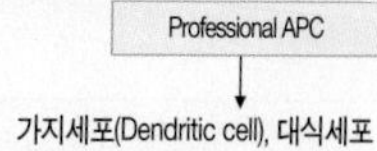

가지세포(Dendritic cell), 대식세포

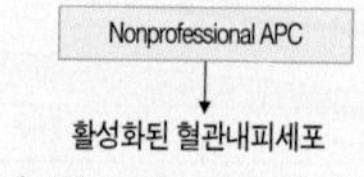

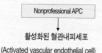

활성화된 혈관내피세포
(Activated vascular endothelial cell)

2. HLA typing: 예방 및 거부반응 ★

* 장기이식시 거부반응을 줄이기 위해 기증자와 수혜자 간의 동종항원(alloantigen)차이를 줄이는 것이 매우 중요하다.

① ABO혈액형을 맞추어 hyperacute rejection을 줄인다.

② 기증자와 수혜자의 HLA-A,HLA-B 및 HLA DR을 조사하여 가급적 서로가 일치하는 기증자와 수혜자 간에 이식을 시행한다.

a. 사람은 두 개의 다른 HLA-A,HLA-B 및 HLA DR alleles을 지닌다. (전체 6 alleles)
즉, 각각의 유전자는 쌍(pair)으로 존재하고 한쪽은 아버지로부터 한쪽은 어머니로부터 유래한 것이다.

b. 그러므로 가족 간의 이식에서 **부모자식 간**에 HLA-A,HLA-B 및 HLA DR 6개의 alleles 중 일치할 가능성은 **50%**에 해당하고, **형제 일치율은 25%**에 해당한다.

c. 이 여섯 가지 alleles중 6개모두가 **일치**한 경우 **이식 후 생존율의 현격한 상승**이 보고되었다.

(그림) 가족간의 HLA typing

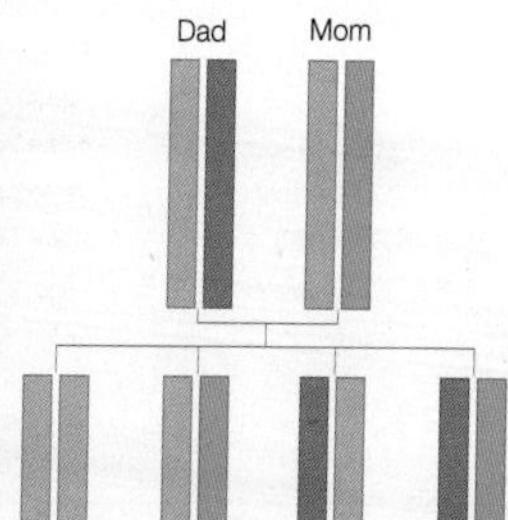

③ Crossmatching ★★

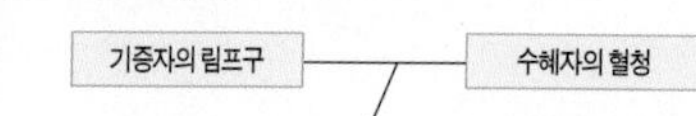

반응시켜서 수혜자의 microtoxicity여부를 알아본다.
즉, 기증자의 혈액세포가 수혜자의 혈청에 의해 용혈된다면 수혜자의 혈액 내에 기증자의 혈액세포를 공격하는 "preformed Ab" 가 있는 것을 의미한다.
이 경우 "hyperacute rejection"이 나타날 수 있다.

추가노트

☞ 이러한 performed Ab는 수혜자가 **전에 수혈 및 이식**을 받은 경우, **임신했던 여성**들에게 나타날 수 있다.

3. 거부반응 ★

* 거부반응은 아래의 3가지가 있다.

Hyperacute rejection	Acute rejection	Chronic rejection
• 수분에서 수일 내로 발생함	• 첫 발생은 2-3주 사이에 가장 흔하게는 3-6개월에 발생한다.	• 수개월에서 수년 후에 발생함
• Preformed Ab에 의함 즉, 이 preformed Ab가 이식장기 혈관내피세포에 결합하여 보체를 활성화시킨다. → 이식장기 **혈관**의 급속한 혈전성 폐색이 발생한다. • 이러한 performed Ab는 수혜자가 **전에 수혈 및 이식**을 받은 경우, **임신했던 여성**들에게 나타날 수 있다.	• 아래의 두가지 형태가 있다. a. Acute vascular rejection - 더 심한 형태이고 오래지속될 수 있다. - 이식장기의 혈관내피세포에 반응하는 Ig G 및 **T세포**가 관여한다. - 이식장기의 **혈관내피세포의 괴사를 유발**하며 이식 후 수주내에 발생할 수 있다. b. Acute cellular rejection - **T세포**와 **대식세포**의 침윤에 의한 이식장기 실질의 괴사 - delayed-type hypersensitivity response와 유사하다. - CD8+ **T세포**가 외부세포를 인지하고 용혈을 일으킨다.	• **T세포** 및 **B세포** 모두가 관여한다. → 이식장기의 섬유화 및 scarring 발생함 • [위험인자] a. **전의 급성거부반응**의 빈도 및 강도 b. **불충분한 면역억제요법** c. 초기의 delayed graft function 시 d. **"기증자"** 과 관련된 인자 (ex.기증자의 나이 및 고혈압) e. **"장기"** 와 관련된 인자 (ex. 장기의 preservation 및 Reperfusion injury) f. **"수혜자"** 관련 인자 (ex.당뇨, 고혈압 및 이식 후 감염 등) **1년 후 graft loss의 가장 흔한 이유이다.**

세포와 세포의 상호작용

1. 감염의 위험

① 면역억제제는 특이하게 alloreactivity만을 차단하는 것이 아니므로, 기회감염의 위험이 증가된다.

② 기회감염의 종류 및 시기

(그림) 이식 후에 많이 발생하는 기회감염

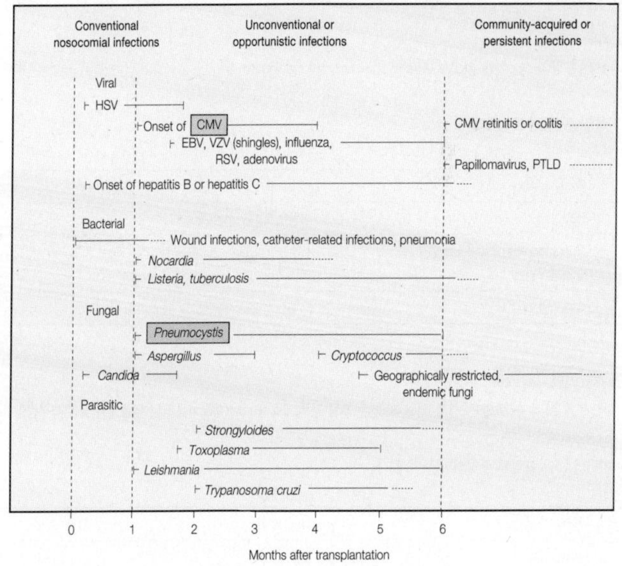

③ CMV (cytomegalovirus)감염

a. 가장 많이 발생하는 시기

이식 후 6-16주 후

거부반응으로 인해 **면역억제제 사용이 증가되었을 때**

b. **관련질환 : 폐렴, 간염, 체장염 및 위장관** 부작용
c. 예방 및 치료 : Gancyclovir

④ **BK virus 감염**
a. **신장이식 후 이식신장기능장애**를 일으킨다(ureteral stenosis유발함).
b. **진단**
- 조직검사 → virus inclusion body 검출
- 혈청검사 → 80%의 환자에서 BK virus양성(by plasma PCR test)이기 때문에 BK virus가 병원균이라는 사실을 진단하기 어렵다.

c. **치료**
낮은 용량의 cidofovir 와 IVIG (intravenous immunoglobulin)

⑤ **여러 감염에 대한 예방제제**

• Pneumoccocus	→	• Pneumococcal vaccin
• HBV	→	• Hepatitis B vaccine
• Pneumocystis pneumonia 및 비뇨기계 감염	→	• TMP-SMX (Trimethoprim-Sulfamethoxazole)
• CMV감염	→	• Gancyclovir

2. 악성종양의 위험

① 대부분의 이식 후 종양은 쉽게 치료 가능한 **자궁 경부의** in situ carcinoma이거나 **악성도가 낮은 피부종양** (ex. lip cancer)이다.
② "바이러스" 와 관련된 종양의 빈도가 높다.

• HPV	→	• 자궁경부암
• HBV, HCV	→	• 간암
• HHV8 (human herpes virus 8)	→	• Kaposi' s sarcoma
• EBV	→	• PTLD (Posttransplant lymphoproliferative disorders)

③ 위험인자 :
잦은 거부반응으로 **고단위 면역억제요법**을 반복 시행받은 환자 및 **간 및 소장이식을 시행받은 젊은 환자**가 위험군이다.

3. 심혈관계 질환 위험

① **"이식 1년 후"**의 환자 사망원인

a. **chronic rejection**으로 인한 이식편 기능부전

b. **심혈관계 질환** 및 **감염**으로 인한 사망(**면역억제제** 사용과 관련)

② 이식환자들은 보통 심혈관계 위험인자들을 지닌다. 여기에 추가해서 면역억제제(특히 cyclosporine 및 스테로이드)는 심혈관계 질환의 위험도를 증가시킨다.

면역억제요법 I - 면역억제 유도요법(Induction agents)

1. ALG (Antilymphocyte Globulin)

① ALG는 사람의 림프구(주로 가슴관세포-thymocyte- 중 **T세포**) 를 다른 종의 동물(**"토끼"**, 염소 및 말)에 주입하여 얻어진 polyclonal sera를 가리킨다.

② **용도**

a. 신장, 췌장, 심장, 소장 및 골수 이식시 유도 면역억제제로 많이 이용된다.

b. **급성 거부반응**시 치료로 이용된다.

③ **부작용**

a. ALG가 다른 조직항원에 cross-reactivity를 가지는 경우
→ RBC 및 PLT와 결합하여 **빈혈** 및 **혈소판감소증**을 일으킨다.

b. **알러지 반응** → 가장 흔한 부작용으로 **두드러기, anaphylactoid 반응 및 혈청병**(serum sickness)를 유발한다.

추가노트

☞ PTLD

1) B cell 85%>T cell 15%

2) Rituximab (anti-CD20 monoclonal Ab)
- B세포를 고갈시키므로 치료에 효과적이다.

3) Hyper-CMV 면역글로불린 : 고위험 환자에서 예방목적으로 이용된다.

☞ 면역억제요법은

1) **유도요법** (**induction agents**) 및

2) **유지요법** (**maintenance agents**)의 두가지로 나뉜다. 즉, 유도요법은 면역억제 초기에 강하게 면역억제상태를 유도하는 것이고, 유지요법은 그 유지된 상태를 낮은 면역억제제 용량으로 유지하는 것이다.

유도요법은 **급성 거부반응** 시 또한 사용될 수 있다.

☞ ALG 및 monoclonal Ab는 **비특이적으로 림프구를 고갈**시켜 강력한 면역억제를 유도한다. 따라서 **기회감염의 위험이 크게 증가**하므로 ALG나 OKT3는 **"3주 내"**로만 사용해야 한다.

2. Monoclonal A

1. OKT3

① Anti-CD3 Ab로서 TCR(CD3)에 결합하여 기능을 방해하여 T세포기능을 비활성화시킨다.

→ Cell-mediated cytotoxicity를 차단함

② 단점

a. **면역유발(immunogenic)** :

오랫동안 사용하면 OKT3에 결합하는 Ab가 생성되어 효과가 떨어짐

b. **cytokine유발 증후군** :

발열/오한, 두통, N/V/D, wheezing & 폐부종 등을 유발하며, 이는 cytokine 특히 TNF (tumor necrosis factor)와 연관이 있다. **스테로이드** 혹은 **Indomethacin**을 함께 투여하여 위험을 낮춘다.

2. IL-2R 억제제

(IL-2 receptor inhibitor)

① IL-2 수용체는 α, β 및 γ 3가지 chain이 비공유 결합으로 연결되어있고, 이들 중 αchain은 활성화된 T세포, 활성화된 B세포 및 APC에서 발현된다. 이 IL-2수용체의 αchain(CD25)를 차단하는 것이 IL-2R 억제제이다.

② 아래의 두 종류가 있다.

③ 장단점

장점	단점
OKT3 같이 **cytokine분비증후군**을 일으키지 않으며 **ALG**같이 **혈청병(serum sickness)**도 유발하지 않는다.	T세포 증식은 IL-2 수용체를 통해서 이루어질 수 있으며 **완전한 면역억제가 불가능하여** 다른 면역억제제와 함께 사용해야 한다.

3. Anti-CD20 monoclonal Ab (Rituximab)

① CD20은 B세포에 발현되는 분자이다. Anti-CD20은 따라서 B세포를 고갈시키므로 **PTLD의 치료에 이용**된다.

② PRA(panel reative Ab)가 높거나 crossmatch 양성시 사용될 수 있고 심장이식 후 humeral rejection치료로도 이용된다.

4. Anti-CD52 monoclonal Ab (Alemtuzumab [Campath 1H])

① CD52는 B세포, T세포, 단핵구 및 대식세포에 발현되며, Anti-CD52 Ab는 극적이고 2-6개월정도 지속되는 림프구의 고갈을 유발한다.

② **신장이식** 후 거부반응시 낮은 용량의 cyclosporine 혹은 sirolimus와 함께 사용할 수 있다.
폐이식 후의 거부반응 및 소장이식 시의 유도면역으로 사용될 수 있다.

3. IVIG (Intravenous Immunoglobulin

① 수천 명의 기증자 혈청으로부터 만들어지므로 수많은 종류의 항체를 지닌다.

② 일차적으로 crossmatch **양성**이거나 ABO**혈액형 불일치**시 혈장교환(plasmapharesis)와 함께 사용될 수 있다.
또한 스테로이드 및 ALG에 반응하지 않은 humeral rejection의 치료에도 이용된다.

면역억제요법 II - 면역억제 유지요법(Maintenance agents)

(표) 면역억제 유지요법

① Adrenal corticosteroid • Prednisone ② Antiproliferative Agents • Azathioprine • Mycophenolate mofetil • Leflunomide	③ T-Cell-Directed Immunosuppressants • Calcineurin inhibitors: cyclosporine, tacrolimus • Cell cycle arrest: sirolimus ④ Lymphocyte Sequestration • FTY 720

1. Adrenal Corticosteroids

① **작용기전**

a. **cytokine 유전자 전사(transcription) 억제**
b. **대식세포**의 cytokine(IL-1, IL-6, TNF) 분비억제
c. **T세포 cytokine의 생성 및 효력을 감소**시킴. 즉, IL-2의 생성과 IL-2R으로의 결합을 억제한다.
d. 대식세포가 림프구로부터 신호를 받아 반응하는 것을 억제한다.
e. Prostaglandin 생성을 억제한다.

② **부작용**

고혈압, **체중증가**, **소화성궤양 & 위장관출혈**, euphoric personality, 백내장, **고혈당 (steroid diabetes)**, 췌장염, 근육약화, **골다공증**, 대퇴골 두부의 AVN, Cushingoid features

2. 림프구 성장억제제 (Antiproliferative Agents)

• 림프구 성장억제제는 림프구가 항원을 만난 뒤 이루어지는 분화 및 증식을 억제한다. 즉, 이 제제는 구조적으로 필수적인 대사산물과 유사하거나 DNA 같은 세포구성성분과 결합하여 분자활동을 억제한다. purine, pyrimidine 및 folic acid 유사체가 여기에 해당한다.

1. **Azathioprine**

① 작용기전

purine과 유사구조물임. 6-mercaptopurine (6-MP)에 side-chain을 결합하여 합성한 물질로서 간에서 대사되어 6-MP로 전환된다. 6-MP ribonucleotide는 inosine monophosphate와 유사하므로 림프구의 DNA, RNA 등의 생성을 방해한다. → **humeral & cellular immunity** 모두 방해한다.

② 이 약제는 **림프구에서의 핵산생산 요구량이 커질 때** 가장 효과적이다. 즉, 림프구의 분화 등이 충분히 이루어진 상태에서는 효과적이지 못하다. 중성구(neutrophil) 생산 및 대식세포 활성화 또한 억제함(즉, 비특이적인 염증반응도 차단하는 효과가 있다).

추가노트

☞ 스테로이드는 항체생성에는 별로 큰 영향을 주지 않는다.

☞ 대퇴부 두부의 AVN (Avascular necrosis of femoral heada)

③ **단점**

"**골수 억제효과**" 로 인해 "**백혈구감소증**" 이 나타난다.

간은 대사가 활발한 장기이므로 **간독성**도 나타날 수 있다.

2. MMF (Mycophenolate Mofetil)

① purine대사를 억제함.

이 약은 inosine monophosphate dehydrogenase을 억제하여 림프구 증식을 차단한다.

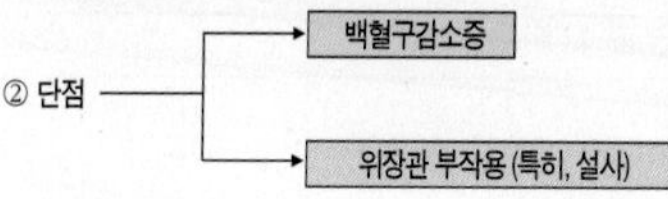

3. Lefunomide

① 림프구의 pyrimidine합성에 필수적인 dihydroorotate dehydrogenase를 차단함

② calcineurin 차단제와 상승작용이 있고 herpesvirus도 억제하는 효과가 있다.

3.T세포를 겨냥한 면역억제제

1. Cyclosporine ★★★

① T세포만을 선별적으로 억제하는 기능은 TCR매개성 활성화작용을 선별적으로 차단하는 데에 있다. in vitro에서 TH세포에서의 cytokine생성을 차단하고, 흉선에서의 CD4+ T세포 및 CD8+ T세포의 발달을 방해한다.

② "**골수기능을 저해하지 않는 점**" **-즉, 림프구에만 특이하게 작용하는 점**이 다른 면역억제제와 다른 매우 큰 장점이다.

추가노트

☞ 골수억제효과는 Azathioprine의 치명적인 단점으로 이로 인해 현재의 면역억제제는 골수억제를 일으키지 않은 cyclosporine 및 tacrolimus로 대치되었다.

☞ 삼중요법 (Triple therapy)

면역억제요법은 단독투여보다 작용기전이 다른 여러 약제를 혼합하여 사용하는 것이 효과적이다. 가장 중요한 이유는 각각의 면역억제제들이 많은 부작용을 지니기 때문에 혼합하여 사용함으로써 각각의 약의 용량을 효율적으로 줄여 부작용을 줄일 수 있는 점이다.

가장 흔히 사용되는 삼중요법제제는, "Cyclosporine 혹은 Tacrolimus + Steroid + MMF" 이다.

☞ Calcineurin 차단제 : Cyclosporine 혹은 Tacrolimus

☞ 장기이식에서 cyclosporine은 매우 중요한 약이다. 임상에서 도입된 1983년 이후 신장이식 성적이 급상승하고, 간이식 및 심장이식을 가능하게 했기 때문이다.

☞ CD4+T세포 = T_H세포 (helper)

CD8+T세포 = T_C세포 (cytotoxic or suppressor)

③ Cyclosporine의 T세포에서의 작용을 정리하면 다음과 같다.

a. **IL-2를 생성하는 T세포와 Tc세포를 차단**한다.
b. 활성화된 T세포에 의한 **IL-2 유전자 발현을 억제**한다.
c. 외부(exogenous) IL-2에 반응하는 활성화된 T세포를 억제하는 기능은 없다.
d. alloantigen과 exogenous lymphokine에 반응하는 휴식기 T세포의 활성화를 억제한다.
e. IL-1생성을 억제한다.
f. IL-2를 생성하는 T세포에서 mitogen (concanavalin A) 활성화를 억제한다.

④ Cyclosporine의 대사

간에서 **cytochrome P-450**에 의해 대사됨

따라서 cytochrome P-450의 기능에 영향을 주는 약제

(ex. 항생제, 항경련제 및 CCB)는 cyclosprorine 및 tacrolimus의 혈중농도에 매우 큰 영향을 주게 된다. Cyclosporine은 치료범위(therapeutic windows)가 좁기 때문에 적절한 혈중농도를 유지하는 것이 중요하다.)

⑤ **부작용**

a. 신독성
b. 고혈압
c. 고칼륨혈증
d. 다모증 (hirsutism)
e. 잇몸증식증 (gingival hyperplasia)
f. 신경독성 : 떨림(tremor) 등
g. 당뇨유발 (diabetogenicity)
h. 간독성

추가노트

☞ CCB : Calcium channel blocker

☞ Tacrolimus는 cyclosporine과 부작용이 비슷하지만 다모증과 잇몸증식증은 일으키지 않고, 당뇨유발정도가 cyclosporine보다 훨씬 높다. Tacrolimus는 cyclosporine과 달리 탈모증(alopecia)를 유발할 수 있다.

(그림) Cyclosporine, Tacrolimus (FK-506) 및 Rapamycin이 활성화된 T세포에서의 신호전달체계에 미치는 영향.

CsA 및 FK506은 각각에 반응하는 immunophilin (CsA는 CYP, FK506은 FKBP)에 결합한 뒤 calmodulin, CNA 및 CNB와 결합하여 pentamer를 형성한다. 그 결과 calcineurin의 phosphate 활성이 억제되고, 그 영향으로 NF-ATc의 translocation을 차단되므로, 결과적으로 IL-2 유전자의 활성화가 이루어지지 못한다.

(calcineurin의 phosphate 활성이 억제 → NF-ATc의 translocation을 차단 → IL-2 유전자의 활성화가 이루어지지 못한다.)

RAP는 역시 FKBP와 결합하며 70kd, ribosomal S6 protein kinase (p70S6)의 인산화와 활성화를 억제하여 작용을 나타낸다. 그림에서 X는 RAP의 다른 기능으로 세포주기를 진행시키는데 관련된 다른 kinase와 결합을 나타낸다.

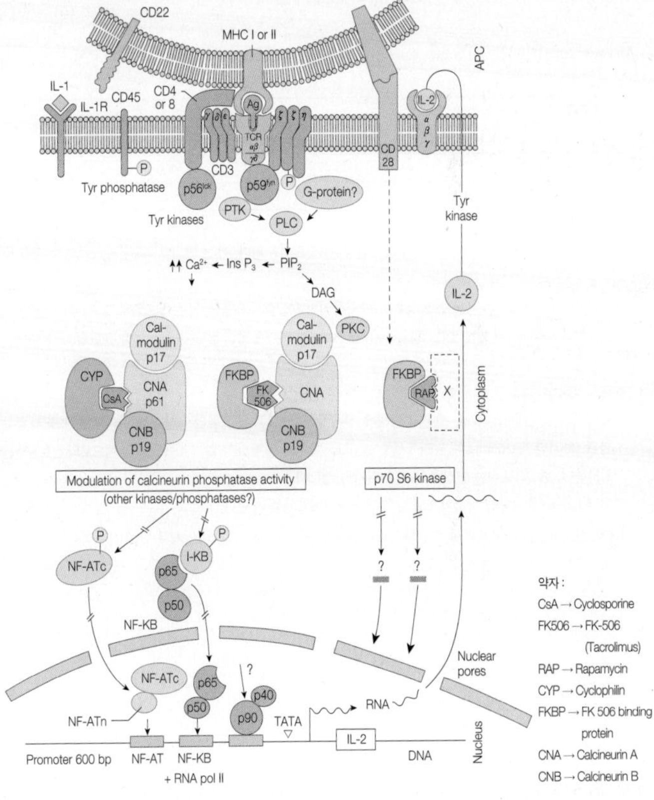

2. Tacrolimus

① 구조적으로 cyclosporine과 유사하며 기능 또한 유사하다.
작용은 이 약제 및 세포내결합단백질(immunophilin, Tacrolimus의 경우는 FKBP)와 결합하여 형성된 복합체가 IL-2 유전자의 전사(transcription)를 조절하는데 필수적인 calcineurin의 phosphatase 활성을 차단하기 때문에 발생한다.

② in vitro에서 cyclosporine보다 **100배** 가량 더 activity가 높다.

③ Cyclosporine과 마찬가지로 Tacrolimus는 아래의 기능을 억제한다.

a. **IL-2 유전자의 발현**과 **IL-2의 생산**
b. TH세포에 의해 매개되는 Mixed lymphocyte culture cellular proliferation
c. Tc세포의 생성
d. 림프구에서의 IL-2R의 발현

④ **간이식**에서 효과적이고, 신장이식의 거부반응 시에도 이용된다.

⑤ Tacrolimus는 cyclosporine과 부작용이 비슷하지만 **다모증**과 **잇몸증식증은 일으키지 않고**, **당뇨유발정도가 cyclosporine보다 훨씬 높다**. Tacrolimus는 cyclosporine과 달리 **탈모증(alopecia)**를 유발할 수 있다.

3. Sirolimus (Rapamycin)

① sirolimus는 원래 macrolide 계통의 항생제이다. tacrolimus과 구조적인 유사성을 지니므로 **FKBP과 결합**한다. 하지만 Tacrolimus와 달리 T세포 cytokine발현을 억제하지 않고 **IL-2R로부터 핵으로의 신호전달을 차단**한다. 즉, 리보솜의 인산화와 세포주기 진행(cell cycle progression)에 중요한 역할을 하는 p70S6 단백 kinase 활성화를 억제함으로 강력한 면역억제효과를 지닌다.

② Cyclosporine과 상승효과를 지닌다. cyclosporine 및 tacrolimus등의 약제와 함께 사용하여 이들 약제와 관련된 신독성을 줄일 수 있다.

추가노트

☞ 전에는 FK-506이라고 많이 불렸지만 Tacrolimus가 정식 명칭이므로 이렇게 기억하자.

③ 부작용 :

혈중 중성지방(triglyceride)를 높이고, 혈소판과 hemoglobin을 낮출 수 있으며 창상에서의 lymphocele 및 지연된 창상치유와 관련된다. 최근에는 단백뇨도 일으킬 수 있음이 알려졌다.

4. Co-stimulation Blockade

a. Belatacept

CTLA-4와 human IgG1의 constant region을 결합한 단백으로 아직 3상 시험단계이며 한 달 혹은 두 달에 경정맥 주입하여 신장이식에서의 cyclosporine 과 대등한 효과를 지닌다.

b. IL-2R에 대한 monoclonal Ab

거부반응의 치료

① 거부반응시 신속한 진단이 매우 중요하므로 빠른 조직검사를 통해 확진한다.

② 치료

경한 거부반응	중등도 혹은 심한 거부반응

• 고용량의 Methylprednisolne • 경미한 간거부반응의 경우는 tacrolimus의 용량을 늘리면 된다.	• ALG(Antilymphocyte globulin) 혹은 OKT3 → 실패시 Alemtuzumab, Rituximab 및 IVIG • Gancyclovir (혹은 Valganciclovir)를 통한 CMV감염의 예방도 함께 시행해야 한다.

③ **완전한** 급성 거부반응에 대한 **치료**가 매우 중요한데 이는 불완전한 급성거부반응의 치료가 만성거부반응의 주요한 원인이 되기 때문이다.

추가노트

☞ Sirolimus는 신독성이 크지는 않다

★★★☆☆

Power

15 복부장기의 이식

Transplantation of Abdominal Organs

 신장 이식

1. 적응증

1. 가장 흔한 적응증

당뇨성 신질환 (m/c)	사구체 질환	고혈압성 신질환

2. 기타 다른 적응증들

polycystic renal disease, Alport씨 증후군, Ig A신장염, SLE, 간질성 신장염, 깔대기콩팥염(pyelonephritis), 폐쇄성 신장염

※ 즉, SLE, amyloidosis같은 전신성, 재발성 질환도 이식이 투석보다 더 좋은 palliation이 될 수 있다.

2. 수혜자의 검사 및 준비

1. 검사항목

a. **감염검사** : Tb, CMV, EBV, hepatitis
b. **면역검사** : ABO, HLA typing
c. **신장검사** : Ccr비뇨기검사 필요시 Voiding cystourethrogra
d. **기타장기 검사** : cardiac risk factor, 부갑상선 검사, 응고인자 검사, Pap smear, 소화기검사(대장내시경 포함), 정신과적 검사, 골밀도

2. 신장이식의 절대 금기증★

감염　　악성종양

- 치료불가능한 말초혈관질환, 심각한 심폐질환, IV drug abuse, 순응도를 떨어뜨리는 심각한 정신질환

※ 수혜자의 **나이**는 단독으로는 더 이상 이식의 **금기증이 아니다.**

3. 신장이식의 시기

① GFR <20mL/min/1.72m^{2}으로 감소되었을 때 이식을 생각한다.
환자의 정신적인 면을 고려할 때 **투석하기 전**에 이식을 시행하는 것이 좋다.

② 신장이식 자체가 여러 합병증 및 면역억제제를 복용해야 하는 단점이 있고 이식신도 시간이 지나면 점점 기능이 떨어지기 때문에 **너무 조기**에 이식을 생각하는 것도 **좋지 않다.**

③ 하지만 **진행된 요독증 증상**이 있는 경우 환자의 생명에도 영향을 줄 수 있으므로 가급적 **빨리** 신장이식을 시행하도록 한다.

3. 이식을 위한 면역학적 검사

1. ABO 적합성

① **수혈이 가능**한 기증자, 수혜자 간에 이식을 시행한다.
부적합한 경우 hyperacute rejection이 발생할 수 있다.

② 부득이 ABO 부적합한 사람 간의 이식

a. 혈액형 **O 혹은 B 수혜자**가 **A형의 혈액을 수혈 받을 경우 A2형의 기증자**인 경우는 비교적 안전하다.

b. 그 외의 경우는 수혜자 혈액내에 있는 항체를 **혈장교환** (plasmapharesis) 및 **면역흡착** (immunoabsorption)의 방법으로 제거한 뒤 이식 A2형**의 기증자**인 경우는 비교적 안전하다.

추가노트

☞ 여기서 종양이라 함은 치료되지 않고 현재 남아있는 종양으로, 악성종양이 있었던 경우는 "최소 2년"간의 재발 없는 기간이 있어야 한다.

☞ 진행된 요독증 증상
심막염(pericarditis), 심부전, 심한 빈혈, 뼈형성장애(osteodystrophy) 및 신경병증(neuropathy)

c. 그 외의 경우는 수혜자 혈액 내에 있는 항체를 혈장교환 (plasmapharesis) 및 면역흡착 (immunoabsorption)의 방법으로 제거한 뒤 이식을 시도할 수 있다.

→ 물론 시간이 지나면 항체가 재생산되기 때문에 문제가 있다.

2. HLA typing ★

① 사람은 두 개의 다른 HLA-A,HLA-B 및 HLA DR alleles을 지닌다. **(전체 6 alleles)**
즉, 각각의 유전자는 **쌍(pair)으로 존재**하고 한쪽은 아버지로부터 한쪽은 어머니로부터 유래한 것이다 (즉, 6개의 alleles을 2개의 haplotype으로 구분했을 때, 각각의 haplotype 중 한쪽은 아버지로부터 다른 한쪽은 어머니로부터 유래한 것이다)

② 그러므로 가족 중 **부모자식 간**에 반드시 **한 haplotype이 일치**하게 된다.
형제 간에는 HLA가 **일치**할 가능성이(두개의 haplotype이 맞는 경우) **25%**, HLA 중 **절반**만이 일치할 경우(한 쪽 haplotype이 일치할 경우)가 **50%**, 아예 HLA가 일치하지 **않을 경우**가 **25%**에 해당한다. ★

③ 가급적 이러한 HLA typing이 맞는 사람끼리 이식을 시행한다. 이 여섯 가지 alleles중 6개 **모두가 일치**한 경우 **이식 후 생존율의 현격한 상승**이 보고되었다.

(그림) HLA typing

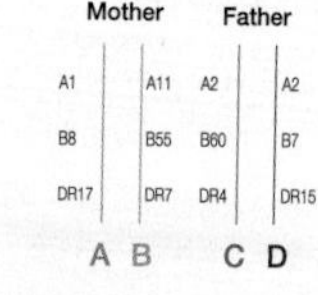

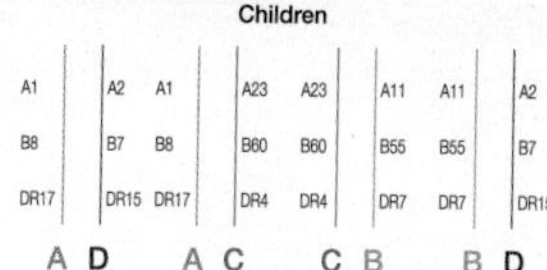

추가노트

☞ 혈액형 A2형의 경우 A1형보다 antigenic determinant가 적으므로 면역학적인 문제를 크게 일으키지 않는다.

3. HLA에 대한 감작(Sensitization) 평가

① **HLA에 대한 감작**(sensitization)은 **수혜자의 혈청**에 **림프구독성 항체**(lymphocytotoxic Ab; donor-reactive Ab)가 있어 이식장기를 공격하는 것으로 **임신, 수혈 및 전에 이식을 받았을 경우** 나타난다.★

② Crossmatching test ★

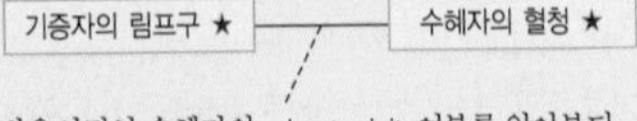

반응시켜서 수혜자의 microtoxicity여부를 알아본다.
즉, 기증자의 혈액세포가 수혜자의 혈청에 의해 용혈된다면
수혜자의 혈액 내에 기증자의 혈액세포를 공격하는 "preformed Ab"가 있는 것을 의미한다.
이 경우 "hyperacute rejection"이 나타날 수 있으며 신장이식의 금기증이다.

③ PRA (Panel reactive Ab)

Anti-HLA Ab로서 수혜자가 임신, 수혈 등으로 감작되었을 때 증가할 수 있으며, 이 수치(%)가 높은 경우 (보통 〉50%) hyperacute rejection 위험이 높다.

④ **cytotoxic Ab을 제거하는 방법들**

: Thoracic duct drainage, 비장절제술, 전림프계 방사선조사(total lymphoid irradiation), IVIG(intravenous immunoglobulin), B세포를 고갈시키는 제제 및 **혈장교환** (plasmapheresis)

4. 이식 전 수술

- 이식 전 신장제거의 적응증

① 환자의 원래 신장이 감염원이 될 수 있으면 이로 인해 이식신의 면역반응을 유발할 수 있으므로 UTI(urinary tract infection) 우려가 있는 신장은 제거한다.
→ 요석, reflux 및 obstruction
② 조절되지 않는 고혈압
③ 많은 양의 단백뇨
④ 양측성 신장 종양
⑤ 합병증이 동반된 다낭성 신장
(ex. 재발성 출혈, 감염 및 큰 크기로 인한 증상)

5. 생체 기증의 선별 및 관리

① 이식기증자는 생체 기증자와 사체 기증자가 있다.

② 생체 기증자는 사체 기증자보다 성적이 좋다. 이는 **이식신**이 사체 신장보다 좋은 **상태**이며, **이식시기** 및 수혜자의 상태가 최적화되며, cold ischemia time 이 **최소화** 될 수 있으며, HLA matching이 더 좋을 가능성이 있다.

③ 생체 기증자 중에서 HLA가 맞는 기증자-수혜자와 그렇지 않은 기증자-수혜자를 비교했을 때 모든 HLA type(6 alleles)이 모두 일치하지 않은 이상, 5년 및 10년 이식신 기능에 차이가 없다.

④ 생체 기증자(living donor)는 건강상태가 좋아야 하며, 나이 **18-60세**가 적합하다.

⑤ 생체 신장이식에서 이식신은 기증자의 **왼쪽 신장**을 주로 이용하는데 이는 **신장정맥이 길어** 이식술에 더 수월하기 때문이다.

6. 사체 기증자 (Cadaveric Donor) 선택 및 관리

1. 뇌사 진단

① **12시간** 간격으로 **2회** 신경과 및 신경외과 의사의 진찰에 의해 뇌 전체기능의 손실을 결정해야 한다.

② 만약 brain scan이나 EEG등과 같은 확진 검사가 이용된다면 **6시간** 더 먼저 빨리 진단할 수 있다.

2. ECD (Expanded criteria donor)

① **60세 이상**이거나 50-60세이며 stroke으로 사망했거나, **고혈압** 및 **사망 시 혈중 크레아티닌치** ＞15mg/dL인 경우임

② 다른 기증자로부터 기증받은 경우보다 성적이 좋지 않지만, 기증받지 않은 경우보다는 좋다.

3. 사체 신장의 보존

- 아래와 같이 단순냉각(simple cooling)과 pulsatile perfusion이 있다.

① **단순냉각**

a. 방법

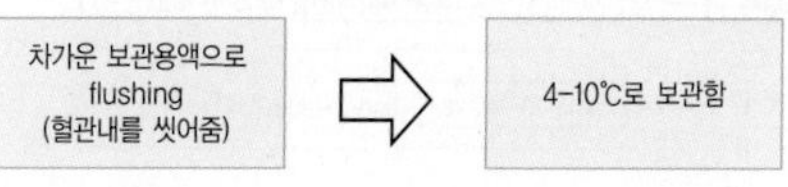

b. 보관액 → UW(University of Wisconsin) 용액을 많이 사용함

☞ 즉, HLA가 모두 맞는 기증자-수혜자간의 이식은 그렇지 않는 이식보다 성적이 탁월하다.

② Pulsatile perfusion

a. 신장 내로 cryoprecipitated homologous plasma혹은 보관용액을 순환시킨다.

b. **24시간이상 보관해야할 경우** 유용하며 delayed graft function을 낮추지만 이식신의 생존을 향상시킨다는 보고는 없다.

7. 수혜자 수술

① Inguinal ligament 바로 위쪽으로 oblique incision으로 절개한다.

② 복부의 **오른쪽** 수술이 훨씬 수월하지만 전에 수술을 받았거나 다른 문제가 있으면 왼쪽으로 수술하는 것도 무방하다.

③ 수술시야를 확보할 때 림프조직은 모두 결찰해야 하며, inferior epigastric vessels을 절제하여 방광을 노출시키고, 정삭(spermatic cord)는 절제하지 않도록 해야 한다.

(그림) 신장이식 시 수술부위의 노출

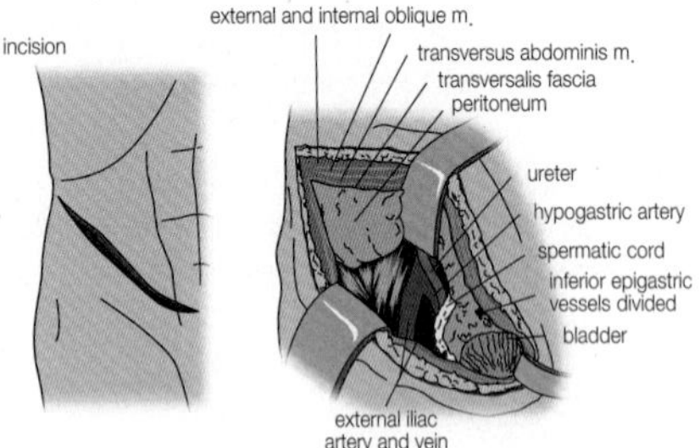

④ 혈관문합

a. 동맥문합	기증자의 신동맥 ←→ common or external iliac artery (end-to-side 문합)
b. 정맥문합	기증자의 신정맥 ←→ common iliac vein (end-to-side 문합)

추가노트

☞ UW 용액

K^+가 높고 Na^+가 낮아 세포내액의 구성과 유사하다 그 결과 이신신장에서의 확산을 통한 전해질 불균형을 막는다. lactobionate를 함유하고 있어 저체온과 관련된 세포부종을 막으며 calcium-dependent enzymes이 활성화되는 것을 억제한다. phosphate buffer는 산의 축적을 buffering한다.

(그림) 신장이식시의 혈관의 연결

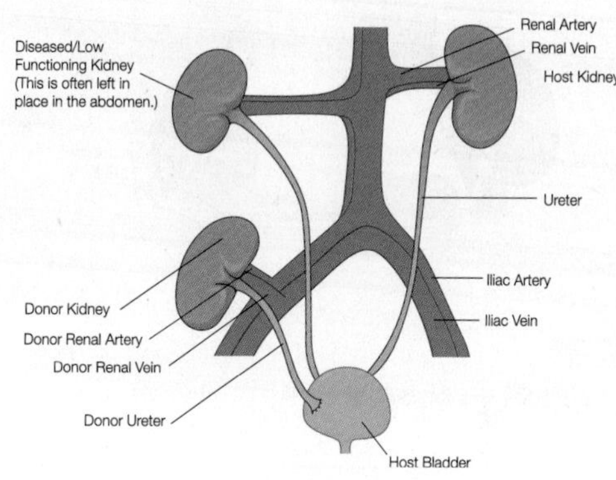

※ **혈관이 여러 개 있는 경우**

i) **많은 신동맥**이 있을 때	• **bench**에서 부속 신동맥(accessory renal a.)을 주신동맥(가장 굵은 신정맥)의 측면으로 연결시킨다. • **"이식신의 아래쪽에 있는 부속 신동맥"** 을 보전하는 것은 중요한데 이는 이 정맥이 요관으로의 혈류를 담당하기 때문이다. **이 혈관이 손상되었을 땐 괴사 및 urinary fistula가 형성**된다.
ii) **많은 신정맥**이 있을 때	• **가장 굵은 신정맥**만을 문합하면 된다.

⑤ 요관(ureter)과 방광의 연결

- 보통은 **ureteroneocystostomy**를 이용한다(방광 점막에 end-to-side anastomosis). 이 때 정삭(spermatic cord)아래쪽으로 요관을 설치하여 폐색되지 않도록 한다.

 추가노트

☞ bench라 함은 기증자의 신장이 적출되고, 수혜자쪽으로 문합하지 않고 보관액에 담겨져있는 상태이다.

(그림) Ureteroneocystostomy

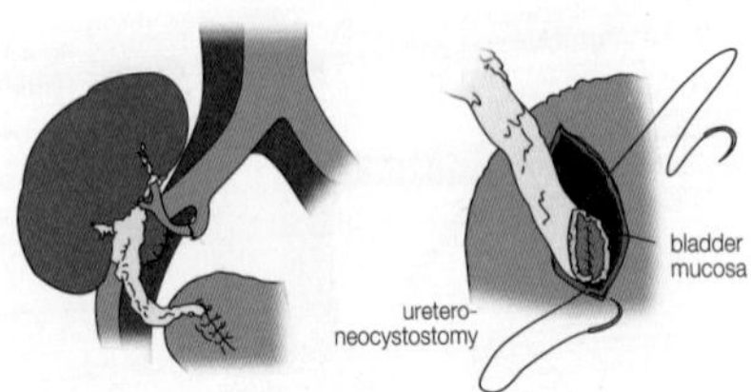

8. 이식 후의 관리

① 이식신에서 허혈성 손상이 없는 경우 혈관 문합 수분 내로 많은 양의 소변이 (1,000cc/hr) 발생한다. 이유인즉,★

a. **BUN(blood urea nitrogen)** 이 **osmotic agent로** 작용함
b. 투석을시행하지 않았기 때문에 수술 전후의 **수액과다**가 방출되지 않았기 때문
c. 이식신의 허혈로 경미한 proximal **tubular damage**가 발생하였으므로

② 많은 소변량을 milliliter for mililiter로 공급한다.
(즉, 일정한 시간 단위로 소실된 소변량을 다음 시간대에 공급한다.)
보통 0.45% saline용액 + 30 mEq/L sodium bicarbonate가 추천된다.

③ 소변이 적절하게 나오지 않을 때의 이유들 ★

a. **저혈량** (hypovolelmia)	c. **소변경로 폐색** (urinary obstruction)
b. **혈관 폐색**	d. **조기 거부반응**

④ 기타 조치들

- 12-24시간 내로 식사 및 수액을 경구로 복용할 수 있다.
- POD 1시 ambulation이 가능하다.
- Foley catheter는 술후 수일 내로 제거할 수 있다.
- 혈압조절 : Hydralazine, β-blocker, calcium-channel blocker, ACE inhibitor

추가노트

☞ 특히 소아의 경우 저나트륨혈증이 생기지 않도록 주의해야 한다.

- Antacides로 궤양을 예방
- Nystatin (mycostatin)을 monilial infection에 대해 예방적으로 사용한다.
- 수술 전후 항생제는 창상감염을 예방하기 위해 사용하며,
  48시간 이상 쓰지 않는다.
- Trimethoprim/Sulfamethoxazole (Bactrim)
  : UTI & Pneumocystis carinii 예방목적으로 이용한다.

9. 거부반응 ★★

1. Hyperacute Rejection ★: revascularization 수분 내 발생함
   ① 신장이 푸르게 바뀌고, 신기능이 떨어진다.★
   ② 조직소견: Fibrin, PLTs & RBCs이 혈관내에 침착
   사구체내에 PMNL이 침착
   ③ 보통 donor Ag에 대한 performed Ab ★에 기인한다.
   이는 이식 전 crossmatching에서 미리 발견하여 예방할 수 있다.
   ④ 치료 : **이식신을 제거**한다. ★

2. Acute Cellular Rejection ★★ : 수 일~수 주 후 발생
   ① **임상양상** ★ :
   - 발열, malaise, oliguria, 고혈압, allograft swelling으로 인한 tenderness
   - 하지만 이러한 증상의 대부분은 면역억제제투여를 받고 있는 환자에서 나타나지 않아 신기능 장애 (즉 sCr ↑)가 유일한 증상일 수 있다.

   → 이 경우 radioisotope renal perfusion scan 및 신장초음파 검사 ★으로 신기능장애를 초래하는 다른 질환들 즉, vascular occlusion, ureteric obstruction 혹은 urinary fistula를 감별한다.★
   혹은 소변검사를 시행하여 UTI를 감별한다.
   → 이렇게 진단이 임상적으로 어려운 경우는 Biopsy를 시행한다.

   ② 조직소견 (Banff criteria 5단계) ★

간질조직으로의 세포침윤(interstitial infiltration)이 나타난다. 처음에는 **작은 림프구** 구성되어 있고, 진행되면 **큰 림프구** 및 대식세로 대치된다. 비가역적 진행식의 혈관염 등 **혈관이상**이 두드러진다.

③ **치료**

a. IV **고용량** Steroid (0.5-1.0g Methylprednisolone)이 첫치료 ★

→ Steroid에 반응하지 않는 환자의 30%가 ALG 에 반응한다.

b. 항체 매개성 거부반응의 경우 IVIG, **혈장교환** 및 Rituximab의 혼합요법을 사용한다

3. Chronic Rejection

① 점차적, 지속적인 신기능 저하, 단백뇨, 현미경적 혈뇨 (microscopic Hematuria)

② 전에 많은 조기 급성조기반응이 있었으며 그 회복이 완전하게 이루어지지 않은 환자에서 흔하다.

③ 조직소견 : 이식신에 **섬유화** 변성이 나타난다.

④ **치료**

a. 면역억제요법은 효과가 없고 오히려 기회감염만 높힐 수 있다. 따라서 **면역억제요법을 서서히 줄인다.**

b. **급성 거부반응**이 환자가 면역억제제 복용을 제대로 하지 않아 수 년 후에도 발생할 수 있으므로 **감별**해야 한다. 따라서 갑자기 안정적인 환자의 신기능이 저하되면 즉각적으로 Bx를 시행하자. (∵ 만성거부반응과 달리 급성거부반응은 치료 가능하며 치료지침이 만성거부반응과 완전히 다르다.)

10. 신장이식의 합병증 ★★

1. **혈관성 합병증** (Vascular Complications)

① **급성 혈관 폐색**

a. 이식 초기에 소변량이 갑자기 감소 시 가능성을 생각해 보아야 하며 응급수술을 하여 이식신이 살 수 있도록 해야 한다.

추가노트

cf) 급성거부반응에는 급성 세포성 거부반응(acute cellular rejection)과 급성 체액성 거부반응(acute humeral rejection = Ab mediated rejection)이 있다. 옆의 조직소견은 급성 세포성거부반응시의소견이고 급성 체액성 거부반응은 면역화학염색을 통해서 donor-specific Ab 및 complement split product C4d를 입증해야 한다.

☞ 만성 거부반응시 면역억제제은 보통 신독성이 있고, 환자의 상태(uremia)자체가 면역억제를 유발하므로 면역억제요법을 서서히 줄여나간다.

☞ 치료

급성거부반응 시 → 면역억제요법 **증가**

만성거부반응 시 → 면역억제요법 **감소**

b. 진단

- 초응급 Radioisotopic scanning 혹은 신장 초음파검사

c. 신장동맥, 신장정맥 및 장골대퇴정맥에서 혈전이 생길 수 있다.

② Renal Transplant Artery Stenosis (RTAS) ★

a. 신장이식 후 3개월-2년 사이에 발생함.
임상양상은 고혈압 및 혈중 크리아티닌 증가이다.

b. **원인★** :
부적절한 문합, 신동맥 내층손상, 문합부위의 kinking or twisting, 기증자 혹은 수혜자의 동맥경화병변이 기여인자가 된다. 70%는 문합 부위, 20%는 이식신의 renal a.에 발생함

c. **확진** : arteriography (이때 balloon dilatation 시도하기도 한다)

d. **치료** : PTA (percutaneous transluminal angioplasty), 수술은 지속적이거나 반복적인 협착 시

③ **출혈, 신장파열**

a. **진단** : radioisotope scan & arteriography
(하지만, 진단에 시간을 지체하지 말고 즉각 재수술을 해야 함)

b. **치료** :
손상이 있는 hypogastric a.는 혈전이 생겨 사용하지 못하고,
정상적인 common or external iliac a.를 이용하여 재문합해야 한다.
때때로 신장의 위치가 좋지 않아 혈관이 kinking되어 발생할 수도 있다.

2. 비뇨기계 합병증 (Urinary Tract Complications) ★★

수술 후 바로 갑자기 소변량이 감소하는 가장 흔한 원인은
blood clot이 방광이나 urethral catheter에 존재하는 것으로 irrigation으로 호전된다.
즉, **수술 후 초기에 소변량 감소 시 제일 먼저** 해야 할 일
→ Foley cather irrigation !! ★★

추가노트

cf) 장골대퇴정맥 혈전증(iliofemoral thrombosis)의 경우는 수술적 치료가 아니라 표준 항응고요법 및 경우에 따라선 혈전용해요법으로 치료가 가능하다.

☞ 문합부에서의 출혈은 보통은 문합부위 감염이 원인이 된 경우가 많고 신동맥에서 문제가 생겼을 경우 신동맥을 IIA (hypogastric a.)에 문합한 경우는 EIA를 결찰하면 되지만 EIA에 문합한 경우는 EIA를 결찰하고 extraanatomical bypass를 만들어야 한다(femorofemoral 혹은 axillofemoral bypass).

① **진단**

- 초음파검사 (소변이 고였는지 확인), Radioactive scans & 방광조영검사

② **치료** :

각 환자의 질환 정도에 따라 달라진다.

보통은 배액 및 stenting을 하지만

심한 경우 재수술을 하여 ureteroneocystostomy 및 ureteropyelostomy를 시행할 수있다.

3. ATN (Acute Tubular Necrosis) ★

① **사체 신장이식** 후 많음

② **진단**

- renal scans을 통해 혈류(blood flow) 감소를 확인

  → but, 확진은 Bx!

- 방광조영검사, 혈관촬영 등 진단을 위한 침습적 검사(invasive procedure)는 최소화

③ **경과 및 치료** : 특별한 치료법 없이 1-4주 정도 **기다려 본다.**

- 수술 후 초기의 oliguria는 반드시 치료해야 함.
- 적절한 수액 및 Mannitol, Furosemide 등으로 치료할 수 있으나, ATN의 경과에는 영향이 없다.
- 초기의 이식편의 기능저하는 5년 생존율을 10-15%가량 낮춘다.
- CS는 신장독성이 있기 때문에 철저히 혈중농도를 감시하여 필요한 최소량만을 사용한다.

4. Lymphocele

① 수술 시 lymphatics에 대한 ligation이 적절하게 이루어지지 않았을 때 발생함

② 신이식 후 수 주- 수 달 지난 뒤 나타날 수 있음.

징후 : 수술 부위 및 고환 부위의 부종

③ **진단** : 초음파검사 → Fluid collection 확인함.

④ **치료**

- Aspiration 및 External drainage는 일시적이고 감염을 증가시키므로 시행하지 말자.
- Lymphatic cyst를 배액시키기 위해 복강내로 개방창을 만든다.

  (Fenestration by open or laparoscopic technique)

추가노트

☞ 생체 신장이식 후에는 5% 발생하지만 사체 신장이식 후에는 20%에서 발생한다.

5. 감염 : 신장이식의 m/c, most lethal Cx!

① 세균성 감염 (Bacterial Infection)

- 첫달 동안 m/c
- 비뇨기계, 호흡기계 및 창상에 흔하다.

② 기회감염 (Opportunistic Infection)

- 이식 후 30-180일 사이가 가장 많다. (∵ 면역억제가 가장 많이 되는 시기)
- 바이러스성감염이 세균성감염보다 더 중요하다.
- CMV (Cytomegalovirus)

- 신장이식 후 immunosuppression을 일으킬 수 있는 가장 중요한 pathogen
- 증상: 이식후 4-6주 후
  미열, malaise, 백혈구감소, 간염, **간질성폐렴**, 관절염, **위장관궤양**

→ 25%가 심한 경과를 보임.

- 진단 : **PCR** (or CMV titier), Biopsy - rejeciton과 감별하기 위해 시행
- 치료 : 2-4주간 **Gancyclovir** (CMV감염 의심시 면역억제제를 줄이지는 않는다)
- 예방법 : seropositive donor 피한다.

- Aspergillosis, Blastomycosis, Norcardiasis, Toxoplasmosis, Cryptococcosis Pneumocystis carinii
  - 10세까지 많고, fatal pneumonia
  - 진단 : BAL, percutaneous transthoracic biopsy, open lung biopsy
  - 치료 : Bactrim

6. 고혈당 : 스테로이드 복용과 관련있다.

7. GI Complications : 위, 십이지장, 소장의 궤양 및 천공, 췌장염

8. 부갑상선기능항진증

추가노트

cf) 다행히도 CS 및 Tacrolimus로 치료받은 환자에서 CMV의 빈도 및 중증도가 감소한다.

9. 종양

① 바이러스와 관련된 종양이 많이 발생한다.

HPV	→ 자궁 경부암 피부 및 입술의 SCC (squamous cell Ca)
HSV	→ vulva및 perineum의 종양
EBV	→ Kaposi씨 육종
HBV & HCV	→ 간세포암
EBV & HTLV-1	→ Non-Hodgkis lymphomas

② 폐암, 유방암같이 흔한 종류의 암은 증가하지 않는다.

③ 가장 흔한 종양은 림프종과 편평세포암으로 면역억제제의 용량 및 사용기간과 관련된다.

10. 이식신에서의 재발질환

- 사구체신염(Glomerulonephritis), lupus및 당뇨 같은 전신질환은 재발양상이 나타난다.

11. 신장이식의 성적

① "**ECD** 〈 **사체**신장이식 〈 **생체**신장이식" 순으로 생존율의 차이를 보인다.

② ECD아닌 기증자에 의한 신자이식에서는 **기증자의 나이가 11-34세** 시 성적이 좋다.

③ **HLA 6개 아형이 모두 일치하는 경우 성적**이 가장 좋으며, HLA 아형이 전혀 일치하지 않은 **생체**신장이식이 HLA 아형이 모두 일치하는 사체신장이식보다 성적이 좋다.

추가노트

☞ HPV: Human papillomavirus
HSV: Herpes simplex virus
EBV: Epstein-Barr virus

☞ 여기서 말하는 림프종은 **PTLD**(Post-transplant lymphoproliferative disorder)의 범주에 속한다.
PTLD는 EBV와 관련해서 B세포에 발생하는 과다증식 및 악성종양까지를 총칭하는 것으로 보통 이식 1년 내에 발생하며 소아에서 흔하다.
(15%의 post-transplant T cell lymphoma는 HTLV-1과 관련되며 이식 5년후에 발생한다) **면역억제제의 용량을 줄이는 것으로도** 86%환자에서 종양의 크기가 현격히 감소된다.

☞ 자가면역성 질환 및 대사성질환의 경우는 신장이식을 시행했다고 전신질환이 호전되는 것이 아니므로 본래질환이 이식신에도 다시 발생할 수 있다.

☞ ECD (Expanded criteria donor)
60세 이상이거나 50-60세이며 stroke으로 사망했거나, 당뇨, 고혈압 및 혈중 크리아티닌 치가 높은 경우임

간 이식(LT: Liver Transplantation)

1. 간이식의 적응증

1. 일반적인 적응증

① 급성 혹은 만성의 **말기** 간질환

② 간의 **대사성**질환

③ 간에서 절제가 불가하며, 간 밖으로 전이되지 않은 **종양**

3. 간이식 대상자 선정기준

① Child-Turcote-Pugh score

(표) Child-Turcote-Pugh score

	Points		
	1	2	3
• 간성혼수	None	1–2	3–1
• 복수	Absent	Slight	Moderate
• 혈청 빌리루빈치(mg/dl)	〈 2	2–3	〉3
• 알부민 (g./dL)	〉3.5	2.8–3.5	〈 2.8
• PT (INR)	〉1.7	1.7–2.3	〉2.3

※ 7점 이상이면 명단에 올리고, 10점 이상이면 higher status

② Milan criteria (간세포암의 간이식에 해당)

- 5cm 이하의 단일 결절
- 3개 이하의 결절 중 가장 큰 것이 3cm 미만일 때

③ MELD (Model for end-stage liver disease) score★

- **"3개월 내 사망위험"** 이 있는-즉, 고위험- 성인 간부전 환자 찾는데 객관적인 기준을 제시한다.
- **혈청 총빌리루빈치, INR 및 혈청 크리아티닌치(sCr)**을 통해 산출한다.
- 15 미만일 경우 간이식 후의 사망 위험이 간이식을 하지 않은 경우보다 높다.

Model for End-Stage Liver Disease Formula

$$\text{MELD score} = (0.957 \times \log_e \text{creatinine [mg/dL]}) + (0.378 \times \log_e \text{bilirubin [mg/dL]}) + (1.120 \times \log_e \text{INR}) + 0.643$$

- 소아의 경우는 MELD score를 변형한 PELD score를 사용한다.

추가노트

☞ 간이식에서 중요한 것은 기증자와 수혜자간의 수혈가능한 혈액형의 일치와 생체간이식의 경우에는 적합한 기증자의 간크기이다.★

3. 질환별 적응증

(표) 간이식의 적응 질환

성인	%	소아	%
• 담즙울혈이 없는 간경변	65	• Biliary atresia★(m/c)★	58
- B형 및 C형 간염 바이러스		• Inborn errors of metabolism	11
- 알코올성		• Cholestatic	9
- 원인불명의 간경화		- Primary sclerosing cholangitis	
• 담즙울혈성(cholestatic)	14	- Alagille's syndrome	
- PBC (Primary biliary cirrhosis)		• Autoimmune	4
- PSC (Primary sclerosing cholangitis)		• Viral hepatitis	2
• 자가면역성	5	• Miscellaneous	16
• 악성종양	2		
• 기타	14		

4. 간이식의 절대금기증 ★

① 조절되지 않는 세균 및 진균 감염
- 간의 감염(예. cholangitis)은 예외

② metastatic HCC

2. 간이식으로 치료되는 질환

1. B형 간염

① **DNA** 바이러스로 혈청 내에 HBV Ag이 존재한다.

② recombinant interferon alfa-2b로 치료시 40%에서 관해(remission)가 나타난다.

③ 지속적인 감염으로 인한 **면역반응** 등으로 간경화 및 간암이 유도된다.

④ **간이식 후 HBIG**과 **항바이러스제제**로 B형간염 재발을 예방할 수 있다.

2. C형 간염

① **RNA 바이러스**로 anti-HCV Ab가 발견되면 진단된다.

② C형 간염 감염 후 10-20년 후에 20%에서 간경화와 간부전이 발생하며 chronic active hepatitis로부터 매년 1-4% 간세포암이 발생한다.

 추가노트

☞ 전에 간이식의 금기증으로 생각되었던 간문맥혈전증(portal vein thrombosis)은 수술의 발전으로 더 이상 금기증이 아니다.

③ C형간염으로 인한 간경화시 간이식이 시행될 수 있는데 **간이식 후 거의 대부분 환자가 C형간염에 재감염** 되며, 이식 수개월 후에 조직학적으로 만성간염(chronic hepatitis) 소견이 나타난다. **이식 5-10년 후에는 저명한 간기능 저하(간부전)**가 나타난다.

④ C형간염으로 인해 간이식을 받은 경우 다른 원인으로 이식을 받은 경우보다 생존율이 감소된다.

3. 알코올성 간질환

① 알코올성 간질환과 C형 간염이 같이 있을 경우 간손상 정도가 심해진다.

② 알코올성 간질환으로 간이식을 시행할 경우 최소 6개월간의 금주 소견이 있어야 하며 간이식 후 알코올 섭취를 하지 않아야 한다.

4. PBC & PSC (Primary biliary cirrhosis & Primary sclerosing cholangitis)

① 모두 **만성적인 담관의 손상**이 나타나며 alkaline phosphatase가 증가한다.

② 70%에서 염증성 장질환이 동반되고, PSC 환자의 10%미만에서 담관암(cholangiocarcinoma)의 위험도 증가한다.

③ PBC의 경우 이식 수년 후 재발할 수 있지만 재이식이 필요한 경우는 드물고, PSC의 경우 이식 후 재발이 드물다.

5. 간세포암 (Hepatocellular Carcinoma)★

① 간이식으로 완치가 가능한 간암은 비교적 **조기간암**이어야 한다. 즉, 조직학적 **분화도 G1-G2**이며 **종양크기가 5cm 이하**이며, 간세포암의 **개수가 적어야** 한다.★

② 금기증: 간외전이 및 macrovascular invasion이 있는 경우

6. Biliary atresia

- **소아에서 가장 흔한 간이식의 적응증★**으로 성장부전이 있거나 Kasai씨 수술 후에도 호전이 없을 때 간이식을 고려할 수 있다.

 추가노트

☞ PBC는 작은 간내담관이 주로 침범되고 PSC는 비교적 큰 간외담관이 주로 침범된다.

3. 환자선택 및 수술전 고려사항 - 급성간부전의 측정

- **전격성(fulminant) 간부전**의 필수소견은 간성혼수, 응고장애 및 저혈당증이다.

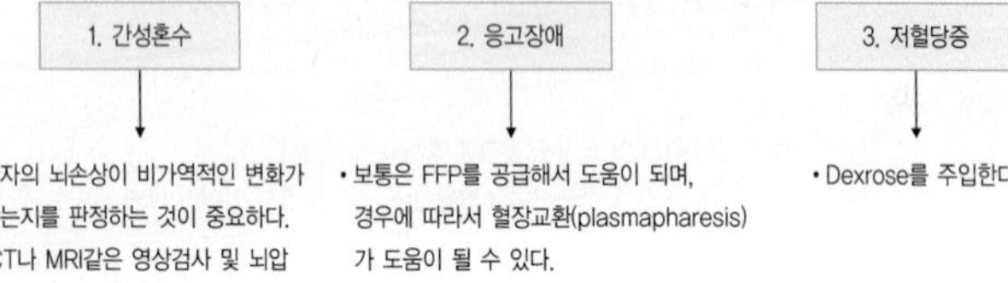

1. 간성혼수
   - 환자의 뇌손상이 비가역적인 변화가 왔는지를 판정하는 것이 중요하다. CT나 MRI같은 영상검사 및 뇌압 측정(Intracranial pressure monitoring)이 중요하다.
   - 뇌로의 관류를 높이기 위해(cerebral perfusion>60mmHg), ICP(intracranial pressure)를 낮추고 MAP(mean arterial pressure)를 높여야 한다.
2. 응고장애
   - 보통은 FFP를 공급해서 도움이 되며, 경우에 따라서 혈장교환(plasmapharesis)가 도움이 될 수 있다.
3. 저혈당증
   - Dexrose를 주입한다.

4. 기증자 평가

① 뇌사자의 경우 뇌사로 인한 좋지 않은 생리적인 변화가 이식장기(간)에 미치지 않도록 주의해야 한다. 즉, 적절한 호흡 및 혈역학적 지지, 수액공급 및 호르몬 공급 등이 이루어져야 한다.

② 기증자의 부족으로 기증자의 영역이 확대되어 이식 후 장기기능은 떨어지지만 이식금기까지는 되지 않는 아래의 **경계성 기증자**(marginal donor 혹은 expanded criteria donor)의 이식이 늘어나고 있다.

※ **경계성 기증자**

a. 75-80세 가량의 고령의 기증자
b. HCV 혹은 HBcAg 양성의 기증자
c. 지방간정도가 30% 이상인 경우

③ 소아 간이식의 경우 기증자와 수혜자의 **나이가 비슷**해야 이식 후 성적이 좋아진다.

추가노트

☞ Liver transaminase(AST,ALT)의 변화는 환자의 회복을 평가하는 신뢰성있는 indicator가 되지 못한다.

5. 사체 기증자에서의 간적출술 (Procurement)

① 모든 장기의 박리(dissection)가 끝난 뒤 기증자에게 heparin을 공급하고 원위 대동맥(distal aorta)와 간문맥 분지를 통해 차가운 보존액을 공급하며 얼음을 장기에 위치시킨다.

② **cold ischemia time과 관련된 요인들**: 보관액의 조성, 기증자의 나이, 지방간 존재 및 procurement전의 혈역학적 안정도

③ UW 용액은 이론적으로는 cold ischemia time을 24시간까지 증가시킬 수 있지만 보통은 **10시간 내**에 revascularization을 시행하는 것이 좋다.

6. 수혜자의 간전절제술 (Recipient Hepatectomy)

① 병이 있는 수혜자의 간전체를 제거한다.

② 간절제 시 간문맥 및 간하 대정맥(infrahepatic vena cava)으로부터의 정맥흐름이 차단되므로 혈역학적 불안전성 및 간문맥울혈이 발생할 수 있다. 여기에 대한 예방으로 Venovenous bypass를 시행할 수 있다.

(그림) Venovenous bypass

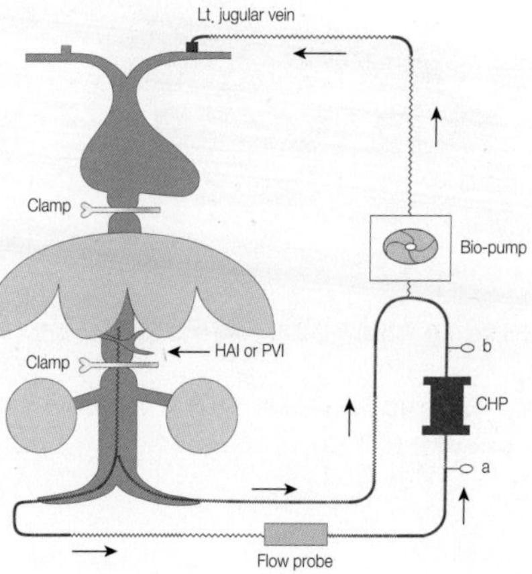

추가노트

※ Venovenous bypass

간문맥과 대퇴정맥/장골정맥(femoral or iliac vein)으로부터 inflow를 받아 내경정맥(internal jugular vein)으로 outflow를 내보내어 간절제 시 간문맥 및 간하 대정맥으로부터 혈류유입이 이루어지지 않아 발생하는 혈역학적 불안전성을 피하려는 목적으로 이용된다.

하지만 대부분의 경우는 간문맥으로부터의 흐름을 차단하여도 혈역학적으로 안정적이며 수혜자의 대정맥을 절제하지 않고도 간이식을 시행할 수 있다(→ Piggyback fashion).

7. 사체 간이식

1. Vena cava의 연결

① 수혜자와 기증자의 suprahepatic vena cava를 end-to-end 문합한 뒤, infrahepatic vena cava도 end-to-end로 연결한다.

② 다른 방식으로는 수혜자의 vena cava를 모두 보존하는 방식으로 end-to-side방식으로 기증자의 suprahepatic vena를 수혜자의 hepatic vein에 연결하고, 기증자의 infrahepatic vena cava는 봉합한다. (Piggyback 방식의 문합)

(그림) Piggyback방식의 문합

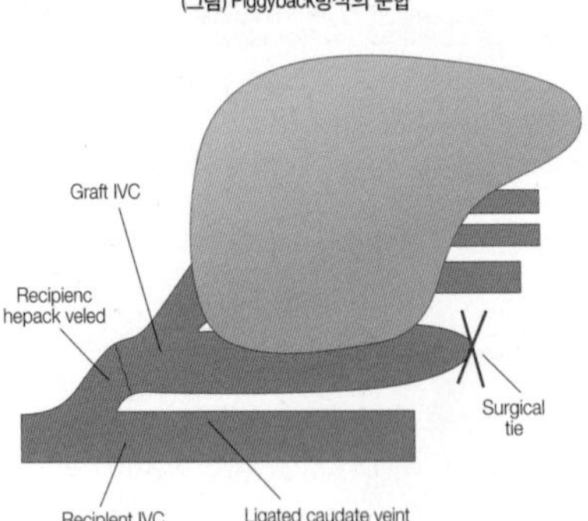

2. 간문맥의 연결

① 문합부위가 좁아지는 것을 막기 위해 문합 시 growth factor (좀 넉넉히 문합되도록 실을 남김)을 준다. ★

② 간문맥의 문합 후 clamping되었던 portal flow를 풀면 이식간은 portal flow에 의해 reperfusion된다. 이때 reperfusion syndrome이 발생할 수 있다.

추가노트

☞ Reperfusion syndrome

저혈압, 서맥, 부정맥 등이 나타나고 드물게는 갑작스런 차고, 고칼륨이며 산성화된 혈액이 심장에 유입되어 심장마비가 나타나기도 한다.

(그림) 간문맥 문합 시의 growth factor

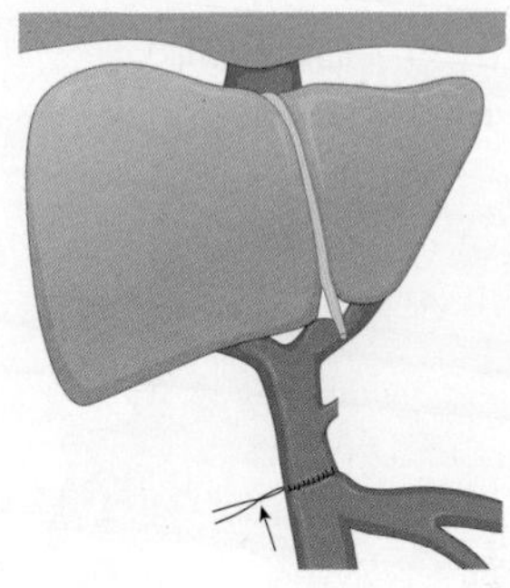

3. 간동맥 문합

- 보통, gastroduodenal bifurcation 위치에서 end-to-end 문합을 시행한다.

4. 담관 문합

- 대부분의 경우 duct-to-duct 문합을 시행한다(T관을 삽입할 수 있다).
- 수혜자가 담관질환(biliary atresia, PSC등)이 있는 경우에는 담관공장문합(choledochojejunostomy)를 시행한다.

(그림) 간이식에서 문합 후의 그림

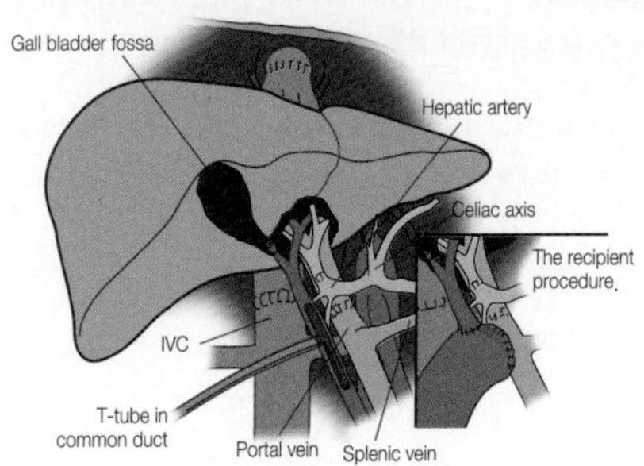

8. 생체 간이식

(그림) 생체간이식

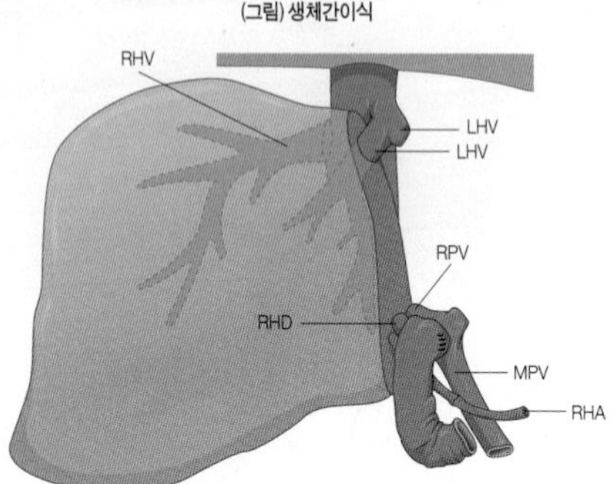

① graft-to-body weight ratio가 0.8% **이상** 되어야 적절한 이식 간기능이 가능하다.
이런 이유로 간용적이 큰 **우엽**이 주로 이식에 이용된다.

② 생체간이식은 간세포암을 지닌환자에게서 많이 이용되는데, 이는 간세포암 환자의 경우 MELD 점수가 보통 20이하인데, 사체간이식의 경우 MELD 점수가 25 이상에 해당한다. 즉, 생체 간이식에서는 간세포암이 더 진행되지 않고 간기능이 더 나빠지기 전에 간이식을 시행하는 경우가 많다.

③ 간을 이식받은 수혜자의 경우는 **1-2주**에 **재생이 가장 많이 발생**하며 **1달**까지 대부분 표준용적까지 재생된다. 하지만 기증자는 1년이 지나도 이식 전 간용적까지 재생되지는 않는다.

④ **이식간 무게/표준간용적**<40% 시 이식간 기능이 좋지 않고 장기간의 고빌리루빈혈증이 나타난다.

⑤ cold ischemia time을 짧게 하기 위해 기증자의 해부학적 구조가 다 확정되고 간절제준비가 되었을 때 수혜자 수술을 시작한다.

⑥ 생체간이식에서 가장 중요한 문제는 "**기증자의 안전성**" 이다. 또한 사체간이식과 비교시 **담도계합병증** 및 **출혈합병증**의 빈도가 더 높다.★

추가노트

☞ 체중에서 간이 차지하는 비중은 2%가량이다.
즉, 70kg남성의 경우 1,400g가량이 간무게에 해당한다.
즉, 간의 절반을 이식해준다고 가정하면 700g의 간이 이식되는 것이다.
이 700g의 간을 70kg인 성인에게 준다고 가정하면 graft-to-body weight ratio가 1%에 해당한다.

9. 수술 후 관리

1. Primary Nonfunction★

① 이식 후 바로 이식간이 기능하지 않은 경우로 2% 미만에서 발생한다.

② 원인★:

기증자의 문제, 적절치 않은 이식간의 보존(preservation), 긴 cold ischemia time, 체액성 면역반응

③ 검사결과 심한 산증, 응고장애 및 급상승한 간효소치 소견을 보인다.

④ 외과적 응급상황으로 발생 7일내 간재이식을 시행해야 한다.

2. 복강 내 출혈

- 헤모글로빈치의 지속적인 감소 및 6U이상의 PRC 수혈이 필요할 경우가 재수술을 통한지혈의 적응증에 해당한다.

3. 혈관 혈전증

- 간동맥 혈전증은 성인에서는 2-4%에서 나타나지만, 혈관이 작은 소아간이식 환자에서는 3-4가량 높게 나타난다. 일부 환자들에서는 즉각적 혈전제거술을 시행할 수 있지만 대부분 재이식이 필요하다.

4. 담관 협착 또는 누출

① 수술 시 기술적 결함 및 담관의 허혈이 원인이 될 수 있다.

② 배액관에 담즙소견을 통해 의심할 수 있고, T관을 통한 담관조영검사, HIDA(hepatoiminodiacetic acid) scanning 및 ERCP를 통해 확진할 수 있다.

③ 치료

- 해부학적 협착의 first line therapy는 ERCP 등을 통하여 담관을 넓혀 주고 stent를 설치하는 것이다.
- stent 설치 후에도 지속되거나 재발하는 경우 재수술을 통해 문합부위를 교정하거나 choledocojejunostomy로 전환한다.

5. 감염

① 간이식후 감염은 **가장 심각한 합병증**으로 이식초기의 대부분 사망의 원인에 해당한다.

② **내성 그람양성균**의 감염이 가장 많고, 기타 그람음성균 및 항생제 사용으로 인한 진균성감염의 위험이 있다.

6. 거부반응

① **급성거부반응**

- T세포 매개성의 급성거부반응은 30-50%에서 이식 후 첫 6개월 내에 발생하고 가장 흔하게는 첫 10일 내에 발생한다.
- 간조직 검사를 통해 간문맥주위로의 림프구의 침윤 및 혈관내피세로로의 염증세포 침범이 있을 경우 진단할 수 있다.
- 보통은 **고용량의 스테로이드** 치료에 잘 반응한다.

② **만성 거부반응**

- 수개월 혹은 수년 후에 발생하며, 간의 재생기능저하 및 고빌리루빈혈증의 임상양상을 지닌다.
- 조직학적으론 **담관의 수가 감소**하기 때문에 Vanishing bile duct syndrome이라고도 불린다.
- 체액성 면역반응과 관련된 것으로 생각되며 **특별한 치료가 없고** 심할 경우 재이식을 고려해야 한다.

7. 재발성 질환

① B형간염과 관련해서 이식을 받은 경우 B형 간염의 재발을 막기 위해 lamivudine과 **hepatitis B 면역글로불린 치료**를 평생 받아야 한다.

② **C형 간염**과 관련해서 이식을 받은 경우 간이식 후 거의 대부분 환자가 C형 간염에 **재감염**되며, 이식 수개월 후에 조직학적으로 만성간염(chronic hepatitis) 소견이 나타난다. **이식 5-10년 후에는 저명한 간기능 저하(간부전)**가 나타난다.

10. 간이식후 성적

① 사체간이식후의 환자상태는 수혜자의 이식전 상태 및 이식간의 즉각적인 기능과 관련된다.

② MELD 점수가 25점 이상인 경우 간이식 후 1년 생존율이 85% 이하이다.

③ 전반적인 LT 후의 성적은 좋은 편이다.

환자들은 면역억제제의 부작용을 경험할 수 있다. 특히 소아의 경우 성장장애가 있는데, 성인은 오히려 15-20 pound의 체중증가가 있다. 많이 보고되는 스테로이드 및 calcineurin 억제제 (CS, FK506)의 부작용으로는 골다공증, 고혈압, 고혈당, 고지질혈증, 종양발생 등이 있다.

추가노트

☞ 간은 면역반응이 적고(low immunogenicity), 재생이 잘되어 간이식 후 성적은 좋은 편이다. 기증자과 수혜자 간의 **혈액형이 이식적합**하면 보통이식에 문제가 없으며, 생체간이식의 경우 앞에서 언급한대로 graft-to-body weight ratio〉1에 해당해야 한다.
면역억제제는 보통 Calcineurin inhibitor (cyclosporine 혹은 tacrolimus), Predinisone 및 MMF의 **3중요법**이 이용되며, 수술 후 3-6개월 후 스테로이드는 끊으며, calcineurin inhibitor의 용량은 낮춘다.

☞ **수혜자의 이식 전 상태**
다발성장기부전, 고령, 인공호흡기 사용, 이식전 투석을 시행한 경우, 전에 이식을 시행받은 경우는 이식 후 성적이 좋지 않다.

췌장이식 (Pancreas Transplantation)

① 췌장이식의 적응 대상자는 주로 명백한 C-peptide deficiency가 있는 제 1형 당뇨병 환자로서, 혈당 정상화를 통해 미세혈관 합병증을 막는 것을 목적으로 한다.

② PTA: pancreas transplantation alone

SPK: simultaneous pancreas and kidney transplantation

PAK: pancreas after kidney

- SPK와 PAK가 많다.

■ 적응증 및 환자 선별

① 췌장이식은 심한 hypoglycemic unawareness가 없는 한 생명을 살리는 술식은 아니다. 당뇨환자의 50% 이상이 궁극적으로 Insulin 치료에도 불구하고 ocular, neurologic 혹은 renal disabilities 같은 "microvascular sequelae"가 남기 때문에, 여기에 대한 예방으로 췌장이식이 의미가 있는 것이다. 하지만 당뇨성 망막증으로 인한 실명, 하지의 pregangrenous change 및 말기 당뇨성 신장병은 췌장이식 후에도 호전되지 않는다.

② **췌장이식 Candidates ★**

> a. **KT를 기다리는 사람 중** uremic type IDM (IDDM) 환자 : 보통 SPK시행
> b. 당뇨환자로서 **KT를 시행받았으며,** 그 이식신의 기능이 양호한 경우
> c. **잦은 저혈당**을 경험하는 매우 위험한 당뇨환자
> d. **초기**의 diabetic nephropathy, macro-or microalbuminuria

③ 췌장이식 후 가장 흔한 사망원인 : cardiovascular disease

■ Donor 선별 및 관리

- donor 선별 시 피해야 하는 경우들
  : 나이가 많거나, 감염 및 악성종양이 있거나 hemodynamically unstable한 경우

(그림) Donor 췌장을 분리한 모습.

이 상태에서 찬 용액에 담아서, 테이블 위에서 조작한다. 비장을 제거하고, distal duodenum을 짧게 한다. donor의 external, internal iliac a.를 splenic a.와 SMA에 문합하여 Y-graft를 만든다.

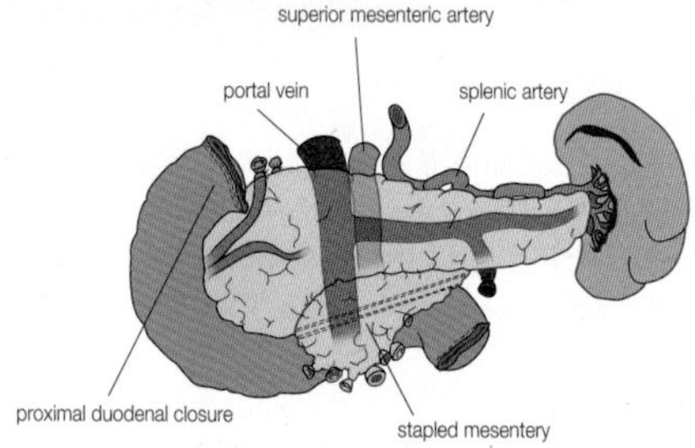

■ Recipient 수술

① Combined kidney pancreas transplantation

- ischemic time을 줄이기 위해 '**췌장을 먼저 이식**' 함.
  : 췌장은 '**오른쪽**' 복낭내공간에 심는다.
- Pancreas graft 의 | iliac artery graft (SMA & splenic a.) → common iliac a. (end to side) / Portal vein (PV) → distal vena cava (end to side) | 로 문합함.
- 신장은 '**왼쪽**' 의 복강밖 공간에 심는다.
- CRF환자를 제외하고는 systemic heparinization을 한다.

② 췌장액이 drainage되는 부위에 따라 다음의 두 가지로 나뉜다.

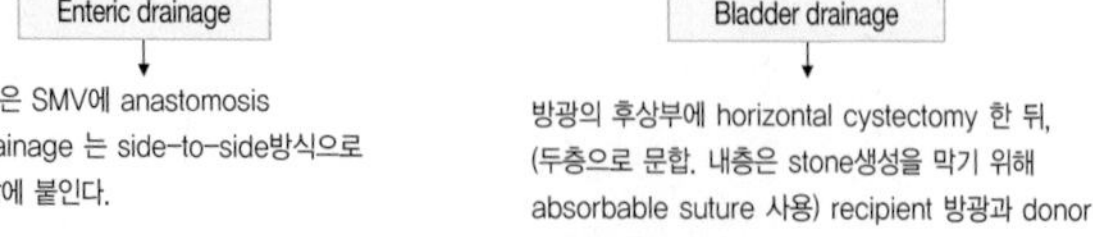

Enteric drainage
PV은 SMV에 anastomosis
Drainage 는 side-to-side방식으로
소장에 붙인다.
Bladder drainage
방광의 후상부에 horizontal cystectomy 한 뒤,
(두층으로 문합. 내층은 stone생성을 막기 위해
absorbable suture 사용) recipient 방광과 donor
십이지장을 문합함.
Foley catheter 5-7일간 유지하자.

(그림)

A : Bladder drainage

extensioinY graft로 recipient의 iliac a.와 문합하고, graft의 portal vein는 iliac vein으로 문합한다. donor 십이지장은 recipient의 방광과 연결하여 graft의 exocrine section이 이루어지게 한다.

B : Enteric drainage

Bladder drainage외의 다른 방법으로 donor의 duodenum을 recipient의 소장과 연결하는 방법이다. 이때 Roux en Y loop가 선호된다.

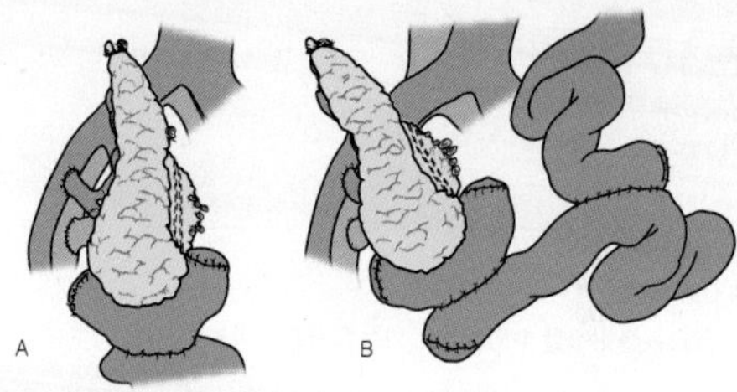

■ 췌장이식결과에 영향을 미치는 인자들

1. Histocompatibility Matching

① donor-recipient histocompatibility matching이 도움이 되지만 실제로 이것이 가능한 경우는 1% 미만이다.

② HLA identical 췌장이식시 오히려 autoimmune diabetes가 발생할 수 있다.

2. 췌장이식에서의 면역억제

① Early rejection이 흔하고 진단하기가 어려워서 induction agents로 ALG를 흔히 사용

② Maintenence agent : FK 506 + MMF + Steroid (75%)

③ Antirejection therapy (KT 와 비슷)

: Steroid → 반응하지 않으면 ALG 혹은 OKT 3사용 (steroid resistant가 많다)

■ 거부반응

: 가장 많은 Graft Loss의 원인

① **거부반응의 빈도 : P > P+K > K** (P: Pancreas , K: Kidney)

② 일단 **고혈당** (islet 세포손상을 의미함)이 나타나면, 이것은 거부반응의 **"late indicator"** 임.

③ 한번 islet 세포손상이 생기면, 면역억제제로 회복 안됨.

> • 거부반응의 **초기** Indicators★
> : serum **amylase**, lipase, anodal trypsinogen 상승. **urinary amylase 감소** (bladder drained allograft 시) transplant kidney의 기능장애(**sCr** ↑)
> • 거부반응의 **후기** Indicator : "고혈당"★
> • 가장 확실한 진단법 : **조직생검**

④ **steroid , FK506, CsA, OKT3**
: 모두 islet cell damage를 유발할 수 있으므로, 가능한 낮은 용량으로 쓴다.

■ 췌장이식의 합병증

1. 혈전증 (Vascular Thrombosis) ★

① 가장 흔한 Nonimmunologic Cx으로 대개 첫 7일내에 많다(10-30% 빈도).

② **원인**

• 췌장 자체가 혈액을 많이 받는 장기가 아니어서 흔한 편이다(1% of cardiac output).

③ **위험인자** : PAK patients (20% m/c)

2. Allograft Pancreatitis (35%)

① **악화인자**: donor abnormality,procurement injury, ischemic damage...

② Serum amylase가 췌장염 정도를 반영하지는 못한다.

③ **진단** : CT (감별위해)

④ **치료** : supportive management

3. Fistula & Abscess

① Enteric drainage가 Bladder drainage보다 발생빈도가 높다.

4. Urologic Complications

① bladder drained technique 의 단점에 해당된다.

Urethritis, Urethral disruption, Hematuria, 재발성 UTI (1년에 3번 이상), dysuria

Bicarbonate loss → (NonGap) Metabolic acidosis (m/c 80%) ★

■ Results Of Pancreatic Transplantation

① 이식췌장의 생존 ★

SPK (simultaneous) 〉 PAK (after KT) 〉 PTA (alone)

이유 : SPK 시 rejection monitoring이 더 쉬워 진단이 빠르다.

② 동일 donor로부터 pancreas & kidney를 받으면, immunologic benifit이 있다.

Transplantation of Isolated Pancreatic Islet

① 장점

- 복잡한 혈관 reconstruction을 피할 수 있다.
- 필요로 하는 Endocrine pancreas기능만을 취할 수 있다(Exocrine pancreas는 버림).
- 면역억제하지 않아도 된다.

② islet transplantation 위치

: liver via portal vein embolization이 가장 흔히 이용된다.

(그림) liver는 dual vascular supply를 지니기 때문에 portal vein을 통해 embolization함으로써 isolated pancreatic islet transplantation을 할 수 있다.

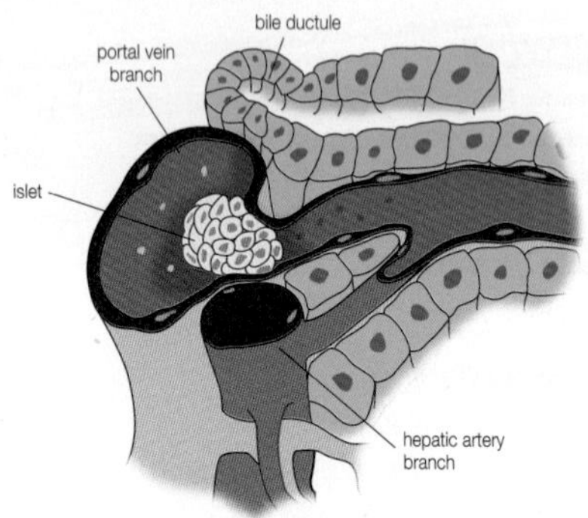

장이식 (Intestinal Transplantation)

① **장기능부전의 m/c 원인** : short bowel syndrome

② 적응증 :

비가역적인 장기능부전으로 다음 중 한 가지 이상이 해당될 때

1) PNALD로 인한 간부전
2) central vein의 multiple thrombosis로 central vein access에 제한
3) 입원이 필요할 정도의 catheter-related infection이 2회를 넘은 경우
4) fungal line infection이 1회라도 있었던 경우
5) IV fluid 공급과 TPN에도 불구하고 심각한 탈수가 자주 있는 경우

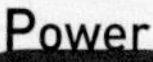

★☆☆☆☆

16 종양생물학 및 암표지자

Tumor biology and Tumor markers

역학 (Epidemiology)

1. 발생률 (2014)

- 전체 : **갑상선** 〉 **위** 〉 **대장** 〉 **폐** 〉 **유방** 〉 간 〉 전립선 〉 췌장 〉 담도계 〉 비호지킨림프종
- 남자 : **위** 〉 **폐** 〉 **대장** 〉 **간** 〉 **전립선** 〉 갑상선 〉 췌장 〉 방광 〉 신장 〉 담도계
- 여자 : **갑상선** 〉 **유방** 〉 **대장** 〉 **위** 〉 **폐** 〉 간 〉 자궁경부 〉 담도계 〉 췌장 〉 난소

2. 사망률 (2014)

- 전체 : **폐** 〉 **간** 〉 **위** 〉 **대장** 〉 **췌장** 〉 담도계 〉 유방 〉 백혈병 〉 전립선
- 남자 : **폐** 〉 **간** 〉 **위** 〉 **대장** 〉 **췌장** 〉 담도계 〉 전립선 〉 식도 〉 방광 〉 백혈병
- 여자 : **폐** 〉 **대장** 〉 **위** 〉 **간** 〉 **췌장** 〉 유방 〉 담도 〉 난소 〉 자궁경부 〉 백혈병

3. 주요 암의 5년 생존율 (5YS%)

갑상선암	위암	대장암	폐암	유방암	간암	전립선암	췌장암	담도암	비호지킨림프종
99.9	73.1	75.6	23.5	91.5	31.4	92.5	9.4	19.0	68.4

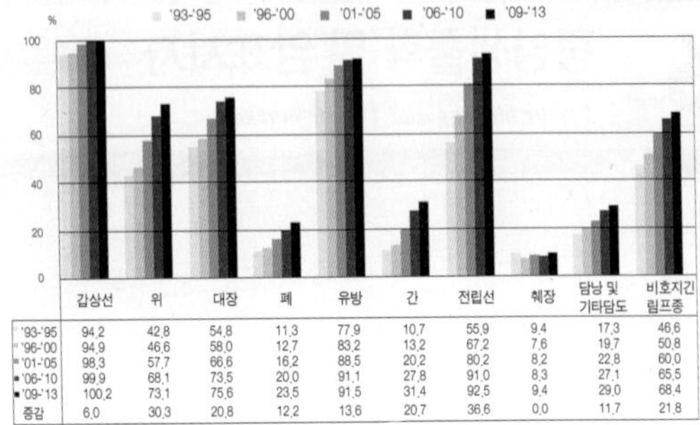

	갑상선	위	대장	폐	유방	간	전립선	췌장	담낭 및 기타담도	비호지킨 림프종
'93-'95	94.2	42.8	54.8	11.3	77.9	10.7	55.9	9.4	17.3	46.6
'96-'00	94.9	46.6	58.0	12.7	83.2	13.2	67.2	7.6	19.7	50.8
'01-'05	98.3	57.7	66.6	16.2	88.5	20.2	80.2	8.2	22.8	60.0
'06-'10	99.9	68.1	73.5	20.0	91.1	27.8	91.0	8.3	27.1	65.5
'09-'13	100.2	73.1	75.6	23.5	91.5	31.4	92.5	9.4	29.0	68.4
증감	6.0	30.3	20.8	12.2	13.6	20.7	36.6	0.0	11.7	21.8

1990년대와 비교할 때 대부분 암종에서 5년 생존율이 증가했으며,
특히 전립선암, 위암, 비호지킨림프종, 대장암, 간암의 5년 생존율이 많이 향상되었음.

성별 암 발생률

남자			여자		
위	20,266	17.8%	갑상선	34,087	30.5%
대장	16,593	14.6%	유방	17,231	15.4%
폐	16,171	14.2%	대장	11,025	9.9%
간	12,105	10.6%	위	9,918	8.9%
전립선	9,515	8.4%	폐	7,006	6.3%
갑상선	8,454	7.4%	간	4,087	3.7%
방광	3,025	2.7%	자궁경부	3,633	3.3%
신장	2,992	2.6%	담낭 및 기타담도	2,576	2.3%
췌장	2,982	2.6%	췌장	2,529	2.3%
담낭 및 기타담도	2,707	2.4%	난소	2,236	2.0%
모든암	113,744	100%	모든암	111,599	100%

암 종별 사망률

남자			여자		
폐암	12,785	26.7%	폐암	4,655	16.2%
간암	8,616	18.0%	대장암	3,606	12.5%
위암	5,767	12.0%	위암	3,150	11.0%
대장암	4,791	10.0%	간암	2,950	10.3%
췌장암	2,752	5.7%	췌장암	2,364	8.2%
담낭 및 기타 담도암	1,966	4.1%	유방암	2,254	7.8%
전립선암	1,667	3.5%	담낭 및 기타 담도암	1,965	6.8%
식도암	1,407	2.9%	난소암	1,021	3.6%
방광암	1,016	2.1%	자궁경부암	960	3.3%
백혈병	921	1.9%	백혈병	750	2.6%
비호지킨 림프종	921	1.9%			
모든암	47,869	100%	모든암	28,742	100%

종양생물학 (Tumor biology)

1. 종양 발생기전

• 악성 종양은 세포분열이 조절되지 않고 계속되는 변형된 세포의 집단이다. 정상세포가 암세포로 변형된 이후, 새로 얻어진 여러 특성이 계속 자세포로 이어져 같은 특성을 갖는 암세포가 늘어나게 된다. 이렇게 형성된 암세포는 각종 화학물질을 분비해 주변 환경을 조절하며, 결국 주변 정상 조직으로 침윤 및 전이를 일으키게 된다.

• 악성 종양이 발생하는 기전은 다음의 두 가지 과정으로 이뤄진다.

① **정상세포의 유전적 변이를 통해 암세포가 형성된다.**

② **주변 기질(Stroma)의 형질 변화를 통해 전이가 활성화된다.**

2. 종양 발생 주요단계

1) 세포주기 조절 이상

• 정상적인 세포주기는 **네 단계(G1, S, G2, M)**로 나누어진다.

① **G1기**는 가장 길며, 세포가 성장하고 분열에 대비하는 단계이다.

② **S기** 동안 세포는 유전 물질의 복제물을 생성한다.

③ **G2기**는 분열에 필요한 단백질을 합성하며 M기를 준비하는 단계이다.

④ **M기** 동안 세포의 구성성분이 두 개의 딸세포로 나뉘어 지게 된다.

⑤ 세포 분열이 종료되면 **G0기**로 불리는 정지기로 진입하게 된다.

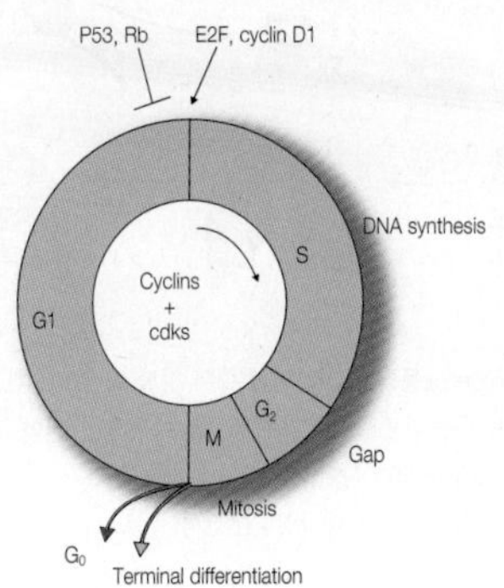

- 세포주기 단계는 **싸이클린(Cycline) 단백질**과 **싸이클린 의존 단백질 키나아제** (Cycline-dependent kinase(cdks)) 라는 효소에 의해 조절되며, 중간에 체크 포인트가 있어 해당 과정의 이행을 결정하게 된다.
- 암세포는 이러한 세포주기 조절 과정 및 관련 유전자에 이상이 생겨, 외부 신호와 상관없이 무한정 증식하는 능력을 획득하게 된다.

2) 혈관 신생

- 혈관생성은 기존에 있던 혈관에 새로운 신생혈관이 발생하는 현상으로 종양의 성장과 전이에 필수적인 과정이다. 혈관생성은 종양세포, 내피세포, 기질세포, 염증세포 등 다양한 세포에서 분비되는 인자들에 의해 조절된다.
- 대표적으로 VEGF는 저산소증이나 다른 성장인자에 의해 유도되어 혈관의 투과성을 증가시키고, 내피세포의 증식과 합성을 유도하는 작용을 한다. 또한, 혈관을 확장시키고, 혈관의 구조를 보호하는 역할을 함으로써 혈류에도 영향을 미친다.
- PDGF 또한 혈관생성에 매우 중요한 역할을 하는데, 이들은 직접 내피세포 증식을 유도하지는 않지만, VEGF 발현과 평활근세포를 자극하고, 내피세포 생존을 촉진한다.

3) 침윤 및 전이

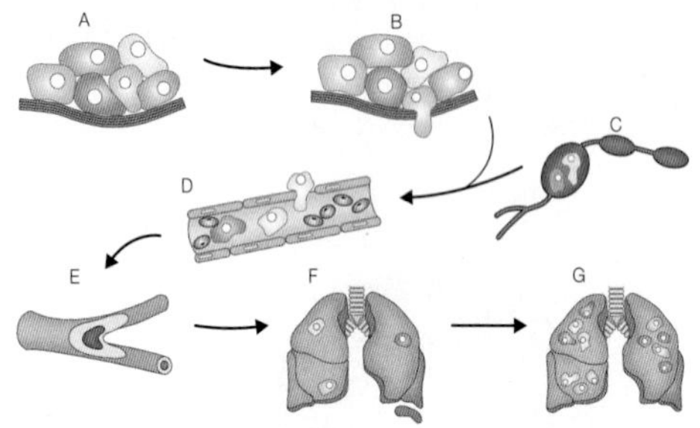

- 악성 세포는 **부착 단백질 (E-cadherin) 등의 상실**로 인해 주위 정상 조직으로 침윤하는 능력을 가지게 되며, 이후 몇 단계를 거쳐 혈행성 혹은 림프성으로 다른 장기로 이동하는 '전이' 과정이 일어난다.
- 또한 이 과정에서 몇몇 종양의 경우는 장기 특이성을 가지게 된다.
  예) 악성흑색종 : 뇌 전이, 전립선암 : 뼈 전이, 대장암 : 간 전이

3. 암세포의 주요 생리적 특성 (Hallmarks of cancer cells)

① Sustaining Proliferative Signaling

② Evading Growth Suppressors

③ Resisting Cell Death

④ Enabling Replicative Immortality

⑤ Inducing Angiogenesis

⑥ Activating invasion and Metastasis

⑦ Avoiding Immune Destruction

⑧ Deregulating Cellular Engergetics

⑨ Genomic Instability and Mutation

⑩ Tumor-Promoting Inflammation

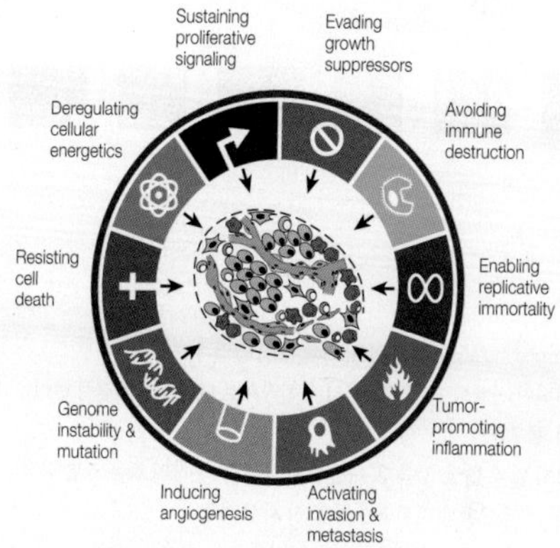

암 신생과정 (Carcinogenesis)

1. 암 유전학 (Cancer genetics)

- '**악성변환**(malignant transformation)' 이란 정상세포가 과도한 성장을 보이는 비정상세포로 변화하는 과정으로, 다음의 유전자 변이에 의해 발생한다.
  ① <u>종양유전자 (Oncogene)</u> **기능의 과도한** <u>**활성화**</u>
  ② <u>종양억제유전자 (Tumor suppresor gene)</u> **기능의** <u>**억제**</u>

- *결장직장암 발생 유전모델 (Fearon & Vogelstein,1988)*
  : 종양유전자 및 종양억제유전자 변이가 직접적으로 암 발생에 관여함을 보여줌

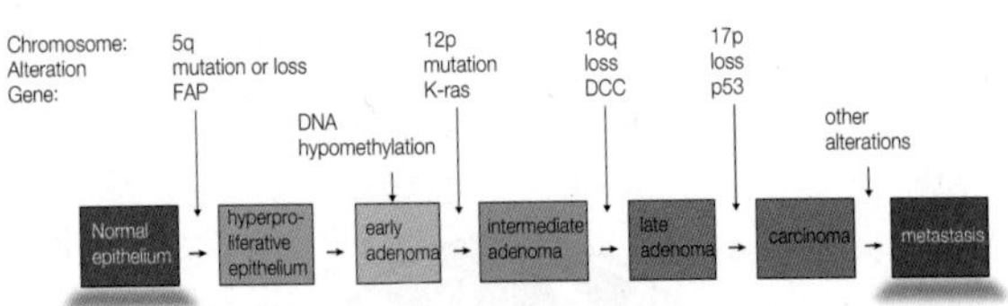

1) 유전자 변이 분류

- **생식세포 변이** (Germline mutation) → **유전적**(Hereditary) 종양과 관련
  : 부모로부터 유전되어 신체의 모든 세포에서 선천적으로 나타나는 체질성 변이
  : 대부분 증후군의 형태를 보임
  : 일반적인 연령보다 일찍 발생, 양측성, 다발성 일차성 암, 흔하지 않은 성별 발생 (예; 남성 유방암), 친척에서 비슷한 암, 정신지체/피부병변 동반 시 의심 가능

- **체세포 변이** (Somatic mutation) → **산발적**(Sporadic) 종양과 관련
  : 비유전적 변이로, 방사선 · 화학약품 · 만성염증 등의 노출로 의해 후천적으로 발생.
  : 대부분의 암과 관련.

2) 가족성 암 증후군 (Selected Familial Cancer Syndrome)

질병	특징	관련 유전자
1. 유전성 망막모세포종 (Retinoblastoma)	- RB1 종양억제유전자 변이 (세포주기조절 관여) - 안구의 망막모세포 분화 과정 기능상실 - 대부분 7세 전후로 진단 (양측성인 경우 생후 1년 안에 진단)	Rb(13q14)
2. Li-Fraumeni 증후군	- TP53 종양억제유전자 변이 (세포사멸, 세포주기조절 관여) - 관련암: 유방암, 육종, 뇌종양, 부신피질종양, 백혈병, 윌름종양 - 상염색체 우성 유전으로 대부분 45세 이전에 발병/진단 - 방사선에 의한 감수성 증가 → 방사선 조사시 새로운 종양발생	p53(17p13) hCHK2(22q12.1)
3. 가족성 선종성 용종증 (Familial Adenomatous Polyposis (FAP))	- APC 종양유전자 변이 (세포 증식, 유착 및 이동에 관여) - 전체 대장암의 1%, 결장에 1,000개 이상의 선종성 폴립 발생 - 관련암: 대장암, 상부위장관 용종, 데스모이드 종양, 갑상선암 - 상염색체 우성 유전으로 20-30대에 대장용종, 35-40세 대장암	APC(5q21)
4. 유전성 비용종증 대장암 (Hereditary Nonpolyposis Colorectal Cancer (HNPCC)) = Lynch 증후군	- hMSH2, hMLH1 등 DNA 복제실수교정유전자 변이 - 전체 대장암 5-10%, 주로 우측 결장암, - 상염색체 우성 유전으로 40대 중반 발병, 2-3년 후 악성 진행 - Type.I : 대장암만 발생, 44세 이전에 발병 - Type 2 : 대장암, 자궁내막암, 신장암, 위암, 소장암, 췌장암 등	hMLH(3p21) hMSH2 (2p22) hMSH6 (2p16) hPMS1 (2q31.1) hPMS2 (7p22.2)
5. BRCA 관련 유방/난소암 (Breast/ovarian syndrome)	- BRCA1,2 종양억제유전자 변이 (DNA 손상회복, 발현 조절) - BRCA1,2 유전자 변이 시 70세까지 유방암 발병 확률 : 80% - BRCA1 : 난소암(60%, 전체 난소암 중 5%) - BRCA2 : 난소암(27%), 담낭암, 췌장암, 위암, 전립선암(남자)	BRCA1 (17q21) BRCA2 (13q12.3)
6. 제1형 다발성 내분비 종양 (Multiple Endocrine Neoplasm type 1 (MEN1))	- MEN1 종양억제유전자 변이 (DNA전사, 교정, 세포골격 형성) - 관련암: 부갑상선 종양, 췌장 종양, 뇌하수체 종양 - 상염색체 우성 유전	MEN1 (11q13)
7. 제2형 다발성 내분비 종양 (Multiple Endocrine Neoplasm type 2 (MEN2))	- RET 종양유전자 변이 (티로신키나아제 암호화, 신호전달 관여) - MEN2A: 갑상선수질암, 갈색세포종, 부갑상선기능항진 - MEN2B: 갑상선수질암, 신경종, 위장관 신경절 종양, Marfan	RET (10q11.2)
8. Von Hippel-Lindau 증후군	- VHL 종양억제유전자 변이 (저산소증 방어, 결합조직 안정화) - 상염색제 우성 유전, 평균 26세 발병, 65세까지 90% 발병 - HIF 복합체 세포내 축적, 다발성 장기에서 혈관발달 과도 - 관련암: 망막/CNS 혈관모세포종, 투명세포신세포암, 갈색세포종	VHL (3p25)

2. 암 후생유전학 (Cancer Epigenetics)

- DNA 염기서열 변화(돌연변이) 없이 유전자기능(단백질발현)이 변화하여 유전되는 현상
- 대표적으로 다음의 세 과정을 통해 일어난다.
  (1) **DNA 메틸화** (DNA methylation)
  (2) **유전체 각인** (Genomic imprinting)
  (3) **히스톤 단백질 변형** (Histone modification)

3. 암 유발인자 (Carcinogen)

- 종양 생성에 영향을 줄 수 있는 모든 물질을 총칭함

1. 화학물질 (Chemical Carcinogen)

- 직접 발암성 화학물질 : 인체에 직접적으로 작용하여 암을 유발
- 간접 발암성 화학물질 : 발암물질로 작용하려면 인체에서 화학적 전환이 필요함
  전발암물질(Procarcinogen) 이라고도 부름.

→ 전환과정은 **사이토크롬 P-450 의존성 일산화효소**에 의해 일어나며, 이 효소가 암호화된 유전자의 다형성은 개인의 감수성을 결정하는 가장 중요한 요인.

2. 방사선 (Radiation Carcinogenesis)

- 방사선에 의한 암 발생과정은 대부분 암 억제 유전자의 불활성화에 기인
  ① 자외선 (Ultraviolet) : 주로 피부암의 원인으로 작용 (예: 악성흑색종)
  ② 전리 방사선 (Ionizing radiation) : 여러 암의 발생에 영향 (예: 백혈병, 갑상선암 등)

3. 감염원 (Infectious Carcinogen)

- 바이러스 등의 감염으로 인해 유전체의 직접적인 변환이 일어나거나, 세포 주기 조절 및 DNA 교정 과정을 방해, 사이토카인(cytokine) 및 성장인자 과다 발현, 면역계의 교란 등을 일으켜 암이 발생하게 된다.

4. 만성 염증 (Chronic Inflammation)

- 감염을 동반하지 않은 만성 염증 또한 종양 발생 과정과 연관성을 가지고 있다.
- 예) 궤양성대장염 환자에서 대장암 발생 증가, 만성 궤양 환자에서 피부암 발생 증가 등

• 대표적인 감염성 발암원

Selected IARC(International Agency for Research on Cancer) Group 1. Infectious Carcinogens

감염원	관련 종양
엡스타인-바 바이러스 (EBV)	버킷림프종, 호지킨병, 면역결핍 관련 림프종
B형 간염 바이러스 (HBV)	간세포암
C형 간염 바이러스 (HCV)	간세포암
인간 면역결핍 바이러스 1 (HIV-1)	카포시 육종
인간 유두종 바이러스 16, 18형 (HPV type 16,18)	자궁경부암, 항문암
인간 T세포 림프영양성 바이러스 (Human T cell lymphotropic virus)	성인 T세포 백혈병
헬리코박터 균 (Helicobacter pylori)	위선암
간흡충 (Opisthorchis viverrini)	담관암, 간세포암
주혈흡충 (Schistosoma haematobium)	요로/방광암

종양표지자 (Tumor markers)

- 종양의 진단에 도움이 되는 세포학적, 생화학적, 분자생물학적, 유전적 변화 지표를 총칭

1. 이상적 종양 표지자의 특성

① 특정 종양에 국한되어 발현

② 시료 얻는 과정이 용이

③ 측정의 재현성이 높고 신속하며 비싸지 않아야 함

2. 종양표지자의 적용범위

① 악성과 양성 종양을 감별하는 등의 진단적 이용

② 암세포 크기 및 양 측정에 이용

③ 환자의 병기를 세밀하게 분류하는데 이용

④ 예후인자로 이용

⑤ 치료방법 선택 및 치료 반응 예측의 지표로 이용

3. 주요 종양표지자

종양표지자	암	민감도	특이도
Alpha fetoprotein	간세포암	25-75%	76-94%
Carcinoembryonic antigen	결장직장암	40-47%	90%
	유방암	45%	81%
PSA	전립선암	57-93%	55-68%
CA 19-9	췌장암	67-92%	68-92%
CA 15-3	유방암	57%	87%
Thyroglobulin(100U/mL)	갑상선암	77.4%	86.2%

4. 생물학적 표지자 및 표적치료제

암	생물학적 표지자	치료제
유방암	Estrogen receptor HER2/neu	Tamoxifen/aromatase inhibitors Trastuzumab
대장암 등	VEGF	Bevacizumab
림프종	CD 20	Rituximab
만성골수성백혈병(CML)	bcr-abl	Imatinib
위장관기질종양(GIST)	c-kit	Imatinib
비소세포성폐암 등	EGFR	Gefitinib, Eriotinib

Power ☆☆☆☆☆

17 종양면역학 및 면역치료

Tumor Immunology and Immunotherapy

종양면역학 개론

- 면역체계는 인체에 내재된 가장 강력한 방어 시스템으로, 최근 각광받는 면역치료법이란 이와 같은 면역체계를 강화시켜 종양세포만을 특이적으로 제거한다는 원리이다.
- 모든 세포의 표면에는 주요조직적합항원(MHC, Major Histocompatibility Complex)이라는 개체 고유의 단백질이 발현되고, 면역세포는 이를 통해 자기와 비자기를 구별할 수 있다.

1. T 세포

1. T세포 분화 과정

골수에서 유래한 전구세포는 흉선으로 이동하여 성숙과정을 거친다. 이 때 다양한 조합의 T세포 수용체(TCR, T cell receptor)가 표면에 발현되며, 이중 자가항원을 강하게 인식하는 세포는 제거된다. (Negative selection) 결국 주요조직적합항원(MHC, Major Histocompatibility Complex)과 자가항원 복합물을 적절하게 인식할 수 있는 매우 적은 분율의 세포만이 살아남아, 말초조직으로 이동하며 최종적으로 분화과정을 마치게 된다.

2. T세포 종류

① **세포독성 T세포 (Cytotoxic T cell)** : CD8+발현, MHC class I 인식, 종양세포 직접 제거

② **도움 T세포 (Helper T cell)** : CD4+발현, MHC class II 인식

- Th1 세포 : 세포독성 활성화 및 염증반응 관여, IL-2, TNF-α IFN-γ분비
- Th2 세포 : B 세포 활성화 및 항체 생성 촉진, IL-4, IL-5, IL-6, IL-10, IL-13 분비

③ **Th17 세포** : 자가면역질환 유발, IL-14, IL-21, IL-22 분비

④ **조절 T세포 (Regulatory T cell)** : 과도한 면역반응 억제, TGF-β분비

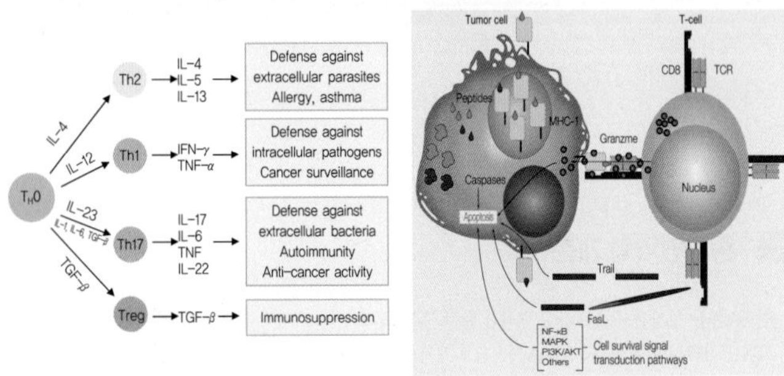

2. 자연살상세포 (NK cell, Natural Killer Cell)

- 주요조직적합항원(MHC)에 의존하지 않고, 직접적으로 종양세포를 제거할 수 있다.
- 체외에서 활성화시킨 후 체내에 다시 주입하면 종양세포 제거능력을 증가시킬 수 있다.

3. 항원제시세포 (APC, Antigen Presenting Cell)

- 외부에서 침입한 항원을 섭식하거나, 자가 발현한 단백질을 가공해 표면에 제시함으로써 면역체계 활성화
- 대식세포(macrophage), 수지상세포(dendritic cell), 랑게르한스 세포(Langerhans cell) 등

a. 외부 침입 항원 → MHC class II 을 통해 제시 → CD4+ Helper T cell 활성화

b. 자가 발현 항원 → MHC class I 을 통해 제시 → CD8+ Cytotoxic T cell 활성화

4. 항체 (Antibody, Immunoglobulin)

• B세포 혹은 형질세포(Plasma cell)에서 분비되는 당단백질로, 외부에서 침입한 항원을 비활성화 시키고 이에 대항하여 세포 외부 자극을 유도한다.

1) 구조

• 전체적으로 Y 모양으로, 동일한 2개의 긴 사슬(heavy chain)과 동일한 2개의 짧은 사슬(light chain)로 구성된다. 4개의 사슬이 이황화결합으로 연결된다. 긴 사슬과 짧은 사슬 사이의 변이 구역 (Variable region)이 실제 다양한 항원을 인식해 결합하는 부위이다.

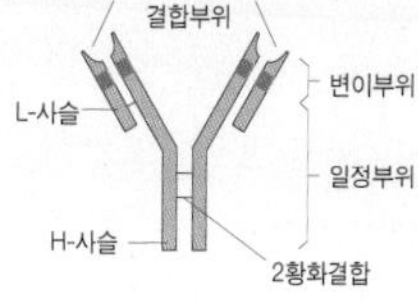

2) 종류 : IgG, IgA, IgM, IgD, IgE 의 5가지 종류 항체가 존재

5. 종양 항원 (Tumor Antigens)

• 종양세포는 정상 세포에 존재하는 항원을 과도하게 혹은 비정상적으로 발현
→ T세포가 자가 항원을 인식하는 능력을 이용해 면역 치료에 활용 가능

• 종양 관련 항원 (Tumor Associated Antigens)은 다음과 같이 분류된다.

① Tissue differentiation antigens

: 종양세포의 기원이 되는 특정 조직의 분화적, 기능적 특성을 지니는 단백질 항원

(예) 흑색종 : Tyrosinase, gp100, MART-1 (색소 형성에 관여하는 단백질 항원)
전립선암 : Prostate-specific membrane antigen, Prostate-specific antigen

② Tumor-testis antigens

: 정상 조직에서는 나타나지 않으나 배아조직과 종양에서만 발현되는 단백질 항원

(예) Alpha-feto protein, MAGE protein family, NY-ESO-1

③ Protein over-expressed after transformation

: 정상 조직에서도 발견되나, 악성 세포에서 과발현되어 나타나는 단백질 항원

(예) p53, erbB-2, hTERT (telomerase 유래)

④ Tumor-specific mutations

: 정상 조직에 존재하는 단백질의 돌연변이형, 종양세포에만 특이하게 존재

(예) CDK4, βcatenin, HLA-A*1101

종양세포의 면역 회피 기전 (면역감시, Immune surveillance)

① 종양 항원 발현을 감소시켜 T 세포 작용을 회피

- Epigenetic silencing
- Loss of MHC expression
- Loss of function of intracellular machinery that transports peptides to cell surface

② T세포 활성화에 필요한 공동자극 신호 (co-stimulator signal)를 억제
→ 자극을 받지 못한 T세포를 무기력(anergy) 상태로 전환

③ T세포에 대한 억제성 수용체 발현 (CTLA-4, PD-1)

④ 조절 T세포 (Treg cell) 기능을 활성화 → 면역작용 억제

⑤ 싸이토카인(cytokine) 분비 및 신호전달 과정 억제

⑥ Myeliod-derived suppressor cell (MDSCs) 을 통해 T세포 기능 억제

⑦ 면역억제 물질 (TGF-β등) 직접 분비

면역치료

1. 사이토카인 치료 (Cytokine therapy)

- 사이토카인은 체세포에서 만들어지는 단백질로 암세포에 대한 정상적인 면역반응을 유도 및 활성화시킨다. 인터페론(Interferon, IFN)과 인터류킨(Interleukin, IL) 등 2가지가 현재 암 치료에 사용되고 있다. 하지만 다른 인자들에 영향을 받을 수 있고, 고농도 투여 시 전신적 독성이 생길 위험이 있다는 단점이 있다.

① INF-α: Hair cell leukemia, Renal cancer, CML, Kaposi sarcoma에서 일부 효과

② IL-2 : Metastatic cancer, Melanoma, RCC (renal cell cancer)에서 효과

③ IL-7 : T 세포 성장인자로 작용

④ IL-15 : NK 세포 및 T 세포 성장인자, T세포 사멸 억제인자로 작용

⑤ IL-21 : T 세포 성장인자로 작용

2. 백신 (Vaccine)

- 암을 예방하는 목적이 아니고 암세포에 대한 면역반응을 강화하는 치료적 백신
- 종양세포 특유의 항원을 가공 후 재조합 벡터를 이용해 인체에 주입하면, 항원제시세포가 이를 인식하여 표면에 발현하고, 이후 T 세포를 자극 및 이에 대한 능동면역이 활성화되어 종양세포를 공격하게 하는 원리

3. 면역조절 타겟 치료 (Targeting Immunomodulatory pathways)

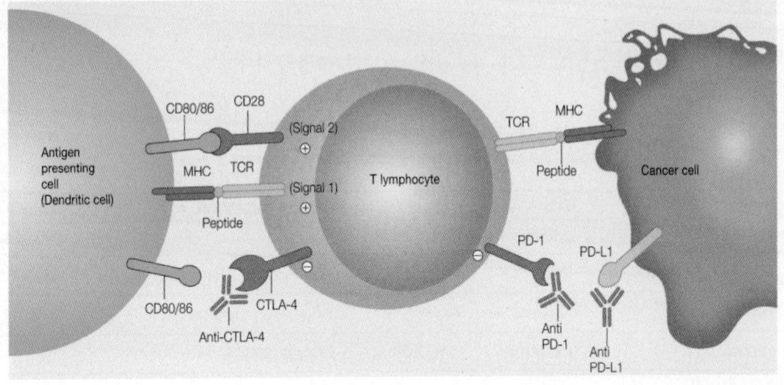

① T 세포 활성화를 방해하는 억제수용체(CTLA-4, PD-1)를 차단

T세포 수용체	부착 리간드	작용	작용 항체	종양
CTLA-4	CD80/CD86	T세포 억제	ipilimumab tremelimumab	melanoma
PD-1	PD-L1/PD-L2	T세포 억제	pembrolizumab	melanoma, renal cancer non-small cell lung cancer

② T 세포 활성화를 돕는 공동수용체(CD-137, CD40)를 촉진

4. T세포 입양 치료 (T cell adoptive therapy)

- T세포를 추출해 원래 가지고 있는 암세포 공격 기능을 강화하여 재투여 하는 방법
- 암 환자로부터 채취한 종양에서 활동력이 가장 강한 T세포만 따로 분리하거나 유전자 조작을 통해 암세포 대항능력을 강화시킨 다음 시험관에서 2~8주 동안 대량 증식해 환자의 정맥을 통해 재투입한다.

5. 단일클론 항체 치료 (Monoclonal antibody therapy)

- 외부에서 만든 항체를 체내에 주입, 특정 표적과 결합하게 함으로써 면역반응을 유도하여 종양세포를 파괴하게 하는 방법이다.
- 표적치료(target therapy)라고 부르며, 가장 각광받는 면역치료법 중 하나이다.

Monoclonal antibodies approved for the treatment of human disease

Name	Trade name	Target	Clinical indication	Year
Abciximab	ReoPro	Anti-GPIIb/IIIa	Clotting prevention after angioplasty	1994
Rituximab	Rituxan	Anti-CD20	Non-Hodgkin lymphoma	1997
Basiliximab	Simulect	Anti-IL-2R	Kidney transplant rejection	1997
Infliximab	Remicade	Anti-TNF	Crohn's disease	1998
Trastuzumab	Herceptin	Anti-HER2	Breast cancer	1998
Gemtuzumab ozogamicin	Mylotarg	Anti-CD33	Acute myeloid leukemia	2000
Alemtuzumab	Campath	Anti-CD52	Chronic myeloid leukemia	2001
Adalimumab	Humira	Anti-TNF	Rheumatoid arthritis	2002
Ibritumomab tiuxetan	Zevalin	Anti-CD20	Non-Hodgkin lymphoma	2002
Tositumomab	Bexxar	Anti-CD20	Non-Hodgkin lymphoma	2002
Omalizumab	Xolair	Anti-IgE	Asthma	2003
Cetuximab	Erbitux	Anti-EGFR	Colorectal cancer	2004
Bevacizumab	Avastin	Anti-VEGF	Colorectal cancer	2004
Panitumumab	Vectibix	Anti-EGFR	Colorectal cancer	2006
Toclimumab	Actemra	Anti-IL-6R	Rheumatoid arthritis	2010
Ipilimumab	Yervoy	Anti-CTLA-4	Metastatic melanoma	2011
Brentuximab vedotin	Adcetris	Anti-CD30	Hodgkin lymphoma	2011
Pertuzumab	Perjeta	Anti-HER2	Breast cancer	2012
Obinutuzumab	Gazyva	Anti-CD20	Chronic lymphocytic leukemia	2014
Ramucirumab	Cyramza	Anti-VEGRF2	Gastric cancer	2014
Nivolumab	Opdivo	Anti-PD-1	Melanoma	2015
Pembrolizumab	Keytruda	Anti-PD-1	Melanoma	2015
BMS-936559	(undecided)	Anti-PD-L1	Solid cancers	2015

블럭강의, 문제집만으론 이해가 안될때
힘을 내요, 슈퍼 파~월~

POWER 시리즈

POWER는 달라요!!

국시대비 뿐만 아니라 전공의, 전문의때도 보실 수 있게끔 구성된 참고서에요.
교과서 및 두꺼운 교과서의 장점을 Simple하게 정리하여 블럭강의로 부족한 부분에 도움이 되시게끔 제작하였어요.
기존판의 오류, 오래된 데이터는 최신 가이드라인에 맞게 전부 수정했어요.

PK실습용품도 전국 최저가로 드려요!! (3M · Spirit 공식딜러)

그동안 받은 사랑에 보답하고자 의료기기쇼핑몰 사업부를 운영하여 노마진으로 드리고 있어요.

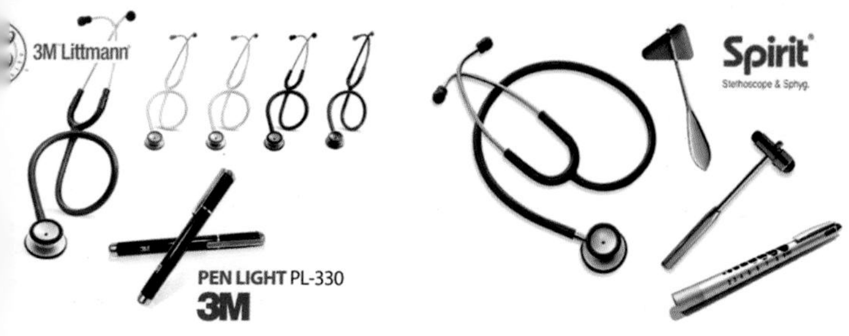

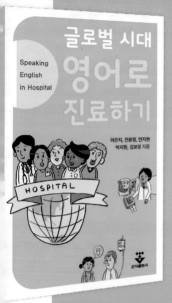

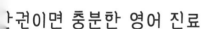